Halbkugel der Erde

von J. E. Bode Astronom der Königl. Pr. Acad. d. Wissensch. 1793

DAS OSTLICHE MEER

DAS INDISCHE

WELT MEER

The German Scientific Heritage

The German Scientific Heritage

Compiled and edited by

Reginald H. Phelps and Jack M. Stein
Harvard University

with the collaboration of
I. Bernard Cohen
Harvard University

HOLT, RINEHART and WINSTON, New York

Preface

The German Scientific Heritage, a companion volume to *The German Heritage* (Holt; rev. ed. 1958), is an anthology of primary readings for intermediate classes in German, chosen to acquaint the reader with some major events and developments in the history of modern science. While the procedure in this book has similarities to that in *The German Heritage*, there is one significant difference. The earlier volume does present a *German* heritage, in the sense that the language and the national culture are closely linked. The community of scientists is, however, intrinsically international, and in science national boundaries are of minor importance; therefore our *German Scientific Heritage* must be thought of as principally a selection of significant scientific writings in the German language. It is not incidental, then, that the scientists included in this volume come not only from Germany and Austria, but from Switzerland and the Baltic region as well.

Many of the selections are from actual papers announcing discoveries; all are by men writing as leaders in their fields. It is our hope that the student who reads these documents will be stimulated by this contact with the makers of modern science at work on their great discoveries. Therefore we think this book will have an appeal to the student of humanities as well as to the student of science. The chapters were selected on the basis of intrinsic importance and interest, style, readability (with second-year students of German in mind), and variety of subject. While they cannot encompass the whole history of science, they represent fields and periods sufficiently extensive to show a good deal of the progress of scientific thought over nearly two centuries. Our decision to include readings from the major scientific fields and examples from the history of science departs from the usual practice in scientific anthologies, which ordinarily specialize in most recent developments in a single field or in closely related fields. Paradoxically, it is this kind of current material which "dates" most rapidly, whereas the selections we offer remain monuments of scientific progress with lasting cultural and scientific validity. Recent research in second language learning shows that acquisition of specialized vocabulary is a less important factor in reading than practice in syntax and morphology. Typical examples of these are available in scientific writing of the modern era irrespective of field of specialization. The problem of specialized vocabulary has been met by our marginal glosses.

The selections are presented chronologically, with the result that the earlier chapters are not necessarily the easiest. For those who prefer to use the chapters in order of difficulty, the following suggested gradation may be helpful: easy—Euler, Bode, Weizsäcker; easy to moderate—Liebig, Helmholtz, Baer, Fischer; moderate—Mendel, Koch, Suess, Berichte der durstigen chemischen Gesellschaft, Röntgen, Planck; moderate to difficult—Einstein; difficult—Diesel, Heisenberg, Freud.

Following the principles of *The German Heritage*, we give the exact words of the original (except for modernization of spelling and punctuation), but have abridged freely in order to reduce the length and/or difficulty of the selections. The implications of abridgement of scientific treatises are somewhat more critical than with literary or cultural works, and we have proceeded in this with extreme caution, in order not to distort the exact sense of the original discussion. We have not indicated where the omissions occur, since to do so would have marred the appearance of the passages and served no sound pedagogical purpose. The addition of marginal glosses of the less important words should bring the reading material in this book within range of second-year college classes.

To add scope and interest, several of the chapters contain also brief excerpts from the writings of other great scientists who could not be included more extensively, either because of space limitations or because their writings were less suitable stylistically or otherwise for what is essentially a reader for language classes. In the cases of Kepler (p. 39) and Guericke (p. 58), we have used German translations of the original Latin, and of Leibniz (p. 12) a translation from the French. On the lighter side, we have included as Chapter 9 excerpts from the famous parody, *Berichte der durstigen chemischen Gesellschaft*, evidence that scientists too can be whimsical on occasion.

The end vocabulary is limited to words occurring in C. M. Purin's *A Standard German Vocabulary* (D. C. Heath, Boston) or to words easily derivable from them, except that certain of the more useful and frequent scientific terms, such as would surely occur in a comparable list of high frequency scientific words, were included, (e.g. Wasserstoff). Cognates have been indicated in the text by superior circles, but because of the great number of exact or near cognates in the scientific vocabulary, we have restricted this indication to words not obvious at first glance as cognates. Thus, for example, "Biologie" has no circle, but "Chemie°" does. In addition, there is a list of strong verbs on pp. iii-v of the vocabulary; a table of abbreviations on p. ii; and the translation of the picture captions on pp. xxxvii-xxxviii.

We would have been unwilling to undertake this volume without the collaboration of Professor I. B. Cohen, who, as a historian of science, was principally responsible for the choice of authors and selections, and who supplied the necessary material on which the brief English introductions to each chapter are based. Our grateful thanks go to many colleagues at Harvard who kindly placed their scientific knowledge at our disposal in fields not directly familiar to us, especially Professors Otto Oldenberg, Gordon Fair, Ernst Mayr, and Dr. Ronald Vanelli.

Our thanks also to the following for their permission to reprint the following articles: S. Fischer Verlag, Frankfurt a.M.: von Weizsäcker, *Atomenergie und Atomzeitalter* (from: *Atomenergie und Atomzeitalter, 12 Vorlesungen*, 1957, S. Fischer Verlag); Friedr. Vieweg & Sohn, Braunschweig: Einstein, *Über die spezielle und allgemeine Relativitätstheorie* (S. 11-18, Abschnitt 7, 8 und 9), Planck, *Physikalische Abhandlungen und Vorträge* (Bd. III, 1958, S. 172-177); Rowohlt Verlag, Hamburg: Heisenberg, *Das Naturbild in der heutigen Physik* (from Rowohlt Taschenbuch Verlag, 1955), Freud, *Abriss der Psychoanalyse* (Freud's works are now being published by S. Fischer Verlag); Hamburger Sternwarte: Schmidt, *Ein lichtstarkes komafreies Spiegelsystem*.

R.H.P.
J.M.S.

CREDITS

p. 4 Niedersächsische Landesbibliothek Hannover (2). p. 5 Niedersächsische Landesbibliothek Hannover (2). p. 16 Courtesy International Business Machines Corporation. p. 17 Courtesy N.Y. Public Library. p. 19 Courtesy N.Y. Public Library. p. 35 Dr. W. Dieckvoss, Hamburg. p. 36 Courtesy California Institute of Technology, Pasadena, California (2). p. 38 Courtesy California Institute of Technology, Pasadena, California (2). p. 39 Courtesy N.Y. Public Library. p. 40 Courtesy N.Y. Public Library. pp. 42-3 Courtesy N.Y. Public Library. p. 45 Courtesy Verlag Chemie, Weinheim/Bergstr. p. 46 Courtesy Verlag Chemie, Weinheim/Bergstr. p. 52 Photo Deutsches Museum München. p. 53 Photo Deutsches Museum München. p. 57 Courtesy N.Y. Public Library. p. 58 Historia-Photo. pp. 60-1 Courtesy Library of Congress. p. 62 Courtesy N.Y. Public Library. p. 64 Photo Deutsches Museum München. p. 78 Historia-Photo. p. 90 Photo Deutsches Museum München. p. 91 Courtesy N.Y. Public Library. p. 101 Historia-Photo. p. 103 Photo Deutsches Museum München. p. 104 N.Y. Academy of Medicine. p. 106 N.Y. Academy of Medicine. p. 108 N.Y. Academy of Medicine. p. 109 N.Y. Academy of Medicine (2). p. 137 Photo Deutsches Museum München. p. 138 Photo Deutsches Museum München. p. 142 Photo Deutsches Museum München. p. 145 Courtesy E. A. Kehr. p. 147 Photo Deutsches Museum München, p. 148 Photo Deutsches Museum München. p. 151 Photo Deutsches Museum München. p. 152 Courtesy Mediz. Fakultät der Maximilians-Universität Würzburg. p. 153 Courtesy Mediz. Fakultät der Maximilians-Universität Würzburg. p. 154 Courtesy Mediz. Fakultät der Maximilians-Universität Würzburg. p. 156 Courtesy Mediz. Fakultät der Maximilians-Universität Würzburg. p. 159 Courtesy Mediz. Fakultät der Maximilians-Universität Würzburg. p. 161 Photo Deutsches Museum München. p. 163 Photo Deutsches Museum München. p. 164-5 Photo Deutsches Museum München. p. 165 Photo Deutsches Museum München. p. 166 Tita Binz. p. 170 Photo Deutsches Museum München. p. 181 Courtesy Verlag Chemie, Weinheim/Bergstr. p. 184 Lotte Jacobi. p. 187 © National Geographic Society. p. 188 Courtesy Sky and Telescope. p. 195 Historia-Photo. p. 200 Scientific American (p. 42 December 1952 issue). p. 203 Photograph by Fred Stein. p. 208 Photograph by Fred Stein. p. 209 Tita Binz. p. 210 Courtesy Max-Planck-Gesellschaft zur Förderung der Wissenschaften e.V. p. 211 Sigmund Freud Copyrights Ltd. p. 214 Sigmund Freud Copyrights Ltd. p. 223 News Bureau, Clark University. p. 225 Photograph by Fred Stein.

Table of Contents

The German Scientific Heritage

LEONARD EULER.

Links:
Kupferstich aus dem achtzehnten Jahrhundert

Unten:
Titelseite der Ausgabe aus dem Jahre 1802

Vollständige
Anleitung
zur
Algebra
von
Hrn. Leonhard Euler.

Erster Theil.

Von den verschiedenen Rechnungs-Arten, Verhältnissen und Proportionen.

St. Petersburg, 1802.
Gedruckt bey der Kaiserlichen Akademie der Wissenschaften.

Leonhard Euler 1

One of the greatest mathematicians who have ever lived, Leonhard Euler (1707–1783), was the most prolific mathematical writer the world has ever known, properly called by his contemporaries "analysis incarnate." He published during his lifetime some 700 articles and almost 50 books. Born in Basel, Euler first studied Hebrew and theology, but devoted himself to mathematics from the age of seventeen. His early creative life was spent in St. Petersburg, as a member of the Russian Academy of Sciences, but he left in 1740 to accept the invitation of Frederick the Great to join the Berlin Academy. At the age of 59, he returned to St. Petersburg, where he spent his remaining years.

Euler's *Anleitung zur Algebra* is an example of how a profound thinker may put an elementary subject on a sound basis, describing the fundamental processes with a remarkable rigor and clarity. Written late in life when Euler was totally blind, the whole work was dictated to a servant. It is an extraordinary book, because it begins with the very simplest aspects of the subject and ends up with the complexities of advanced number theory, a subject to which Euler made many contributions of significance. In Chapter 11, from which the beginning of our selection has been taken, Euler introduces the subject of squares and square roots. In Chapter 13, he discusses imaginary numbers. You will find it of interest that the subject is treated as a novelty, and that Euler refers to these as «impossible» numbers. The extension of mathematics to the complex domain which we take for granted today was just then being accomplished.

In the concluding part of this selection, taking us about one-eighth of the way through the whole treatise, Euler deals with general aspects of calculation. Here you will observe that he found it necessary to explain the sign for «equals», which had only recently been introduced, and even to explain what it should be called in German ("ist gleich").

Vollständige Anleitung zur Algebra

(1770)

Anleitung *introduction*

ERSTER TEIL. ERSTER ABSCHNITT
Von den verschiedenen Rechnungsarten mit einfachen Größen

KAPITEL 11. *Von den Quadratzahlen*

Wenn eine Zahl mit sich selbst multipliziert° wird, so wird das Produkt ein Q u a d r a t genannt, so wie aus demselben Grunde die Zahl, aus der es entstanden ist, seine Q u a d r a t w u r z e l heißt.

Wenn man also z.B. 12 mit 12 multipliziert, so ist das 5 Produkt 144 eine Quadratzahl, deren Wurzel die Zahl 12 ist.

Der Grund dieser Benennung ist der Geometrie entnommen, wo der Inhalt eines Quadrates gefunden wird, indem man dessen Seite mit sich selbst multipliziert. 10

Daher werden alle Quadratzahlen durch die Multiplikation gefunden, dann nämlich, wenn man die Wurzel mit sich selbst multipliziert.

Weil also 1 mit 1 multipliziert 1 gibt, ist 1 das Quadrat von 1. 15

Ferner ist 4 das Quadrat der Zahl 2, und 2 ist die Quadratwurzel von 4.

Ebenso ist 9 das Quadrat von 3, und 3 die Quadratwurzel von 9. Wir wollen demnach die Quadrate der natürlichen Zahlen betrachten und folgende Tafel hin- 20 setzen, in welcher die Zahlen oder Wurzeln in der oberen, die Quadrate aber in der unteren Reihe vorgeführt werden:

vorgeführt *given*

Zahlen	1	2	3	4	5	6	7	8	9	10	11	12	13	14	15	16	17
Quadrate	1	4	9	16	25	36	49	64	81	100	121	144	169	196	225	256	289

Bei diesen der Ordnung nach fortschreitenden Qua- 25 dratzahlen bemerken wir die auffallende Eigentümlichkeit, daß, wenn man jede von der folgenden subtrahiert°, die Reste in der Reihenfolge fortgehen

in der Reihenfolge fortgehen *form the series*

2

Der Grund dieser Benennung ist aus der Geometrie genommen, wo der Inhalt eines Quadrats gefunden wird, wann man die Seite desselben mit sich selbsten multipliciret.

116.

Daher werden alle Quadrat = Zahlen durch die Multiplication gefunden, wann man nehmlich die Wurzel mit sich selbsten multipliciret.

Also weil 1 mit 1 multiplicirt 1 giebt, so ist 1 das Quadrat von 1.

Ferner ist 4 das Quadrat von der Zahl 2; und 2 ist hingegen die Quadrat=Wurzel von 4.

Eben so ist 9 das Quadrat von 3, und 3 die Quadrat=Wurzel von 9. Wir wollen demnach die Quadraten der natürlichen Zahlen betrachten, und folgende Tafel hersetzen, in welcher die Zahlen oder Wurzeln in der ersten, die Quadraten aber in der andern Reihe vorgestellt werden.

Zahlen	1	2	3	4	5	6	7	8	9	10	11	12	13	14	15	16	17
Quadr.	1	4	9	16	25	36	49	64	81	100	121	144	169	196		256	289

117.

Bey dieser der Ordnung nach fortschreitenden Quadrat=Zahlen bemerken wir sogleich eine schöne Eigenschaft, welche darinnen besteht, daß, wann man

Seite aus Eulers Anleitung zur Algebra, *gedruckt 1802 in St. Petersburg*

3

ungeraden *odd* also immer um zwei steigen und alle ungeraden Zahlen der Ordnung nach vorstellen.

Brüchen *fractions* Auf gleiche Weise werden die Quadrate von Brüchen gefunden, indem man den Bruch mit sich selbst multi- 5 pliziert. Also ist

von $\frac{1}{2}$ das Quadrat $\frac{1}{4}$,

von $\frac{2}{3}$ das Quadrat $\frac{4}{9}$,

von $\frac{1}{4}$ das Quadrat $\frac{1}{16}$,

von $\frac{3}{4}$ das Quadrat $\frac{9}{16}$ usw. 10

Zählers *numerator* Man braucht nämlich nur das Quadrat des Zählers durch
Nenners *denominator* das Quadrat des Nenners zu dividieren° und erhält das Quadrat des Bruches. Also ist $\frac{25}{64}$ das Quadrat des Bruches $\frac{5}{8}$ und umgekehrt ist $\frac{5}{8}$ die Wurzel von $\frac{25}{64}$.

Wenn man das Quadrat einer gemischten Zahl, die 15 aus einer ganzen Zahl und einem Bruch besteht, finden
unechten *improper* will, braucht man sie nur in einen unechten Bruch zu verwandeln und davon das Quadrat zu nehmen. Um also das Quadrat von $2\frac{1}{2}$ zu finden, schreibt man $\frac{5}{2}$ und erhält als Quadrat $\frac{25}{4}$ oder $6\frac{1}{4}$. Also ist $6\frac{1}{4}$ das Quadrat von $2\frac{1}{2}$. 20 Um entsprechend das Quadrat von $3\frac{1}{4}$ zu finden, bemerkt man, daß $3\frac{1}{4}$ soviel ist wie $\frac{13}{4}$; das Quadrat davon ist $\frac{169}{16}$, also 10 und $\frac{9}{16}$. Wir wollen z.B. die Quadrate derjenigen Zahlen betrachten, die von 3 bis 4 um je ein Viertel steigen, also: 25

Zahlen........	3	$3\frac{1}{4}$	$3\frac{1}{2}$	$3\frac{3}{4}$	4
Quadrate......	9	$10\frac{9}{16}$	$12\frac{1}{4}$	$14\frac{1}{16}$	16

Hieraus kann man den Schluß ziehen, daß, wenn die Wurzel einen Bruch enthält, ihr Quadrat auch immer einen Bruch enthalten wird. Wenn also die Wurzel $1\frac{5}{12}$ ist, findet 30 man als Quadrat $\frac{289}{144}$ oder $2\frac{1}{144}$, das also um sehr wenig größer ist als 2.

Wenn also allgemein die Wurzel a heißt, dann ist das Quadrat aa; zur Wurzel $2a$ gehört als Quadrat $4aa$. Hieraus ersieht man, daß, wenn die Wurzel 2mal so groß genommen 35 wird, das Quadrat 4mal so groß wird. Zur Wurzel $3a$ gehört als Quadrat $9aa$. Heißt aber die Wurzel ab, so ist ihr Quadrat $aabb$, und wenn abc die Wurzel ist, so ist ihr Quadrat $aabbcc$.

Wenn daher die Wurzel aus zwei oder mehr Faktoren°
besteht, muß man ihre Quadrate miteinander multiplizieren; wenn umgekehrt das Quadrat aus zwei oder mehr
Faktoren besteht, deren jeder ein Quadrat ist, so braucht
5 man nur deren Wurzeln miteinander zu multiplizieren. Da
also 2304 soviel ist wie $4 \cdot 16 \cdot 36$, ist die Quadratwurzel
davon $2 \cdot 4 \cdot 6$, das ist 48, und in der Tat ist 48 die Quadratwurzel von 2304, weil $48 \cdot 48$ ebensoviel ausmacht wie 2304.

Nun wollen wir auch betrachten, welche Bewandtnis
10 es mit den Zeichen p l u s und m i n u s bei den Quadraten hat. Es erhellt sogleich, daß dann, wenn die Wurzel
das Zeichen + hat, also eine Positivzahl ist, ihr Quadrat
auch eine Positivzahl sein muß, weil + mit + multipliziert
+ gibt. Also wird das Quadrat von $+a$ heißen $+aa$. Wenn
15 aber die Wurzel eine Negativzahl ist, etwa $-a$, so wird ihr
Quadrat $+aa$ sein, geradeso als ob die Wurzel $+a$ wäre;
folglich ist $+aa$ sowohl das Quadrat von $+a$ als auch von
$-a$; es können daher von jedem Quadrat zwei Quadratwurzeln angegeben werden, deren eine positiv, deren andere
20 negativ ist. So ist die Quadratwurzel von 25 sowohl $+5$
als auch -5, weil $+5$ mit $+5$ multipliziert und auch -5
mit -5 multipliziert $+25$ gibt.

KAPITEL 13. *Von den unmöglichen oder imaginären Zahlen*

Wir haben schon oben gesehen, daß die Quadrate
sowohl der positiven als auch der negativen Zahlen immer
25 positiv sind, also mit dem Zeichen p l u s erscheinen, da
$-a$ mit $-a$ multipliziert ebenso $+aa$ gibt wie $+a$ mit $+a$
multipliziert. Deshalb haben wir im vorigen Kapitel alle
Zahlen, aus denen die Quadratwurzeln gezogen werden
sollten, als positiv bezeichnet.
30 Wenn daher verlangt wird, daß aus einer Negativzahl
die Quadratwurzel gezogen werden soll, muß man sich
allerdings in einer gewissen Verlegenheit befinden, weil sich
keine Zahl angeben läßt, deren Quadrat eine negative Zahl
wäre. Wenn man nämlich z.B. die Quadratwurzel der
35 Zahl -4 verlangt, dann will man eine Zahl haben, die
mit sich selbst multipliziert -4 gibt. Diese gesuchte Zahl
ist aber weder $+2$ noch -2, da sowohl $+2$ als auch -2
mit sich selbst multipliziert $+4$ gibt und nicht -4.

welche Bewandtnis es ... hat
what the situation is
erhellt   *is clear*

5

Hieraus erkennt man also, daß die Quadratwurzel einer Negativzahl weder eine Positiv- noch eine Negativzahl sein kann, weil auch die Quadrate aller Negativzahlen positiv werden, also das Zeichen $+$ bekommen; folglich muß die verlangte Wurzel zu einer ganz besonderen Art von Zahlen gehören, da sie weder zu den positiven noch zu den negativen gerechnet werden kann.

Da nun oben schon bemerkt wurde, daß die Positivzahlen alle größer, die Negativzahlen hingegen alle kleiner sind als nichts oder 0, so daß also alles, was größer ist als nichts, durch Positivzahlen, alles aber, was kleiner ist als nichts, durch Negativzahlen ausgedrückt wird, sehen wir, daß die Quadratwurzeln aus Negativzahlen weder größer als nichts noch kleiner als nichts sind. Nichts sind sie aber doch auch nicht, weil 0 mit 0 multipliziert 0, also keine Negativzahl gibt.

Weil man alle möglichen Zahlen, die man sich immer vorstellen mag, entweder größer oder kleiner als 0 oder aber 0 selbst sind, ist klar, daß die Quadratwurzeln von Negativzahlen nicht einmal zu den möglichen Zahlen gerechnet werden können. Folglich müssen wir sagen, daß sie unmögliche Zahlen sind. Dieser Umstand führt uns zum Begriff solcher Zahlen, die ihrer Natur nach unmöglich sind und gewöhnlich i m a g i n ä r e oder e i n g e b i l d e t e   Z a h l e n genannt werden, weil sie bloß in der Einbildung vorhanden sind.

Daher bedeuten $\sqrt{-1}$, $\sqrt{-2}$, $\sqrt{-3}$, $\sqrt{-4}$ usw. solche unmögliche oder imaginäre Zahlen, weil dadurch Quadratwurzeln von Negativzahlen angegeben werden.

Von diesen behauptet man also mit vollem Recht, daß sie weder größer noch kleiner als nichts, ja nicht einmal nichts selbst sind, weshalb sie für unmöglich gehalten werden müssen.

Dennoch bieten sie sich unserem Verstande dar und finden in unserer Einbildung Platz; deshalb werden sie auch bloß eingebildete Zahlen genannt. Obwohl aber diese Zahlen, wie z.B. $\sqrt{-4}$, ihrer Natur nach ganz und gar unmöglich sind, haben wir von ihnen doch einen hinlänglichen Begriff, da wir wissen, daß durch sie eine Zahl angedeutet wird, die mit sich selbst multipliziert als Produkt -4

hinlänglichen *sufficient*

hervorbringt; und dieser Begriff ist ausreichend, um diese Zahlen den Rechenverfahren zu unterwerfen.

Rechenverfahren   *calculations*

Zuerst wissen wir von diesen unmöglichen Zahlen, wie z.B. von $\sqrt{-3}$, daß ihr Quadrat oder das Produkt, das man erhält, wenn man $\sqrt{-3}$ mit $\sqrt{-3}$ multipliziert, -3 gibt; ebenso gibt $\sqrt{-1}$ mit $\sqrt{-1}$ multipliziert -1. Allgemein ergibt sich, wenn man $\sqrt{-a}$ mit $\sqrt{-a}$ multipliziert, d.h. das Quadrat von $\sqrt{-a}$ nimmt, $-a$.

Da $-a$ das Produkt aus $+a$ und -1 darstellt und die Quadratwurzel aus einem Produkt gefunden wird, wenn man die Quadratwurzeln aus den Faktoren miteinander multipliziert, ist $\sqrt{-a}$ soviel wie $\sqrt{a} \cdot \sqrt{-1}$. Nun ist aber $\sqrt{a}$ eine mögliche Zahl; folglich läßt sich das Unmögliche, das in $\sqrt{-a}$ enthalten ist, stets in $\sqrt{-1}$ ausscheiden. Aus diesem Grunde ist also $\sqrt{-4}$ soviel wie $\sqrt{4} \cdot \sqrt{-1}$; $\sqrt{4}$ aber ist 2; folglich ist $\sqrt{-4}$ soviel wie $2\sqrt{-1}$, $\sqrt{-9}$ soviel wie $\sqrt{9} \cdot \sqrt{-1}$, das ist $3\sqrt{-1}$, und $\sqrt{-16}$ soviel wie $4\sqrt{-1}$.

ausscheiden (inf.)   *to reduce*

Da ferner $\sqrt{a}$ mit $\sqrt{b}$ multipliziert $\sqrt{ab}$ gibt, wird $\sqrt{-2}$ mit $\sqrt{-3}$ multipliziert $\sqrt{6}$ geben. Ebenso wird $\sqrt{-1}$ mit $\sqrt{-4}$ multipliziert $\sqrt{4}$, das ist 2, geben. Hieraus sieht man, daß zwei unmögliche Zahlen miteinander multipliziert eine mögliche oder wirkliche Zahl hervorbringen.

KNOW

Wenn aber $\sqrt{-3}$ mit $\sqrt{+5}$ multipliziert wird, so bekommt man $\sqrt{-15}$, d.h. eine mögliche Zahl mit einer unmöglichen multipliziert gibt stets etwas Unmögliches.

Ebenso verhält sich die Sache mit der Division. Da $\sqrt{a}$ durch $\sqrt{b}$ dividiert $\sqrt{\dfrac{a}{b}}$ gibt, wird $\sqrt{-4}$ durch $\sqrt{-1}$ dividiert $\sqrt{+4}$ oder 2 und $\sqrt{+3}$ durch $\sqrt{-3}$ dividiert $\sqrt{-1}$ ergeben. Ferner gibt 1 durch $\sqrt{-1}$ dividiert $\sqrt{\dfrac{+1}{-1}}$, das ist $\sqrt{-1}$, weil 1 soviel ist wie $\sqrt{+1}$.

Da nun die Quadratwurzel jeder Zahl einen doppelten Wert hat, d.h. sowohl negativ als auch positiv genommen werden kann, so wie z.B. $\sqrt{4}$ sowohl $+2$ als auch -2 und allgemein die Quadratwurzel aus a sowohl $+\sqrt{a}$ als auch $-\sqrt{a}$ geschrieben werden kann, gilt dasselbe auch für die unmöglichen Zahlen; so ist die Quadratwurzel aus $-a$

sowohl $+\sqrt{-a}$ als auch $-\sqrt{-a}$, wobei man die Zeichen $+$ und $-$ vor dem Wurzelzeichen von dem Zeichen unter dem Wurzelzeichen wohl unterscheiden muß.

Wurzelzeichen *radical sign*

Endlich muß noch das Bedenken behoben werden, daß die Lehre von den unmöglichen Zahlen als nutzlose 5 Grille angesehen werden könne. Dieses Bedenken ist unbegründet. Die Lehre von den unmöglichen Zahlen ist in der Tat von größter Wichtigkeit, da oft Aufgaben vorkommen, von denen man nicht sofort wissen kann, ob sie Mögliches oder Unmögliches verlangen. Wenn dann ihre Auflösung 10 zu solchen unmöglichen Zahlen führt, hat man ein sicheres Zeichen dafür, daß die Aufgabe Unmögliches verlangt. Um dies an einem Beispiel zu erläutern, wollen wir folgende Aufgabe betrachten: Man soll die Zahl 12 in zwei Teile teilen, deren Produkt 40 ausmacht. Wenn man nun diese 15 Aufgabe nach den Regeln, die später erörtert werden, auflöst, so findet man für die zwei gesuchten Teile $6 + \sqrt{-4}$ und $6 - \sqrt{-4}$, die folglich unmöglich sind. Hieraus eben erkennt man, daß diese Aufgabe unmöglich gelöst werden kann. Wollte man aber die Zahl 12 in zwei Teile teilen, 20 deren Produkt 35 wäre, dann hießen diese Teile offenbar 7 und 5.

behoben *eliminated*

Grille *whim*

erläutern *illustrate*

KAPITEL 20. *Von den verschiedenen Rechnungsarten und ihrer Verbindung*

Wir haben bisher als verschiedene Rechnungsarten die Addition, Subtraktion, Multiplikation und Division, die Erhebung in Potenzen und endlich die Ausziehung der 25 Wurzeln kennengelernt.

Potenzen *powers*
Ausziehung *extraction*
Erläuterung *explanation*

Es wird nun zur besseren Erläuterung dienen, wenn wir den Ursprung dieser Rechnungsarten und ihre Verbindung untereinander deutlich erklären, damit man erkennen kann, ob noch andere Rechnungsarten möglich 30 sind oder nicht.

Dabei verwenden wir ein neues Zeichen, das statt der bisher so häufig gebrauchten Wendung „i s t s o v i e l w i e" gesetzt werden kann. Dieses Zeichen ist $=$ und wird gesprochen i s t g l e i c h . Wenn also geschrieben wird a 35 $= b$, so bedeutet dies, daß a ebensoviel ist wie b oder daß a dem b gleich ist. So ist z.B. $3 \cdot 5 = 15$.

Wendung *expression*

Die erste Rechnungsart, die sich unserem Verstande

darbietet, ist zweifellos die A d d i t i o n , durch die zwei Zahlen zusammengezählt werden sollen, d.h. durch die deren Summe gefunden werden soll. Es seien demnach a und b die zwei gegebenen Zahlen und ihre Summe° möge

5 durch den Buchstaben c angedeutet werden. Dann gilt $a + b = c$. Wenn also die beiden Zahlen a und b bekannt sind, lehrt die Addition, wie man daraus die Zahl c findet.

Wir behalten die Gleichung $a + b = c$ bei, kehren aber nun die Fragestellung um: Wie findet man die Zahl

10 b, wenn die Zahlen a und c bekannt sind?

Man fragt also, welche Zahl man zu der Zahl a addieren muß, damit die Zahl c herauskommt. Es sei z.B. $a = 3$ und $c = 8$, so daß $3 + b = 8$ sein muß. Dann ist klar, daß b gefunden wird, wenn man 3 von 8 subtrahiert.

15 Allgemein muß man, um b zu finden, a von c subtrahieren und erhält $b = c - a$. Wenn man dazu nämlich a addiert, bekommt man $c - a + a$, das ist c.

Darin liegt also der Ursprung der S u b t r a k t i o n .

Die Subtraktion entsteht also, wenn die bei der Addi-

20 tion gestellte Frage u m g e k e h r t wird. Da es sich dabei zutragen kann, daß die Zahl, die abgezogen werden soll, größer ist als diejenige, von der man sie abziehen muß, wie z.B. dann, wenn 9 von 5 abgezogen werden soll, erhalten wir eine neue Art von Zahlen, die n e g a t i v genannt

25 werden, weil $5 - 9 = -4$.

Wenn viele Zahlen, die addiert werden sollen, einander gleich sind, findet man ihre Summe durch die Multiplikation und nennt sie dann ein P r o d u k t . Also bedeutet ab das Produkt, das entsteht, wenn die Zahl a mit der Zahl

30 b multipliziert wird. Wenn wir nun dieses Produkt durch den Buchstaben c andeuten, erhalten wir $ab = c$, und die Multiplikation lehrt uns, die Zahl c zu finden, wenn die Zahlen a und b bekannt sind.

Laßt uns nun folgende Frage aufwerfen: Wie kann

35 man die Zahl b finden, wenn die Zahlen c und a bekannt sind? Es sei z.B. $a = 3$ und $c = 15$, so daß also $3b = 15$. Es wird demnach gefragt, mit welcher Zahl man 3 multiplizieren muß, damit 15 herauskommt. Die Bestimmung von b erfolgt durch die D i v i s i o n , d.h. man findet b,

40 wenn man c durch a dividiert; daraus geht folglich die Gleichung $b = \dfrac{c}{a}$ hervor.

9

darbietet *presents*

Gleichung *equation*
Fragestellung *question*

sich zutragen (inf.) *to occur*

aufwerfen *propose*

Weil es nun oft vorkommt, daß sich die Zahl c nicht wirklich durch die Zahl a teilen läßt und dennoch der Buchstabe b einen bestimmten Wert haben muß, so werden wir zu einer neuen Art von Zahlen geführt, die Brüche genannt werden. Wenn wir also annehmen $a = 4$ und 5 $c = 3$, so daß $4b = 3$ sein soll, dann sieht man wohl, daß b keine ganze Zahl sein kann, sondern ein Bruch sein muß, nämlich $b = \frac{3}{4}$.

Brüche   fractions

Wie nun die Multiplikation aus der Addition hervorgeht, wenn viele Zahlen, die addiert werden sollen, einander 10 gleich sind, so wollen wir jetzt auch bei der Multiplikation annehmen, daß viele gleiche Zahlen miteinander multipliziert werden sollen, und gelangen dadurch zu den Potenzen, die allgemein durch die Form a^b dargestellt werden. Dadurch geben wir an, daß die Zahl a so oft mit 15 sich selbst multipliziert werden muß als die Zahl b angibt. Hier wird, wie oben ausgeführt wurde, a die W u r z e l, b der E x p o n e n t und a^b die P o t e n z genannt.

Wenn wir nun diese Potenz selbst durch den Buchstaben c andeuten, so haben wir in $a^b = c$ eine Gleichung, 20 in der drei Buchstaben a, b, c vorkommen. Unter dieser Voraussetzung wird in der Lehre von den Potenzen gezeigt, wie man, wenn Wurzel a und Exponent b bekannt sind, die Potenz selbst, das heißt den Buchstaben c bestimmen kann. Es sei z.B. $a = 5$ und $b = 3$, also $c = 5^3$; daraus 25 ersieht man, daß von 5 die dritte Potenz genommen werden muß. Sie heißt 125 und damit ist $c = 125$.

Hier wird also gelehrt, wie man aus der Wurzel a und dem Exponenten b die Potenz c finden kann.

Wir wollen nun auch hier sehen, wie die Fragestellung 30 so umgekehrt oder verändert werden kann, daß aus zwei von den drei Zahlen a, b, c die dritte gefunden werden soll. Dies kann auf zwei Arten geschehen, da neben c entweder a oder b als bekannt angenommen werden kann. Dabei ist zu bemerken, daß bei Addition und Multiplikation nur 35 e i n e Veränderung möglich ist, da es für $a + b = c$ gleichgültig ist, ob man neben c noch a oder b als bekannt annimmt; es bedeutet nämlich gleich viel, ob ich schreibe $a + b$ oder $b + a$; ebenso verhält es sich auch mit der Gleichung $ab = c$ oder $ba = c$, worin die Buchstaben a 40 und b ebenfalls vertauscht werden können. Dies trifft aber bei den Potenzen n i c h t zu, da für a^b keineswegs b^a

vertauscht   exchanged
zutreffen (inf.)   to be true

gesetzt werden kann, was aus einem Beispiel leicht zu ersehen ist. Wenn $a = 5$ und $b = 3$ gesetzt wird, so wird $a^b = 5^3 = 125$. Dagegen wird $b^a = 3^5 = 243$, eine Zahl, die sehr erheblich von 125 verschieden ist.

5   Daraus folgt, daß hier wirklich noch zwei Fragen gestellt werden können, deren erste lautet: W e n n   n e b e n der Potenz c noch der Exponent b gegeben w i r d , w i e   f i n d e t   m a n   d a r a u s   d i e   W u r z e l a? Die zweite Frage aber heißt: W e n n   n e b e n   d e r
10 P o t e n z c n o c h   d i e   W u r z e l a a l s   b e k a n n t a n g e n o m m e n   w i r d ,   w i e   f i n d e t   m a n   d a r a u s d e n   E x p o n e n t e n b?

        Vorher ist nur die erste dieser beiden Fragen erörtert worden, und zwar in der Lehre von der Ausziehung der
15 Wurzeln. Wenn man nämlich z.B. $b = 2$ und $a^2 = c$ setzt, dann muß a eine Zahl sein, deren Quadrat gleich c ist; man erhält $a = \sqrt[2]{c}$. Ebenso muß für $b = 3$, also $a^3 = c$, der Kubus° von a der gegebenen Zahl c gleich sein, und man erhält $a = \sqrt[3]{c}$. Hieraus läßt sich ersehen, wie man
20 allgemein aus den beiden Buchstaben c und b den Buchstaben a finden kann. Es wird nämlich $a = \sqrt[b]{c}$ sein.

        Sooft es sich nun ereignet, daß die gegebene Zahl c nicht wirklich eine solche Potenz ist, wie sie die Wurzel verlangt, kann, wie schon oben bemerkt wurde, die ver-
25 langte Wurzel a weder in ganzen Zahlen noch in Brüchen ausgedrückt werden. Da diese aber dennoch einen bestimmten Wert haben muß, sind wir dadurch zu einer neuen Art von Zahlen gelangt, die Irrational- oder surdische Zahlen genannt werden; von diesen gibt es entsprechend
30 der Mannigfaltigkeit der Wurzeln sogar unendlich viele Arten. Darüber hinaus hat uns diese Betrachtung noch auf eine ganz besondere Art von Zahlen geleitet, die unmöglich sind und imaginäre oder eingebildete Zahlen genannt werden.

35   Man sieht also, daß uns noch eine Frage zu betrachten übrigbleibt, nämlich: wie soll man den Exponenten finden, wenn außer der Potenz c noch die Wurzel a als bekannt angenommen wird? Diese Frage wird uns zu der wichtigen Lehre von den L o g a r i t h m e n führen, deren Nutzen
40 in der ganzen Mathematik so groß ist, daß fast keine weitläufige Rechnung ohne ihre Hilfe zustande gebracht werden kann.

surdische Zahlen   *surds*

weitläufige   *extensive*

Gottfried Wilhelm Leibniz

A prototype of our calculating machines was invented by the philosopher and mathematician Leibniz (1646–1716) in 1671. A model of it is shown on pp. 14-15. An outstanding philosopher and logician, Leibniz is also known for his invention of the calculus, an honor which he shares with Newton. Not only did Leibniz devise a machine that would multiply, but he foresaw the importance of number systems with base 2. Our number system has a base of ten and uses 10 symbols—0, 1, 2, . . . 9—whereas a number system based on 2 uses two symbols: 0, 1. In this extract, Leibniz explains the principles of this number system, which today has found extensive application in our rapid, large-scale computing machines.

Erklärung der binären Arithmetik

(1703)

(*übersetzt aus „Explication de l'arithmétique binaire"*)

binären *binary*

Die gewöhnliche Rechnung der Arithmetik wird durch eine Progression von zehn zu zehn ausgeführt. Man gebraucht zehn Zeichen, wie 0,1,2,3,4,5,6,7,8,9, welche null, eins und die darauf folgenden Zahlen bis einschließlich
5 neun darstellen. Und dann, wenn man zur zehn kommt, fängt man wieder an, und man schreibt zehn als 10, und zehnmal zehn oder hundert als 100, und zehnmal hundert oder tausend als 1000, und zehnmal tausend als 10 000, und so weiter.

10 Aber, anstatt der Progression von zehn zu zehn, gebrauche ich seit einigen Jahren die einfachste Progression von allen, die von zwei bis zwei geht, da ich gefunden habe, daß dies zur Vollkommenheit der Arithmetik führt. So gebrauche ich auch keine anderen Zeichen außer 0 und
15 1, und wenn ich bei zwei ankomme, fange ich wieder an. Das ist der Grund, warum zwei hier als 10 geschrieben wird, und zweimal zwei oder vier als 100, und zweimal vier oder acht als 1000, und zweimal acht oder sechzehn als 10 000, und so weiter. Auf diese Art und Weise entsteht die
20 Zahlentafel, die man so weit fortsetzen kann, wie man wünscht.

0	0	0	0	0	0	0
0	0	0	0	0	1	1
0	0	0	0	1	0	2
0	0	0	0	1	1	3
0	0	0	1	0	0	4
0	0	0	1	0	1	5
0	0	0	1	1	0	6
0	0	0	1	1	1	7
0	0	1	0	0	0	8
0	0	1	0	0	1	9
0	0	1	0	1	0	10
0	0	1	0	1	1	11
0	0	1	1	0	0	12
0	0	1	1	0	1	13
0	0	1	1	1	0	14
0	0	1	1	1	1	15
0	1	0	0	0	0	16

13

Die Rechenmaschine nach Herausnahme aus dem Aufbewahrungskasten

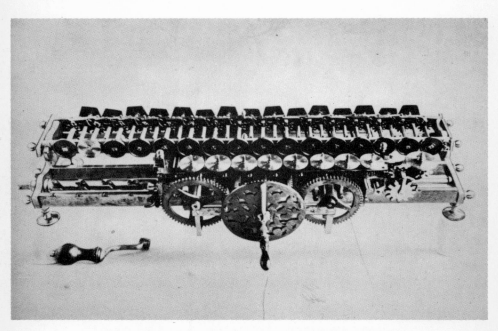

Die Maschine nach Entfernung des Schaltwerkrahmens

Das Schaltwerk nach Wegnahme der Antriebsräder

Die Staffelwalzen des Schaltwerks

Nachdem diese Zahlenausdrücke festgesetzt sind, können leicht alle möglichen Operationen durchgeführt werden.

```
Addition        110│ 6      101│ 5      1110│14
                111│ 7     1011│11     10001│17
               ────        ─────       ─────
               1101│13    10000│16     11111│31

Subtraktion    1101│13    10000│16     11111│31
                111│ 7     1011│11     10001│17
               ────        ────        ─────
                110│ 6      101│ 5      1110│14

Multiplikation   11│ 3      101│ 5      101│ 5
                 11│ 3       11│ 3      101│ 5
               ──          ───         ───
                 11         101         101
                 11         101        1010
               ──          ────        ────
               1001│ 9     1111│15    11001│25

Division      15│1111│101│5
               3│1111
                │11
```

IBM 7090 Data Processing System, neueste Entwicklung der binären Rechenmaschine

Und all diese Operationen sind so leicht, daß man
es niemals nötig hat auszuprobieren oder abzuschätzen,
wie bei gewöhnlicher Division. Es ist überhaupt nicht mehr
nötig, irgend etwas auswendig zu lernen, wie es der Fall ist,
5 wenn man der sogenannten pythagoräischen "Einmaleins"
Tafel folgt, wo man zum Beispiel wissen muß, daß 6 und 7
zusammen 13 sind, und daß 5 mit 3 multipliziert 15 ergibt.
Aber all das läßt sich hier von selbst finden und beweisen,
wie die vorhergehenden Beispiele erkennen lassen.

Carl Friedrich Gauss

Carl Friedrich Gauss (1777–1855) is one of the outstanding
mathematicians of the nineteenth century. His calculation of the
orbit of Ceres (see p. 21) after many others had failed was a spec-
tacular exhibition of his mathematical prowess. He is known for
his study of the theory of errors and probability, a "normal" distribution curve being generally referred to as "Gaussian". The
following brief extract is from a letter describing his ambitions
with regard to geometry, a subject in which he was a pioneer,
developing a system of hyperbolic geometry which is non-Euclidian.

17

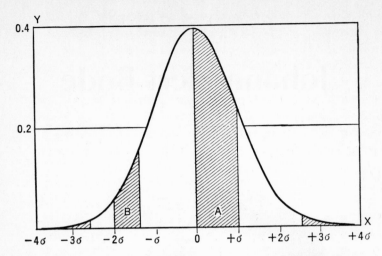

Normal- oder Gauss'sche Kurve, auch Glockenkurve genannt

Aus einem Brief an Bessel, Göttingen, 27. Jan. 1829

Thema *subject*

Auch über ein anderes Thema, das bei mir schon fast 40 Jahre alt ist, habe ich zuweilen in einzelnen freien Stunden wieder nachgedacht, ich meine die ersten Gründe der Geometrie: ich weiß nicht, ob ich Ihnen je über meine Ansichten darüber gesprochen habe. Auch hier habe ich 5 manches noch weiter konsolidiert°, und meine Überzeugung, daß wir die Geometrie nicht vollständig a priori begründen können, ist, wo möglich, noch fester geworden. Inzwischen werde ich wohl noch lange nicht dazu kommen, meine s e h r a u s g e d e h n t e n Untersuchungen darüber 10 zur öffentlichen Bekanntmachung auszuarbeiten, und vielleicht wird dies auch bei meinen Lebzeiten nie geschehen,

Böotier *Boeotians, dullards*

da ich das Geschrei der Böotier scheue, wenn ich meine Ansicht ganz aussprechen wollte.

Johann Elert Bode

Kupferstich aus dem achtzehnten Jahrhundert

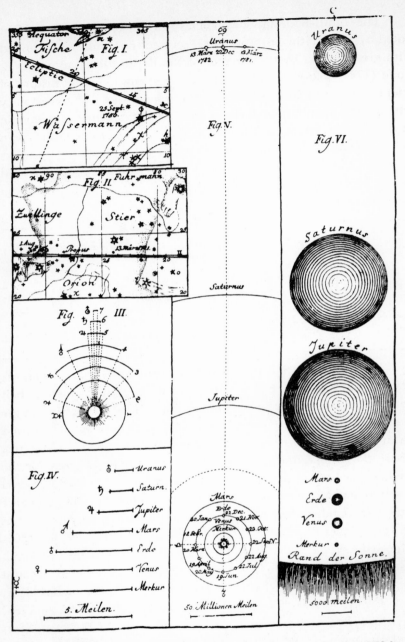

Tafel aus Bodes Von dem neu entdeckten Planeten, *Berlin, 1784*

The Titius-Bode law of planetary distances, a regularity first noted by J. D. Titius in 1766, but discussed more fully and applied with great daring by the director of the Berlin Observatory, J. E. Bode (1747–1826), is a most interesting example in the history of science of a relationship concerning which there is uncertainty whether it is a fundamental law of nature or a convenient mnemonic device. The working of the law may be seen in the table given below, in which to the number 4 is added successively the numbers 0, 3, 6, 12, 24, 48, 96, 192, and 384. The resultant series, divided by 10, represents approximately the distances of the planets from the sun, in astronomical units.

	Mer.	Ven.	E.	Mars	Ast.	Jup.	Sat.	Ur.	Nep.	Pl.
	4	4	4	4	4	4	4	4	. . . . .	4
	0	3	6	12	24	48	96	192	. . . . .	384
Bode's Law..	0.4	0.7	1.0	1.6	2.8	5.2	10.0	19.6	. . . . .	38.8
Actual......	0.39	0.72	1.00	1.52	. . . .	5.20	9.54	19.19	30.07	39.46

When Bode published his first account of the law, no planet beyond Saturn had yet been discovered, and the planetoid belt between Mars and Jupiter was unknown. The progression made it clear, however, that there might very well be a planet beyond Saturn, and W. Herschel's discovery of Uranus in 1781, just where the law predicted it should be, was a major victory for the law. On the basis of the progression, Bode also confidently predicted a new planet between Mars and Jupiter, and this prediction came true with the discovery of Ceres, one of the largest of the asteroids or tiny planet-like bodies, between Mars and Jupiter, in 1801. The orbit of the most distant planet, Pluto, discovered in 1930, also agrees with Bode's law, but the law fails entirely to account for Neptune, discovered in 1846, as the above table makes clear.

Of the following selections, the first is from a work of 1784, in which Bode predicts the existence of a planet between Mars and Jupiter, and the second from a later work (1802), describing the discovery of that planet.

1784

Uranus [planet]

Johann Elert Bode

Astronom der Königlichen Akademie der Wissenschaften und
Mitglied der Gesellschaft Naturforschender Freunde
in Berlin

Von

dem neu entdeckten

Planeten.

Wo nur Bahnen möglich waren, da rollen Weltkörper, und wo nur
Wesen sich glücklich fühlen konnten, da wallen Wesen!
der Philosoph für die Welt.

Mit einer Kupfertafel.

Berlin 1784.
Bey dem Verfasser in Berlin, und in der Buchhandlung der
Gelehrten in Dessau und Leipzig.

Titelseite der Erstausgabe, Berlin, 1784

22

Von dem neu entdeckten Planeten

von Johann Elert Bode,
Astronom° der königlichen Akademie der Wissenschaften
und Mitglied der Gesellschaft naturforschender Freunde
in Berlin. 1784

naturforschender Freunde *of*
research scientists

Wir haben nach einer gewissen ziemlich ordentlich
fortgehenden Progression, welche die übrigen 6 Hauptplaneten in ihren Abständen von der Sonne beobachten,
schon im voraus vermuten können, daß der nächste Planet
5 jenseits des Saturns, etwa noch einmal so weit, wie dieser
von der Sonne entfernt sein müsse. Z.B., wenn der Abstand
des Merkurs° von der Sonne als 4 Teile angesetzt wird, so
ist Venus von der Sonne entfernt 3 solcher Teile mehr als
Merkur; die Erde 6; der Mars 12; ein noch unbekannter
10 Planet, der sich vermutlich zwischen Mars und Jupiter
aufhält*24; Jupiter 48 und Saturn 96 Teile mehr. Endlich
müßte hiernach der zunächst hinterm Saturn folgende
Planet noch 192 Teile weiter als Merkur, folglich 196 Teile
von der Sonne stehen, und ist es nicht ganz auffallend,
15 gerade in dieser beiläufigen Entfernung treffen wir unsern
neu entdeckten Planeten an, den ich, aus den nachher
folgenden Gründen den Namen Uranus zu geben, vorgeschlagen, sollte dies ein Zufall sein? Ich setze noch, um dies
in größern Zahlen zu zeigen, folgende Tafel her, welche in
20 der ersten Zahlenkolumne die wirkliche mittlere Entfernung
des Merkurs von der Sonne (die von der Erde zu 1000
angenommen), in der zweiten, wie viel man zu derselben
hinzu addieren° muß, um die wirklichen mittlern Entfernungen der übrigen Planeten zu haben, und in der
25 dritten, diese mittlern Entfernungen selbst, darstellt:

hiernach *according to this*

beiläufigen *approximate*

hersetzen (inf.) *to set down,*
give
Zahlenkolumne *column*

* Die Entdeckung dieses Planeten ist vielleicht noch den künftigen
Zeiten vorbehalten. Er kann kleiner wie der Mars sein und das
Sonnenlicht nicht lebhaft genug zurückwerfen, um uns in seiner Entfernung noch sichtbar zu bleiben. Seine einstweilige Entdeckung mag
von einem ähnlichen Zufall, wie die vom Uranus, abhängen.

23

$$387 + \quad 0 = \quad 387 \text{ (Merkur)}$$
$$387 + \quad 336 = \quad 723 \text{ (Venus)}$$
$$387 + \quad 613 = 1000 \text{ (Erde)}$$
$$387 + 1136 = 1523 \text{ (Mars)}$$
$$387 + \quad 23.. = \quad 27.. \text{ (ein noch unbekannter Planet)} \quad 5$$
$$387 + 4814 = 5201 \text{ (Jupiter)}$$
$$387 + 9152 = \quad 9539 \text{ (Saturnus)}$$
$$387 + 18\,551 = 18\,938 \text{ (Uranus)}$$

Die Zahlen in der mittleren Kolumne dieser Tafel zeigen
nun gleichfalls (wie die obige Progression in kleineren 10
Zahlen), daß die Abstände der Planeten hintereinander,
von der Sonne an gerechnet, ungefähr um die doppelte
Weite, zu welcher noch der Abstand des Merkurs addiert
wird, zunehmen, und dies trifft noch genauer zu, wenn man

hierbei *in this connection* hierbei die größten Abstände der Planeten, welche für die 15
sechs bisher bekannten folgende Zahlen:

467 (Merkur)
728 (Venus)
1017 (Erde)
1665 (Mars)   20
5452 (Jupiter)
10 084 (Saturnus)

ausdrücken, zugrundelegt.

. . . .

Von dem neuen, zwischen Mars und Jupiter entdeckten achten Hauptplaneten des Sonnensystems *Berlin, 1802*

Am 20sten März 1801 erhielt ich von dem Herrn
Doktor Joseph Piazzi, Königlicher Astronom und Direktor
der Königlichen Sternwarte zu Palermo, ein Schreiben,   Sternwarte *observatory*
vom 24sten Januar datiert°, worin derselbe mir folgendes
meldete: „Den 1sten Januar entdeckte ich einen Kometen
5 im Stier, unter 51° 47′ der geraden Aufsteigung, und 16° 8′   Stier *Taurus*
nördlicher Abweichung. Den 11ten veränderte er seine   der geraden Aufsteigung *right ascension*
bisherige (westliche) rückgängige Bewegung in eine (öst-   nördlicher Abweichung *northern declination*
liche) vorwärts gehende; und den 23sten hatte er 51° 46′   rückgängige *retrograde*
gerade Aufsteigung und 17° 8′ nördliche Abweichung. Ich
10 werde fortfahren, ihn zu beobachten, und hoffe, ihn noch
den ganzen Februar hindurch beobachten zu können. Er
ist sehr klein, und gleicht nur einem Stern achter Größe,
ohne einen merklichen Nebel. Ich bitte Sie, mich wissen   Nebel *nebulosity*
zu lassen, ob er schon von anderen Astronomen beobachtet
15 worden; in diesem Fall würde ich der Mühe überhoben   überhoben *spared*
sein, seinen Lauf zu berechnen."

Im Anfange des März hatte ich bereits in auswärtigen   auswärtigen *foreign*
Zeitungen eine Anzeige dieser Entdeckung gefunden; es
wurde aber so wenig der Ort und Lauf als die Erscheinung
20 dieses sonderbaren Kometen dabei bemerkt.

Als ich aber vom Beobachter selbst die vorige nähere
Anzeige davon erfuhr, fiel mir solche sogleich beim Durch-
lesen seines Schreibens ungemein auf, und es entstand bei
mir der Gedanke, dieser, in seiner damaligen östlichen
25 Elongation von der Sonne, während 22 Tagen so langsam
sich anfangs rückwärts bewegende, dann stillstehend
erscheinende, und hierauf wieder nach Osten vorwärts
fortschreitende kleine Stern, ohne merklichen Nebel, sei
wohl kein Komet, sondern Piazzi habe hier etwas ganz
30 Außerordentliches entdeckt. Er sei höchstwahrscheinlich
der von mir seit bereits 30 Jahren ange-   angekündigte *predicted*
kündigte, zwischen Mars und Jupiter
befindliche, bisher noch nicht entdeckte
achte Hauptplanet des Sonnensystems,
35 dessen Abstand von der Sonne eine bekannte Progression
auf etwa 2,80 angibt, und der daselbst in 4 Jahren und 8   daselbst *at this distance*
Monaten um die Sonne laufen muß.

25

Illustration aus Bodes Uranographia sive astrorum descriptio, *1801.*

Gegend des Stiers und des Siebengestirns

Hätte Herr Piazzi auch den Ort des Sterns bei seinem
Stillstande am 11ten Januar oder sonst noch einen dritten
Ort zwischen dem 1sten und 23sten Januar angegeben, so
wäre die Sache im allgemeinen näher zu entscheiden. Bei
dem allen ist aber doch die Zustimmung meiner Lieblings- 5
idee, es sei der erwähnte Planet, mit den beiden Beobachtungen vom 1sten und 23sten Januar, und dem Stillstande
am 11ten, mit welcher Anzeige hiernach Herr Piazzi mir
stillschweigend einen beobachteten dritten Ort verriet,
sehr auffallend, und scheint keinen Zufall zur Ursache zu 10
haben, daher ich seine weiteren Beobachtungen mit
Ungeduld erwarte. Dieser, er sei auch was er wolle, merkwürdige Himmelskörper wurde also gerade am Abend des
ersten Tages dieses neuen Jahrhunderts im Stier, südlich
vom Siebengestirn, unterhalb der Ekliptik°, entdeckt. Er 15
ging bis zum 11ten Januar nur um 24 Minuten zurück,
wurde am 11ten mit stark abnehmender südlicher Breite
wieder rechtgängig, und stand am 23sten fast unter der
nämlichen Länge wie den 1sten, aber 1° nördlicher. Er ging
also zu seinem aufsteigenden Knoten, der im Zeichen der 20
Zwillinge liegen muß, wohin auch die aufsteigenden Knoten
aller übrigen oberen Planeten fallen. Nach der vorausge-
setzten Bahn dieses Planeten habe ich zwar seinen Ort im
Stier für die gegenwärtige Zeit berechnet; er müßte sich
hiernach jetzt etwa zwischen den Hörnern des Stiers, unter 25
einer kleinen nördlichen Breite, aufhalten; allein da seit
den ersten Beobachtungen fast drei Monate verstrichen
waren, so habe ich ihn in mehreren heiteren Abenden des
Aprils und Mais vergeblich dort aufgesucht. Diese Gegend
des Stiers ist auch so zahlreich mit Sternen achter Größe 30
besetzt, daß nur eine genaue Kenntnis seiner Stellung es
möglich machen konnte, ihn unter den benachbarten
herauszufinden, und an seiner Bewegung zu erkennen.
—Am 12ten Mai machte ich die Entdeckung dieses merk-
würdigen Sterns und meine Vermutung von demselben 35
durch die öffentlichen Blätter bekannt.

In der zweiten Auflage meiner Anleitung zur Kenntnis
des gestirnten Himmels, die ich noch in Hamburg im Jahr
1772 herausgab, rede ich auf Seite 462 über das wahrschein-
liche Dasein mehrerer Planeten im Sonnensystem, als bis 40
dahin bekannt waren. „Sollten wirklich die Grenzen des

[marginal glosses, left column]

Stillstande *stationary point*

hiernach *according to this*

Siebengestirn *Pleiades*

wurde ... rechtgängig *moved forward*

aufsteigenden Knoten *line of ascending nodes*
Zwillinge *Gemini*

verstreichen (inf.) *to pass*

Auflage *edition*
Anleitung *introduction*

herausgab *published*

mehrerer *of more*

28

Sonnensystems da sein, wo wir den Saturn sehen? — (Seit
1781 kennen wir den Uranus in einer doppelten Entfernung
als Saturn) . . . und wozu der große Raum, welcher sich
zwischen dem Mars und Jupiter befindet, wo bis jetzt noch
5 kein Hauptplanet gesehen wird? Ist es nicht höchst wahrscheinlich, daß ein Planet daselbst in der Bahn einhergeht,
welche ihm der Finger der Allmacht vorgezeichnet hat?"
Und in einer Anmerkung zu dieser Stelle: „Dies letztere
scheint insbesondere aus dem ganz bewundernswürdigen
10 Verhältnisse zu folgen, welches die (längst) bekannten
sechs Hauptplaneten in ihrer Entfernung von der Sonne
beobachten. Man nenne den Abstand des Saturns von der
Sonne 100, so ist Merkur vier solche Teile von der Sonne
entfernt. Die Venus 4 + 3 = 7; die Erde 4 + 6 = 10; der
15 Mars 4 + 12 = 16. Nun aber kommt eine Lücke in dieser
so ordentlichen Progression. Vom Mars an folgt ein Raum
von 4 + 24 = 28 Teilen, worin bis jetzt noch kein Planet
gesehen wird. Kann man glauben, daß der Urheber der
Welt diesen Raum leer gelassen hat? Gewiß nicht! Von hier
20 kommen wir zu der Entfernung des Jupiter durch 4 + 48 =
52, und endlich des Saturns durch 4 + 96 = 100 Teile
(und nun zu der des Uranus durch 4 + 192 = 196 Teile)
. . ." Diese Progression geht nur in kleinen Zahlen fort,
und gibt daher nur beiläufige Resultate°. In allen meinen
25 folgenden astronomischen Schriften habe ich, wenn es
Veranlassung gab, von dieser Progression geredet, in
Zeichnungen vorgestellt, und noch manche Gründe für
die Richtigkeit derselben beigebracht. Die Entdeckung des
Uranus war die erste glückliche Bestätigung derselben.
30 Dieses Gesetz in der fortschreitenden Entfernung der
Planeten von der Sonne läßt sich freilich nicht mathematisch
beweisen, es ist bloß empirisch und aus analogischen°
Schlüssen gefolgert worden, bleibt aber ein abermaliger
Beweis für die harmonienreiche Ordnung, die überall in
35 den großen Naturwerken herrscht. Ich fand die erste Idee°
davon in *Bonnets Beobachtung über die Natur*, von Titius
übersetzt, 2te Auflage, 1771, in einer Note vom Übersetzer,
Seite 7. Die Originalausgabe von Bonnet hat nichts davon.
Bemerkenswert ist es, daß noch nie in astronomischen
40 Werken der Ausländer von dieser Progression die Rede
gewesen. Bloß deutsche Astronomen haben solche vorge-

einhergeht *moves*
Allmacht *Almighty*
vorgezeichnet *marked*

Lücke *gap, break*

Urheber *Creator*

beiläufige *approximate*

beigebracht *adduced*

empirisch *empirical*
abermaliger *additional*
harmonienreiche *harmonious*

vorgetragen *reported on*

29

Aus Bodes Urano-
graphia: **südlicher
Sternhimmel**

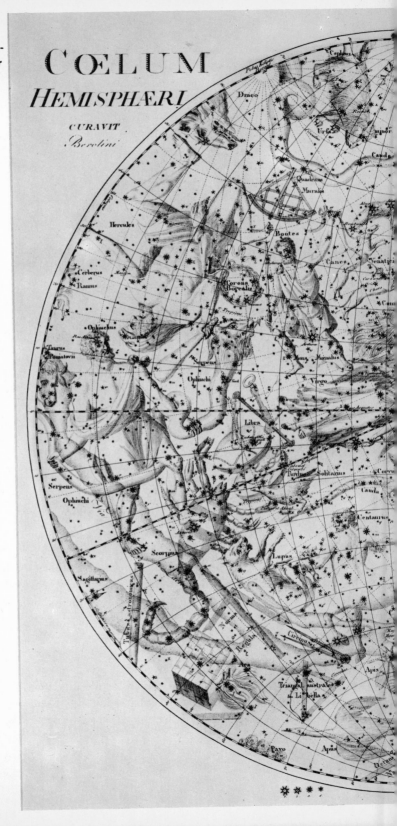

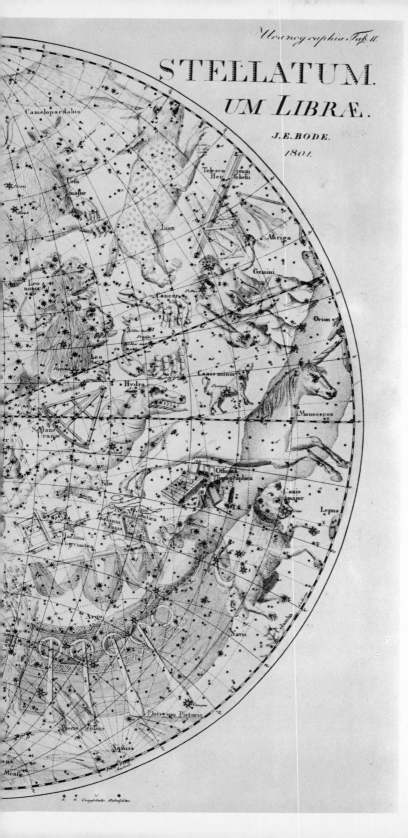

STELLATUM.

UM LIBRÆ.

J.E.BODE.

1801.

tragen, nachdem ich in meinen astronomischen Schriften zuerst darauf aufmerksam gemacht. Schon jene Progression in kleinen Zahlen stimmt recht gut mit den Beobachtungen. Legt man mit Herrn Professor Wurm (siehe *Astronomisches Jahrbuch*, 1790, Seite 168) die wirkliche mittlere Entfernung des Merkurs von der Sonne = 387 (die Entfernung der Erde = 1000) hierbei zugrunde, und nimmt den Unterschied der Entfernung zwischen Merkur und Venus zu 293 an, so treffen die verhältnismäßigen Entfernungen der sieben bisher bekannten Planeten noch genauer zu. Nämlich es ist hiernach von der Sonne entfernt:

		Mittlere Entfernung
Der Merkur	387 Teile	387
Die Venus	387 + 293 = 680	723
Die Erde	387 + 2·293 = 973	1000
Der Mars	387 + 4·293 = 1559	1524
Der zwischen Mars und Jupiter zu vermutende Planet	387 + 8·293 = 2731	. . . .
Der Jupiter	387 + 16·293 = 5075	5203
Der Saturnus	387 + 32·293 = 9763	9541
Der Uranus	387 + 64·293 = 19 139	19 082

Indes war schon mehrere Monate vorher, ehe man an die Wiederaufsuchung des neuen Planeten in den Frühstunden denken konnte, von einem Namen desselben unter den Astronomen die Rede gewesen. Bereits im Mai schrieb ich hierüber an den Freiherrn von Zach: „Als eine Benennung des neuen Planeten möchte ich, da wir doch wohl um Gleichförmigkeit wegen bei der Mythologie bleiben müßten, J u n o vorschlagen, die nach der Mythologie die Tochter des Saturns, Schwester und Gemahlin des Jupiter war; denn so führten die über dem Jupiter im Sonnensystem befindlichen Planeten die Namen seiner Vorfahren, und die der Sonne näher stehenden die seiner Gemahlin und Kinder." Herr von Zach erwiderte hierauf: Da der Uranus uns ein verstärktes Recht gegeben, auch den Namen dieses Planeten, so wie der älteren, aus der Mythologie zu nehmen, so habe seine Durchlaucht der Herzog von Gotha schon vor 15 Jahren, anfangs R h e a , dann den schicklicheren

seine Durchlaucht *His Highness*

Freiherrn *Baron*

Vorfahren *ancestors*

32

und auch glücklicheren Namen H e r a vorgeschlagen,
welcher Göttin die Römer den Namen J u n o beilegten,
und der griechische Name H e r a sei dem lateinischen
J u n o vorzuziehen. Ich freute mich unterdessen mit
5 dem Durchlauchtigsten Beschützer und Beförderer der
Sternkunde eine und dieselbe Idee gefaßt zu haben. Auch
haben mehrere Astronomen und Verehrer der Sternkunde
den Namen J u n o für den schicklichsten gehalten.

    Daß noch andere Benennungen in Vorschlag kommen
10 würden, ließ sich leicht einsehen. In einer öffentlichen
gelehrten Zeitung schlägt ein ungenannter den Namen
V u l k a n vor. Er glaubt, nicht unschicklich, dem Gotte,
der die Waffen schmiedete, neben dem Kriegsgotte, den
Gemahl der Venus neben ihren Liebhaber zu placieren.
15 Herr Professor Reimarus in Hamburg meinte, er müsse
C u p i d o heißen, denn er wäre ja, von der Venus abwärts gerechnet, dem Mars, einem Liebhaber der Venus,
am nächsten. Ein verdienter Chemiker° wünschte den neuen
Planeten T i t a n , nach einem von ihm jüngst entdeckten
20 und also benannten Metall (Titanium), getauft zu sehen,
zumal da derselbe bald nachdem der Planet Uranus entdeckt worden, einem anderen von ihm aufgefundenen
Metall den Namen Uranium beigelegt. Da unterdessen
Herr Piazzi selbst den Namen C e r e s vorschlägt, und
25 seinen Freunden und Korrespondenten zur Aufnahme
empfiehlt, auch ihm sehr gerne dieses Vorrecht, seinen
Planeten zu benennen, wird eingeräumt werden; und da
endlich dieser Name gleichfalls, rein mythologisch genommen, sehr gut gewählt ist: so werden hoffentlich die
30 Astronomen ihm hierin gerne beipflichten; wie denn auch
schon, gleich nach dieser Äußerung des Herrn Piazzi, der
Name C e r e s für diesen zu vermutenden achten Hauptplaneten fast allgemein aufbewahrt wurde, und also noch
ehe er sich durch seine Wiedererscheinung am östlichen
35 Himmel, als wirklich existierend°, den Augen der Astronomen darstellte.

    So haben wir denn in weniger als zwanzig Jahren
noch zwei Gefährten auf unserem Wege um die Sonne
kennen gelernt, nämlich den fünften und achten Haupt-
40 planeten, die C e r e s und den U r a n u s . Entdeckungen,
deren Epochen auf immer in den Annalen° der Stern-

beilegten *gave*

Durchlauchtigsten Beschützer
und Beförderer der Stern-
kunde *illustrious protector
and patron of astronomy*

placieren *place*

verdienter *deserving, meritori-
ous*

zumal *especially*

eingeräumt *granted*

beipflichten *agree*

Gefährten *companions*

demnach   *accordingly*
nunmehr   *from now on*

einherwandeln   *move*

wissenschaft merkwürdig bleiben werden, seit 2000jährigen Beobachtungen des Planetenlaufs einzig in ihrer Art. Kepler und Newton ahnten sie nicht. Durch die Entdeckung des Uranus sahen wir mit Erstaunen die uns sichtbaren Grenzen des Sonnengebietes um das doppelte 5 erweitert, und durch die Entdeckung der Ceres ist die bisherige Lücke zwischen Mars und Jupiter glücklich ausgefüllt. Wir kennen demnach nunmehr acht planetarische Weltkugeln, die in ewigen, nach einem harmonischen Verhältnisse hintereinander aufgestellten Bahnen um die 10 majestätische° Sonne einherwandeln.

Bernhard Schmidt

Bernhard Schmidt (1879–1935) of the Hamburg Observatory is responsible for one of the most significant advances in the design of telescopes since the introduction of the reflecting telescope with parabolic mirror in the seventeenth century. Under the title "Ein lichtstarkes komafreies Spiegelsystem", Schmidt showed how to make a telescope using a spherical rather than a parabolic mirror, in which corrections were introduced by means of a correcting plate placed at the center of curvature of the spherical mirror, thus permitting the use of a much larger aperture stop. This type of astronomical camera (or photographic telescope) has such extraordinarily high light-gathering power that very faint objects or very faint distant nebulae may be recorded on the photographic plate, while the definition is of such high quality that these may be enlarged considerably to reveal detail. The observatory at Mt. Palomar makes use of a 48-inch Schmidt telescope as well as the great 200-inch Hale reflector of the conventional type (*see illustrations*).

Original-Schmidt-Spiegel in der Hamburger Sternwarte zu Bergedorf

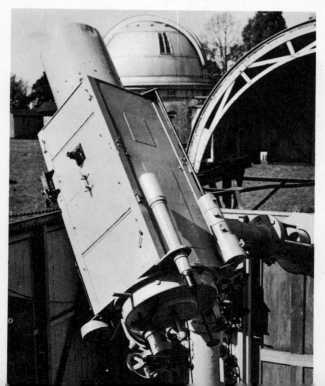

Rechts:
122 cm Schmidt-Spiegel in Mount Palomar, Kalifornien

Unten:
5,08 m Hale-Fernrohr in Mount Palomar, Kalifornien

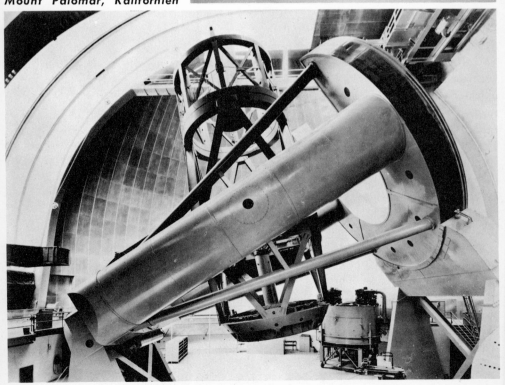

Ein lichtstarkes komafreies Spiegelsystem

Aus: *Mitteilungen der Hamburger Sternwarte in Bergedorf*, Bd. 7, Nr. 36;
Januar, 1931

Wenn man den Lichtverlust bei einem Spiegel und
bei einem Linsensystem miteinander vergleicht, so ergibt
sich, daß bei gleichem Öffnungsverhältnis der Spiegel
einen geringeren Lichtverlust aufweist als das Linsensystem.
5 Ein frisch versilberter Spiegel reflektiert mindestens 90%
des auffallenden Lichtes, während ein Zweilinsensystem
höchstens 80% und ein Dreilinsensystem höchstens 70%
des einfallenden Lichtes durchläßt. Bei größeren Linsen
wird durch die stärkere Absorption kurzwelliger Strahlen
10 durch das Glas die Sache noch ungünstiger.

Bei großen Fernrohren wäre daher der Parabolspiegel
im allgemeinen vorteilhafter als ein Linsensystem, leider
wird aber bei großen Öffnungsverhältnissen das brauchbare
Gesichtsfeld durch die Koma° sehr beengt. Außerdem
15 kommt noch die Streuung durch Astigmatismus° hinzu.
Die Koma wächst direkt proportional mit dem Gesichts-
felddurchmesser, der Astigmatismus quadratisch.

Immerhin ist der Parabolspiegel bei Öffnungsverhältnissen von 1:8 bis 1:10 dem gewöhnlichen Zweilinsen-
20 objektiv in Bezug auf Bildschärfe überlegen. Nun aber
mag darauf hingewiesen werden, daß sogar der rein
sphärische Spiegel mit den Öffnungsverhältnissen 1:8 bis
1:10 noch gut verwendbar ist. Würde man die Öffnungsblende direkt vor dem Spiegel anbringen, so würde
25 gegenüber dem Parabolspiegel kein Vorteil entstehen, da
ja der sphärische Spiegel genau dieselben Fehler hat;
außerdem käme noch die sphärische Aberration° hinzu,
die über das ganze Gesichtsfeld die vorhandenen Streuungen
vergrößert. Wird aber die Öffnungsblende im Krümmungs-
30 mittelpunkt angebracht, so hat der sphärische Spiegel,
abgesehen von der Längsaberration überhaupt keine
Streuungen mehr, Koma und Astigmatismus sind null.
Wollte man aber das Öffnungsverhältnis stark vergrößern,
so wird die sphärische Streuung sehr groß, da sie mit der
35 dritten Potenz des Öffnungsverhältnisses wächst. Bei 1:3

Sternwarte	*observatory*
Linsensystem	*lens system*
Öffnungsverhältnis	*aperture ratio*
auffallenden	*incident*
einfallenden	*incident*
Fernrohren	*telescopes*
Parabolspiegel	*parabolic mirror*
sphärische	*spherical*
Öffnungsblende	*aperture stop*
Fehler	*aberrations*
Krümmungsmittelpunkt	*center of curvature*
Längsaberration	*longitudinal aberration*
Potenz	*power*

paraxialen Bildpunkt *paraxial image point*
Bogensekunden *seconds of arc*

ACCORDINGLY

Krümmungsradius *radius of curvature*

Glasschale *glass plate*

Korrektionsplatte *correcting plate*

oder gar 1:2 sind die Streuungen im paraxialen Bildpunkt 240 bzw. 800 Bogensekunden.

Nun will ich zeigen, wie man auch mit einem sphärischen Spiegel von großen Öffnungsverhältnissen noch vollständig scharfe Bilder erzielen kann. Um aus einem sphärischen Spiegel einen parabolischen Spiegel herzustellen, muß man den Rand verflachen, ihm also einen größeren Krümmungsradius geben. Man kann aber auch auf den sphärischen Spiegel eine konzentrisch gekrümmte Glasschale (von überall gleicher Dicke) legen und deformiert° deren eine Fläche. Nur müssen dann die Krümmungen umgekehrt sein, der Rand muß stärker gekrümmt werden als die Mitte.

Optisch° wird im großen ganzen mit dieser Korrektionsplatte dieselbe Wirkung erzielt wie beim Parabolspiegel. Bringt man nun die Korrektionsplatte in den Krümmungsmittelpunkt des Spiegels, so ergeben sich wieder dieselben Verhältnisse wie vorher bei dem sphärischen Spiegel mit Öffnungsblende im Krümmungsmittelpunkt, nur mit dem Unterschied, daß jetzt auch die sphärische Aberration aufgehoben ist, und zwar über das ganze Gesichtsfeld. Es ist also möglich, Öffnungsverhältnisse von 1:3 bis 1:2 zu benutzen und Freiheit von Koma, Astigmatismus und sphärischer Aberration zu erreichen.

Andromedanebel (Mercier 31): Aufnahme des Schmidt-Spiegels in Mount Palomar (s. S. 36)

Teilbild des Andromedanebels: Aufnahme des Hale-Fernrohrs. Vergleichen Sie die Gesichtsfelder

Johannes Kepler

Kupferstich aus dem siebzehnten Jahrhundert

Johannes Kepler (1571–1630), most famous for his laws of planetary motion, struggled with the dimensions of the universe, certain in his mind that some mathematical and mechanical explanation could be found for the motions of the planets. In the selection below, Kepler expresses his belief that the universe at large runs like a gigantic clock.

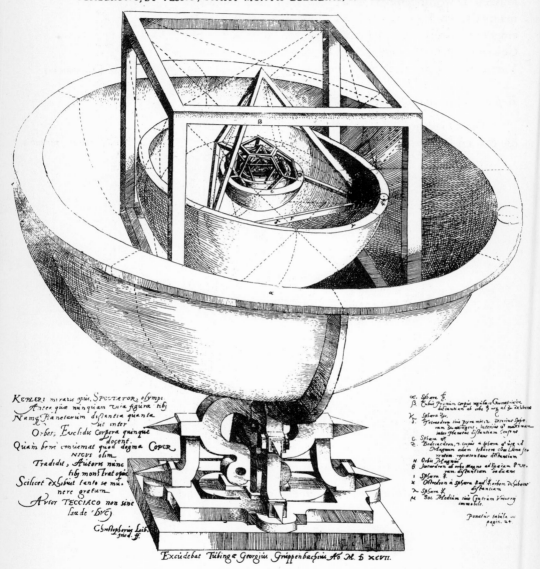

TABVLA III. ORBIVM PLANETARVM DIMENSIONES, ET DISTANTIAS PER QVINQVE REGVLARIA CORPORA GEOMETRICA EXHIBENS.

ILLVSTRISS: PRINCIPI, AC DÑO, DÑO, FRIDERICO, DVCI WIRTENBERGICO, ET TECCIO, COMITI MONTIS BELGARVM, ETC. CONSECRATA.

Keplers Modell des Weltalls. Die fünf Körper stellen die Grössen der Planetenbahnen und ihre Entfernungen von der Sonne dar.

Mein Ziel ist es, zu zeigen, daß die himmlische
Maschine nicht eine Art göttlichen Lebewesens ist, sondern
gleichsam ein Uhrwerk, insofern nahezu alle die mannig-
faltigen Bewegungen von einer einzigen, ganz einfachen
5 magnetischen körperlichen Kraft besorgt werden, wie bei
einem Uhrwerk alle die Bewegungen von dem einfachen
Gewicht. Und zwar zeige ich auch, wie diese physikalische
Vorstellung rechnerisch und geometrisch darzustellen ist.

gleichsam   so to speak

rechnerisch   arithmetically

Kepler's third law of planetary motion:

Die Quadrate der Umlaufszeiten verhalten sich wie
10 die dritten Potenzen der mittleren Abstände.

die dritten Potenzen   *the cubes*

41

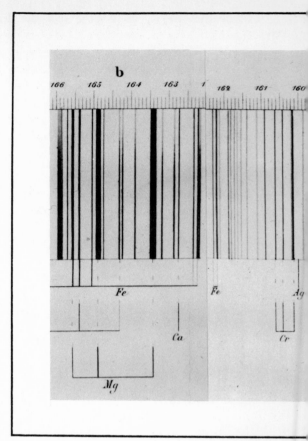

Gustav Kirchhoff

Gustav Robert Kirchhoff (1824–1887) is famous for his estab-
lishment of the principles upon which spectrum analysis is founded,
a subject which has proved to be of primary importance for our

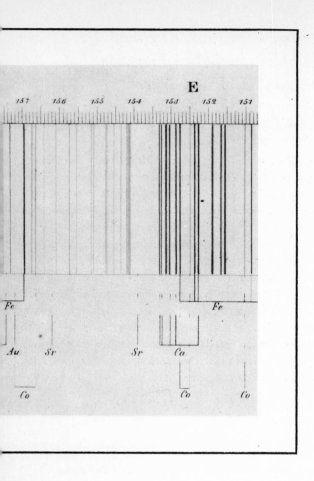

understanding of atomic structure, our knowledge of the composition and temperature of stars, and our analysis of matter. In the short selection given below, Kirchhoff refers to the "Frauenhofer Lines"—a series of black lines which cross the spectrum of the sun, and concludes that because these black lines correspond with the lines given off by iron, there must be iron in the glowing gaseous envelope surrounding the sun.

Eine Mitteilung von Herrn Prof. Kirchhoff über den Zusammenhang zwischen Emission und Absorption von Licht und Wärme

Aus: *Monatsberichte der Königlichen Preußischen Akademie der Wissenschaften zu Berlin*. 15. Dez. 1859

Ich halte mich für berechtigt, hieraus den Schluß zu ziehen, daß unter den Bestandteilen der glühenden Sonnenatmosphäre sich Eisen befindet, einen Schluß, der übrigens sehr nahe liegt, wenn man das häufige Vorkommen des Eisens in der Erde und in den Meteorsteinen bedenkt. Von 5 den dunklen Linien des Sonnenspektrums, die mit hellen des Eisenspektrums zusammenzufallen scheinen, kann ich mit Bezugnahme auf die von F r a u e n h o f e r gegebene Zeichnung des Sonnenspektrums nur wenige beschreiben; es gehören zu diesen die Linie *E*, einige weniger scharfe 10 Linien dicht neben *E* nach dem violetten Ende des Spektrums hin und eine Linie, die zwischen den beiden nächsten der drei sehr ausgezeichneten Linien sich befindet, die F r a u e n h o f e r bei *b* gezeichnet hat.

mit Bezugnahme auf *with reference to*

44

Justus von Liebig 3

Justus Liebig in Giessen im Jahre 1839

The following selection is from *Die organische Chemie in ihrer Anwendung auf Agrikultur und Physiologie* by Justus von Liebig (1803– Application 1873), a book described as having "attained a greater prominence in agriculture than any other chemical treatise" of the nineteenth century. The author, born at Darmstadt, studied chemistry at the Universities of Bonn and Erlangen, then worked under Gay-Lussac in France, returning to Germany to become professor of chemistry at the University of Giessen in 1824. There he established "the first research laboratory for students of organic chemistry" and inaugurated what has ever since been the standard practice of requiring that students do laboratory work as part of their chemical studies. Liebig's fame was based not only on his teaching but on his researches, many of which were carried out in collaboration with Friedrich Wöhler (see p. 181).

45

The book from which this selection is taken was published simultaneously in Germany and in England in 1840. Constantly revised by the author, it has had an immense popularity, editions appearing not only in Germany and England but in America, France, Denmark, Holland, Italy, Poland, and Russia.

The theory chiefly advanced here is that plants may assimilate carbon through the roots as well as from the carbonic acid of the air. First Liebig discusses the absorption of carbon by plants, by means of their green matter and the action of sunlight; then he turns to the interrelation of the life of plants and animals, and discusses the older theories of humus, which held that plants assimilated humus as nourishment without alteration. But Liebig regards it as a source of carbonic acid which can be absorbed by the roots, and can thus provide nourishment to the young plants while they have no leaves and therefore lack the green matter which enables them to extract nourishment from carbon compounds of the atmosphere. In these discussions, the question at the base of plant physiology—namely, how do plants obtain nourishment?—was given the form in which it has been discussed ever since.

Liebigs Handschrift

Die organische Chemie in ihrer Anwendung auf Agrikultur und Physiologie

(1840)

In der Atmosphäre existiert nun der Kohlenstoff nur in der Form von Kohlensäure, in der Form also einer Sauerstoffverbindung.

Die Hauptbestandteile der Vegetabilien°, gegen deren
5 Masse° die Masse der übrigen verschwindend klein ist, enthalten Kohlenstoff und die Elemente des Wassers; alle zusammen enthalten weniger Sauerstoff als die Kohlensäure.

Es ist demnach gewiß, daß die Pflanzen, indem sie
10 den Kohlenstoff der Kohlensäure sich aneignen, die Fähigkeit besitzen müssen, die Kohlensäure zu zerlegen; die Bildung ihrer Hauptbestandteile setzt die Trennung des Kohlenstoffs von dem Sauerstoff voraus; der letztere muß, während dem Lebensprozeß der Pflanze, während
15 sich der Kohlenstoff mit dem Wasser oder seinen Elementen verbindet, an die Atmosphäre wieder zurückgegeben werden. Für jedes Volumen° Kohlensäure, deren Kohlenstoff Bestandteil der Pflanze wird, muß die Atmosphäre ein gleiches Volumen Sauerstoff empfangen.

20 Diese merkwürdige Fähigkeit der Pflanzen ist durch zahllose Beobachtungen auf das unzweifelhafteste bewiesen worden; ein jeder kann sich mit den einfachsten Mitteln von ihrer Wahrheit überzeugen.

Die Blätter und grünen Teile aller Pflanzen saugen
25 nämlich kohlensaures Gas ein und hauchen ein ihm gleiches Volumen Sauerstoffgas aus.

Die Blätter und grünen Teile besitzen dieses Vermögen selbst dann noch, wenn sie von der Pflanze getrennt sind; bringt man sie in diesem Zustande in Wasser, welches
30 Kohlensäure enthält, und setzt sie dem Sonnenlichte aus, so verschwindet nach einiger Zeit die Kohlensäure gänzlich, und stellt man diesen Versuch unter einer mit Wasser gefüllten Glasglocke an, so kann man das entwickelte Sauerstoffgas sammeln und prüfen; wenn die Entwicklung von
35 Sauerstoffgas aufhört, ist auch die gelöste Kohlensäure verschwunden; setzt man aufs neue Kohlensäure hinzu, so stellt sie sich von neuem ein.

der übrigen *i.e., other components*

demnach *accordingly*
zerlegen *decompose*

Glasglocke *bell jar*

In einem Wasser, welches frei von Kohlensäure ist, oder ein Alkali enthält, was sie vor der Assimilation schützt, entwickeln die Pflanzen kein Gas.

Die Gewichtsvermehrung beträgt mehr, als der Quantität des aufgenommenen Kohlenstoffs entspricht, was vollkommen der Vorstellung gemäß ist, daß mit dem Kohlenstoff gleichzeitig die Elemente des Wassers von der Pflanze assimiliert° werden.

Ein ebenso erhabener als weiser Zweck hat das Leben der Pflanzen und Tiere auf eine wunderbar einfache Weise aufs engste aneinandergeknüpft.

Ein Bestehen einer reichen üppigen Vegetation kann gedacht werden ohne Mitwirkung des tierischen Lebens, aber die Existenz der Tiere ist ausschließlich an die Gegenwart, an die Entwicklung der Pflanzen gebunden.

Die Pflanze liefert nicht allein dem tierischen Organismus in ihren Organen die Mittel zur Nahrung, zur Erneuerung und Vermehrung seiner Masse, sie entfernt nicht nur aus der Atmosphäre die schädlichen Stoffe, die seine Existenz gefährden, sondern sie ist es auch allein, welche den höheren organischen Lebensprozeß, die Respiration mit der ihr unentbehrlichen Nahrung versieht; sie ist eine unversiegbare Quelle des reinsten und frischesten Sauerstoffgases, sie ersetzt der Atmosphäre in jedem Momente, was sie verlor.

Alle übrigen Verhältnisse gleich gesetzt, atmen die Tiere Kohlenstoff aus, die Pflanzen atmen ihn ein, das Medium, in dem es geschieht, die Luft, kann in ihrer Zusammensetzung nicht geändert werden.

Ist nun, kann man fragen, der dem Anschein nach so geringe Kohlensäuregehalt der Luft, ein Gehalt, der dem Gewicht nach nur $\frac{1}{10}$ p.c. beträgt, überhaupt nur genügend, um den Bedarf der ganzen Vegetation auf der Oberfläche der Erde zu befriedigen, ist es möglich, daß dieser Kohlenstoff aus der Luft stammt?

Diese Frage ist unter allen am leichtesten zu beantworten. Man weiß, daß auf jedem Quadratfuß der Oberfläche der Erde eine Luftsäule ruht, welche 2216,66 Pfd. wiegt; man kennt den Durchmesser und damit die Oberfläche der Erde; man kann mit der größten Genauigkeit das Gewicht der Atmosphäre berechnen; der tausendste

üppigen *luxuriant*

unversiegbare *inexhaustible*

gleich gesetzt *being equal*

48

Teil dieses Gewichts ist Kohlensäure, welche etwas über
27 p. c. Kohlenstoff enthält. Aus dieser Berechnung ergibt
sich nun, daß die Atmosphäre 3000 Billionen Pfd. Kohlenstoff enthält, eine Quantität, welche mehr beträgt, als das
5 Gewicht aller Pflanzen, der Stein- und Braunkohlenlager
auf dem ganzen Erdkörper zusammengenommen. Dieser
Kohlenstoff ist also mehr als hinreichend, um den Bedarf
zu genügen. Der Kohlenstoffgehalt des Meerwassers ist
verhältnismäßig noch größer.

10   Nehmen wir an, daß die Oberfläche der Blätter und
grünen Pflanzenteile, durch welche die Absorption der
Kohlensäure geschieht, doppelt so viel beträgt, als die
Oberfläche des Bodens, auf dem die Pflanze wächst, was
beim Wald, bei den Wiesen und Getreidefeldern, die den
15 meisten Kohlenstoff produzieren°, weit unter der wirklich
tätigen Oberfläche ist; nehmen wir ferner an, daß von
einem Morgen, von 80 000 Quadratfuß also, in jeder
Zeitsekunde, 8 Stunden täglich, der Luft 0,000067 ihres
Volumens oder $\frac{1}{1000}$ ihres Gewichtes an Kohlensäure ent-
20 zogen wird, so nehmen diese Blätter in 200 Tagen 1000 Pfd.
Kohlenstoff auf.

    In keinem Zeitmoment ist aber in dem Leben einer
Pflanze, in den Funktionen ihrer Organe, ein Stillstand
denkbar. Die Wurzeln und alle Teile derselben, welche die
25 nämliche Fähigkeit besitzen, saugen beständig Wasser, sie
atmen Kohlensäure ein; diese Fähigkeit ist unabhängig von
dem Sonnenlichte; sie häuft sich während des Tages im
Schatten und bei Nacht in allen Teilen der Pflanze an,
und erst von dem Augenblicke an, wo die Sonnenstrahlen
30 sie treffen, geht die Assimilation des Kohlenstoffs, die
Aushauchung von Sauerstoffgas vor sich; erst in dem
Momente, wo der Keim die Erde durchbricht, färbt er sich
von der äußersten Spitze abwärts, die eigentliche Holz-
bildung nimmt damit ihren Anfang.

35   Die Tropen°, der Äquator°, die heißen Klimate°,
wo ein selten bewölkter Himmel der Sonne gestattet, ihre
glühenden Strahlen einer unendlich reichen Vegetation
zuzusenden, sind die eigentlichen, ewig unversiegbaren
Quellen des Sauerstoffgases; in den gemäßigten und kalten
40 Zonen, wo künstliche Wärme die fehlende Sonne ersetzen
muß, wird die Kohlensäure, welche die tropischen°

Billionen *trillions*

Stein- und Braunkohlenlager
deposits of coal and lignite

Morgen *ca. 5/8 acre*

bestänbig *constantly*

geht ... vor sich *begins, occurs*

Keim *sprout, young plant*

gemäßigten *temperate*

Pflanzen ernährt, im Überfluß erzeugt; derselbe Luftstrom, welcher, veranlaßt durch die Umdrehung der Erde, seinen Weg von dem Äquator zu den Polen° zurückgelegt hat, bringt uns, zu dem Äquator zurückkehrend, den dort erzeugten Sauerstoff und führt ihm die Kohlensäure unserer 5 Winter zu.

Die Pflanzen verbessern die Luft, indem sie die Kohlensäure entfernen, indem sie den Sauerstoff erneuern;

kommt . . . zugute *benefits*

dieser Sauerstoff kommt Menschen und Tieren zuerst und unmittelbar zugute. Die Bewegung der Luft in horizontaler 10 Richtung bringt uns so viel zu, als sie hinwegführt; der

Ausgleichung *adjustment*

Luftwechsel von unten nach oben, infolge der Ausgleichung der Temperaturen — er ist, verglichen mit dem Wechsel durch Winde, verschwindend klein.

Kultur *agriculture*

Die Kultur erhöht den Gesundheitszustand der 15 Gegenden; mit dem Aufhören aller Kultur werden sonst gesunde Gegenden unbewohnbar.

Wir erkennen in dem Leben der Pflanze, in der Assimilation des Kohlenstoffs, als die wichtigste ihrer

Sauerstoffausscheidung *separation of oxygen*

Funktionen, eine Sauerstoffausscheidung, man kann sagen, 20 eine Sauerstofferzeugung.

Keine Materie° kann als Nahrung, als Bedingung ihrer Entwicklung angesehen werden, deren Zusammensetzung ihrer eigenen gleich oder ähnlich ist, deren Assimilation also erfolgen könnte, ohne dieser Funktion zu 25 genügen.

In dem zweiten Teile sind die Beweise niedergelegt, daß die in Verwesung begriffene Holzfaser, der H u m u s °,

in Verwesung begriffene Holzfaser *decaying wood fiber* (*cellulose*)
überschüssigen *excessive*

Kohlenstoff und die Elemente des Wassers ohne überschüssigen Sauerstoff enthält; ihre Zusammensetzung weicht 30 nur insofern von der des Holzes ab, daß sie reicher an Kohlenstoff ist.

Die Pflanzenphysiologen° haben die Bildung der Holzfaser aus Humus für sehr begreiflich erklärt, denn, sagen sie, der Humus darf nur Wasser chemisch binden, 35 um die Bildung von Holzfaser, Stärke oder Zucker zu

bewirken *to cause*
Naturforscher *scientists*
Amylon *starch*

bewirken.

Die nämlichen Naturforscher haben aber die Erfahrung gemacht, daß Zucker, Amylon und Gummi in ihren wässerigen Auflösungen von den Wurzeln der 40 Pflanzen eingesaugt und in alle Teile der Pflanze geführt

werden, allein sie werden von der Pflanze nicht assimiliert°,
sie können zu ihrer Ernährung und Entwicklung nicht
angewendet werden.

5 Es läßt sich nun kaum eine Form denken, bequemer
für Assimilation, als die Form von Zucker, Gummi oder
Stärke, denn diese Körper enthalten ja alle Elemente der
Holzfaser und stehen zu ihr in dem nämlichen Verhältnis,
wie der Humus; allein sie ernähren die Pflanze nicht.

Eine durchaus falsche Vorstellung, ein Verkennen der
10 wichtigsten Lebensfunktionen der Pflanze, liegt der Ansicht
von der Wirkungsweise des Humus zugrunde.

Die Analogie° hat die unglückliche Vergleichung der
Lebensfunktionen der Pflanzen mit denen der Tiere in
dem Bett des Prokrustes° erzeugt, sie ist die Mutter, die
15 Gebärerin aller Irrtümer.

Materien°, wie Zucker, Amylon usw., welche Kohlenstoff und die Elemente des Wassers enthalten, sind Produkte
des Lebensprozesses der Pflanzen, sie leben nur, insofern
sie sie erzeugen. Dasselbe muß von dem Humus gelten,
20 denn er kann ebenso wie diese, in Pflanzen gebildet werden.

Woher kommt es nun, kann man fragen, daß in den
Schriften aller Botaniker° und Pflanzenphysiologen die
Assimilation des Kohlenstoffs aus der Atmosphäre in
Zweifel gestellt, daß von den meisten die Verbesserung der
25 Luft durch die Pflanzen geleugnet wird?

Diese Zweifel sind hervorgegangen aus dem Verhalten
der Pflanzen bei Abwesenheit des Lichtes, nämlich in der
Nacht.

Es ist klar, daß die Menge des absorbierten° Sauer-
30 stoffgases größer ist als das Volumen° der abgeschiedenen
Kohlensäure. Diese Tatsache kann nicht in Zweifel gezogen
werden, allein die Interpretationen, die man ihr unterlegt
hat, sind so vollkommen falsch, daß nur die gänzliche
Nichtbeachtung und Unkenntnis der chemischen° Be-
35 ziehungen einer Pflanze zu der Atmosphäre erklärt, wie
man zu diesen Ansichten gelangen konnte.

Es ist bekannt, daß der indifferente Stickstoff, das
Wasserstoffgas, daß eine Menge anderer Gase eine eigentümliche, meist schädliche Wirkung auf die lebenden
40 Pflanzen ausüben. Ist es nun denkbar, daß eins der kräftig-
sten Agentien°, der Sauerstoff, wirkungslos auf eine Pflanze

Verkennen *misunderstanding*

Wirkungsweise *modus operandi*
Vergleichung *comparison*

Gebärerin *bearer, mother*

abgeschiedenen *separated*

unterlegt *given*

indifferente *inert*

51

bliebe, sobald sie sich in dem Zustande des Lebens befindet, wo einer ihrer eigentümlichen Assimilationsprozesse aufgehört hat?

Man weiß, daß mit der Abwesenheit des Lichtes die Zersetzung der Kohlensäure ihre Grenze findet. Mit der Nacht beginnt ein rein chemischer Prozeß, infolge der Wechselwirkung des Sauerstoffs der Luft auf die Bestandteile der Blätter, Blüten und Früchte.

Dieser Prozeß hat mit dem Leben der Pflanze nicht das Geringste gemein, denn er tritt in der toten Pflanze ganz in derselben Form auf, wie in der lebenden.

Es läßt sich mit der größten Leichtigkeit und Sicherheit aus den bekannten Bestandteilen der Blätter verschiedener Pflanzen vorausbestimmen, welche davon den meisten Sauerstoff im lebenden Zustande während der Abwesenheit des Lichtes absorbieren werden. Die Blätter und grünen Teile aller Pflanzen, welche flüchtige Öle, überhaupt aromatische° flüchtige Bestandteile enthalten, Harz *resin* die sich durch Aufnahme des Sauerstoffs in Harz verwandeln, werden mehr Sauerstoff einsaugen als andere,

Chemisches Institut der Universität Giessen. Zeichnung, 1841

welche frei davon sind. Andere wieder, in deren Säften sich
die Bestandteile der Galläpfel befinden oder stickstoffreichen Materien° enthalten, werden mehr Sauerstoff
aufnehmen, als die, worin diese Bestandteile fehlen.

5 Man könnte aus den verschiedenen Zeiten, welche die
grünen Blätter der Pflanzen bedürfen, um durch den
Einfluß der atmosphärischen Luft ihre Farbe zu ändern,
die absorbierten Sauerstoffmengen annähernd bestimmen.
10 Diejenigen, welche sich am längsten grün erhalten, werden
in gleichen Zeiten weniger Sauerstoff aufnehmen als andere,
deren Bestandteile eine rasche Veränderung erfahren.

Das Verhalten der grünen Blätter der Eiche, Buche
und Stechpalme, welche unter der Luftpumpe bei Abschluß
des Lichtes getrocknet und nach Befeuchtung mit Wasser
15 unter eine graduierte Glocke mit Sauerstoffgas gebracht
werden, entfernt jeden Zweifel über diesen chemischen
Prozeß. Alle vermindern das Volumen des eingeschlossenen
Sauerstoffgases, und zwar in dem nämlichen Verhältnis,
als sie ihre Farbe ändern. Diese Luftverminderung kann
20 nur auf der Bildung von höheren Oxiden°, oder einer

Galläpfel *gallnuts*
stickstoffreichen *rich in nitrogen*

Buche *beech*
Stechpalme *holly*

graduierte Glocke *graduated
bell jar*

Analytisches Laboratorium von Liebig in Giessen. Zeichnung, 1842

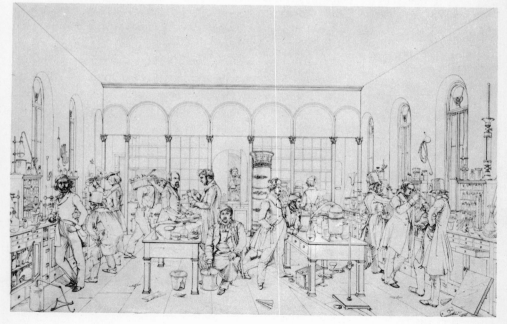

Oxidation des Wasserstoffs der an diesem Elemente reichen Bestandteile der Pflanzen beruhen.

Der Unterschied in der Zusammensetzung der Holzarten von der der reinen Holzfaser beruht unleugbar auf der Gegenwart von wasserstoffreichen und sauerstoff- 5 armen, zum Teil löslichen Bestandteilen, in Harz und anderen Stoffen, deren Wasserstoff sich in der Analyse° zu dem der Holzfaser addiert°.

in Verwesung begriffene *de-composing*

Überschuß *excess*

Verwesung *decomposition*

Wenn nun das in Verwesung begriffene Eichenholz Kohle und die Elemente des Wassers ohne Überschuß an 10 Wasserstoff enthält, wenn es während seiner Verwesung das Volumen der Luft nicht ändert, so muß notwendig dieses Verhältnis im Beginn der Verwesung ein anderes gewesen sein, denn in den wasserstoffreichen Bestandteilen des Holzes ist der Wasserstoff vermindert worden, und diese 15 Verminderung kann nur durch eine Absorption des Sauerstoffs bewirkt worden sein.

Entkohlung *loss of carbon*

Die meisten Pflanzenphysiologen haben die Aushauchung der Kohlensäure während der Nacht mit der Aufnahme von Sauerstoffgas aus der Atmosphäre in Ver- 20 bindung gebracht, sie betrachten diese Tätigkeit als den wahren Atmungsprozeß der Pflanzen, welcher wie bei den Tieren eine Entkohlung zur Folge hat. Es gibt kaum eine Meinung, deren Basis schwankender, man kann sagen, unrichtiger ist. 25

verdunstet *evaporates*

Die von den Blättern, von den Wurzeln mit dem Wasser aufgenommene Kohlensäure wird mit der Abnahme des Lichtes nicht mehr zersetzt, sie bleibt in dem Safte gelöst, der alle Teile der Pflanze durchdringt; in jedem Zeitmoment verdunstet mit dem Wasser aus den Blättern 30 eine ihrem Gehalt entsprechende Menge Kohlensäure.

Ein Boden, in welchem die Pflanzen kräftig vegetieren°, enthält als eine nie fehlende Bedingung ihres Lebens unter allen Umständen eine gewisse Quantität Feuchtigkeit, nie fehlt in diesem Boden kohlensaures Gas, gleich- 35 gültig ob es von demselben aus der Luft aufgenommen oder durch die Verwesung von Vegetabilien erzeugt wird; kein Brunnen- oder Quellwasser, nie ist das Regenwasser frei von Kohlensäure; in keinerlei Perioden des Lebens einer Pflanze hört das Vermögen der Wurzel auf, Feuchtigkeit 40 und mit derselben Luft und Kohlensäure einzusaugen°.

Kann es nun auffallend sein, daß diese Kohlensäure mit dem verdunstenden Wasser von der Pflanze an die Atmosphäre unverändert wieder zurückgegeben wird, wenn die Ursache der Fixierung° des Kohlenstoffs, wenn das Licht fehlt?

Diese Aushauchung von Kohlensäure hat mit dem Assimilationsprozeß, mit dem Leben der Pflanze ebensowenig zu tun, als wie die Einsaugung des Sauerstoffs. Beide stehen miteinander nicht in der geringsten Beziehung, der eine ist ein rein mechanischer, der andere ein rein chemischer Prozeß.

Pflanzen, welche in einem feuchten, an Humus reichen Boden leben, werden in der Nacht mehr Kohlensäure aushauchen, als andere an trockenen Standörtern, nach dem Regen mehr als bei trockener Witterung; alle diese Einflüsse erklären die Menge von Widersprüchen in den Beobachtungen, die man in Beziehung auf die Veränderung der Luft durch lebende Pflanzen oder durch abgeschnittene Zweige davon, bei Abschluß des Lichtes oder im gewöhnlichen Tageslichte gemacht hat.

Es gibt aber noch andere entscheidende Beweise, daß die Pflanzen mehr Sauerstoff an die Luft abgeben, als sie überhaupt derselben entziehen. Wenn die Oberfläche von Teichen und Gräben, deren Boden mit grünen Pflanzen bedeckt ist, im Winter gefriert, so daß das Wasser von der Atmosphäre völlig durch eine Schicht klaren Eises abgeschlossen ist, so sieht man während des Tages und ganz vorzüglich während die Sonne auf das Eis fällt, unaufhörlich kleine Luftbläschen von den Spitzen der Blätter und kleineren Zweige sich lösen, die sich unter dem Eise zu großen Blasen sammeln; diese Luftblasen sind reines Sauerstoffgas, welches sich beständig vermehrt. Dieser Sauerstoff rührt von der Kohlensäure her, die sich in dem Wasser befindet, und in dem Grade wieder ersetzt wird, als sie die Pflanzen hinwegnehmen; sie wird ersetzt durch fortschreitende Fäulnisprozesse in abgestorbenen Pflanzenüberresten. Wenn demnach diese Pflanzen Sauerstoffgas während der Nacht einsaugen, so kann seine Menge nicht mehr betragen, als das umgebende Wasser aufgelöst enthält, denn der in Gasform abgeschiedene wird nicht wieder aufgenommen.

55

Standörtern *locations*

gefriert *freezes*

Luftbläschen *(small) air bubbles*

beständig *constantly*

rührt . . . her *comes from*

Fäulnisprozesse *decomposition*
Pflanzenüberresten *remnants of plants*

Die Meinung, daß die Kohlensäure ein Nahrungsmittel für die Pflanzen sei, daß sie den Kohlenstoff derselben
in ihre eigene Masse aufnehmen, ist nicht neu. Es gibt in
der Naturwissenschaft kaum eine Ansicht, für welche man
entschiedenere und schärfere Beweise hat; woraus läßt sich 5
nun erklären, daß sie von den meisten Pflanzenphysiologen
in ihrer Ausdehnung nicht anerkannt, daß von vielen
bestritten, daß sie von einzelnen als widerlegt betrachtet
wird?

Es sind zwei Ursachen, die wir jetzt beleuchten wollen. 10

Die eine dieser Ursachen ist, daß sich in der Botanik°
alle Talente und Kräfte in der Erforschung des Baues und
der Struktur, in der Kenntnis der äußeren Form versplittert haben, daß man die Chemie° und Physik bei der
Erklärung der einfachsten Prozesse nicht mit im Rate 15
sitzen läßt, daß man ihre Erfahrungen und Gesetze als
die mächtigsten Hilfsmittel zur Erkenntnis nicht anwendet.

Alle Entdeckungen der Physik und Chemie, alle
Auseinandersetzungen des Chemikers, sie müssen für sie
erfolg- und wirkungslos bleiben, denn selbst für ihre 20
Koryphäen sind Kohlensäure, Ammoniak°, Säuren und
Basen° bedeutungslose Laute, es sind Worte ohne Sinn,
Worte einer unbekannten Sprache, die keine Beziehungen,
keine Gedanken erweckt.

Die Physiologen verwerfen in der Erforschung der 25
Geheimnisse des Lebens die Chemie, und dennoch kann
sie es allein nur sein, welche den richtigen Weg zum Ziele
führt, sie verwerfen die Chemie, weil sie zerstört, indem sie
Erkenntnis sucht, weil sie nicht wissen, daß sie dem Messer
des Anatomen° gleicht, welcher den Körper, das Organ, 30
als solche vernichten muß, wenn er Rechenschaft über Bau,
Struktur und über seine Verrichtungen geben soll; sie
schreiben der Lebenskraft zu, was sie nicht begreifen, was
sie nicht erklären können, gerade so, wie man vor 30 Jahren
alles durch Galvanismus° verdeutlicht fand, zu einer Zeit, 35
wo man am allerwenigsten die Natur der Elektrizität
erkannt hatte. Darf man sich wundern, wenn man statt
Erklärungen und Einsicht nur Bilder, nur Hypothesen°
findet, kann man von ihnen etwas anderes als Täuschungen
und Trugschlüsse erwarten? 40

---

versplittert *wasted, frittered away*

mit im Rate sitzen läßt *calls in the aid of*

Auseinandersetzungen *explanations*

Koryphäen *leaders*

Verrichtungen *functions*

verdeutlicht *elucidated, made clear*

Trugschlüsse *false conclusions*

Liebig in seinem Laboratorium

Otto von Guericke

Otto von Guericke (1602–1686) is known today chiefly for the air pump or vacuum pump which he invented and for the striking experiments which he devised, particularly his demonstrations of the extreme force of air pressure. Published in 1672, the experiments had been made some decades earlier. The account which follows describes his most dramatic demonstration of air pressure. It is of interest in connection with Liebig's remarks on atmospheric pressure.

Neue „Magdeburgische" Versuche
über den leeren Raum

(1672)

Versuch, durch welchen gezeigt wird, daß infolge des Luft- ⌐ (see illustration pp. 60-61)
drucks zwei Halbkugeln so fest vereinigt werden, daß sie von 16
Pferden nicht voneinander gerissen werden können.

Ich ließ zwei Halbkugeln oder Schalen aus Kupfer   Schalen *shells*
A und B von ungefähr ¾ Magdeburger Ellen Durchmesser   ¾ Magdeburger Ellen *ca.*
herrichten. Dieselben paßten gut aufeinander und zwar   ½ meter
war die eine mit einem Hahn oder vielmehr einem Ventil   herrichten (inf.) *to prepare*
5 H versehen, mit dessen Hilfe die im Innern befindliche Luft   Ventil *valve*
herausgezogen und der Zutritt der äußeren verhindert
werden konnte. Die Schalen seien außerdem mit eisernen
Ringen° N N N N versehen, damit Pferde darangespannt
werden können, wie aus der Abbildung hervorgeht. Ferner
10 ließ ich einen Ring D aus Leder zusammennähen, der gut
mit Wachs°, gemischt mit Terpentinöl° durchtränkt wurde,
so daß er keine Luft durchließ.

Diese Schalen habe ich, nachdem jener Ring dazwischen gebracht war, aufeinandergelegt und darauf die
15 Luft schnell herausgepumpt. Ich sah, mit welcher Kraft
die beiden Schalen, zwischen denen sich jener Ring befand,
vereinigt wurden. Von dem Druck der äußeren Luft
zusammengepreßt, waren sie so fest verbunden, daß sechzehn Pferde sie nicht oder nur schwierig voneinander reißen
20 konnten. Gelang es aber endlich, mit Aufbietung aller   mit Aufbietung aller Kraft
Kraft, sie zu trennen, so verursachte dies ein Geräusch wie   *with utmost exertion*
ein Büchsenschuß.   Büchsenschuß *rifle shot*

Umstehend (S. 60-61):

Illustration aus Guerickes Experimenta nova Magdeburgica de vacuo spatio, *1672*
(vgl. Text)

Fig. IV.

Fig. V.

Fig. II.

D

N   N

N

Ottonis *de* Guericke
EXPERIMENTA
Nova *(ut vocantur)* Magdeburgica
De
VACUO SPATIO.

Amstelodami,
Apud Joannem Janssonium à Waesberge. 1672.

4

Hermann von Helmholtz

Hermann-Ludwig Ferdinand von Helmholtz (1821–1894), one of the leading scientific figures of the nineteenth century, became lecturer on anatomy at the Academy of Fine Arts in Berlin in 1848; then professor of physiology at Königsberg, later at Bonn and Heidelberg; and in 1871 was appointed professor of physics at the University of Berlin. His book *Über die Erhaltung der Kraft* (1847) is a major contribution to the concept of conservation of energy. Equally noted for his work in physics and in physiology, Helmholtz carried on studies in optics which led to the invention of the ophthalmoscope (1851). This instrument enabled him actually to inspect the retina, and is still of importance to ophthalmologists. He also invented the ophthalmometer, a device for measuring the radius and curvature of the cornea. His book on vision and his book on the sensations of tone are still classics, and the theory of color vision which he elaborated is still significant. Among his other contributions was the measurement of the speed of nervous impulses.

Not only a famous scientist, Helmholtz was also noted in his day for his popular scientific lectures, which embraced such subjects as ice and glaciers, the physiological causes of harmony in music, Goethe's scientific researches, academic freedom, and theory of vision. It is from a lecture on this last subject, delivered in 1855 at Königsberg and later published in a collection of Helmholtz's *Vorträge und Reden*, that the following selection is taken. In it Helmholtz describes parts of the eye and their functions.

63

Links:
Titelseite von Guerickes Experimenta nova, *1672*

Hermann von Helmholtz, Gemälde

Über das Sehen des Menschen

Augenspiele

Das Auge ist ein von der Natur gebildetes optisches°
Instrument, eine natürliche Camera obscura°. Der einzige
wesentliche Unterschied von dem Instrument, welches beim
Photographieren° gebraucht wird, besteht darin, daß statt
5 der matten Glastafel oder lichtempfindlichen Platte° im   matten *frosted*
Hintergrund des Auges die empfindliche Nervenhaut liegt,   Nervenhaut *retina*
in welcher das Licht Empfindungen hervorruft, die durch
die im Sehnerven zusammengefaßten Nervenfasern der   Sehnerven *optic nerve*
Netzhaut dem Gehirn, als dem körperlichen Organe° des   Nervenfasern *nerve fibers*
                                                        Netzhaut *retina*
10 Bewußtseins, zugeführt werden. In der äußeren Form weicht
die natürliche Camera obscura von der künstlichen wohl
ab. Statt des viereckigen Holzkastens finden Sie den runden
Augapfel. Die schwarze Farbe, mit der der Kasten der   Augapfel *eyeball*
Camera obscura innen angestrichen ist, ersetzt am Auge
15 eine zweite, feinere, braunschwarz gefärbte Haut, die
Aderhaut. Von ihr sehen wir am lebenden Auge ebenfalls   Aderhaut *chorioid membrane*
nur das vordere Ende, nämlich die Iris. Die blaue Farbe
der Iris entsteht nicht durch einen besonderen Farbstoff,
sondern hat denselben Grund wie die blaue Farbe ver-
20 dünnter Milch, sie ist weißlichen, trüben Mitteln eigen-   weißlichen *whitish*
tümlich, welche vor einem dunklen Grunde stehen. Die
braune Farbe entsteht dagegen durch Ablagerung kleiner   Ablagerung *deposit*
Mengen desselben braunschwarzen Farbstoffes in den
vorderen Schichten der Iris, welcher ihre hintere Fläche
25 bedeckt. Daher kann die Färbung auch wechseln, wenn
sich mit der Zeit Farbstoff in der Iris ablagert.   sich ... ablagert *is deposited*
    Der schwarze Kreis in der Mitte des braunen oder
blauen Kreises, die sogenannte Pupille°, ist also eine
Öffnung, durch welche das Licht in den hinteren Teil des
30 Auges eindringt. Ist die Lichtmenge zu groß, so wird die
Pupille enger, ist sie sehr gering, so wird sie weiter. Vor der
Pupille liegt uhrglasförmig gewölbt die durchsichtige   uhrglasförmig gewölbt *convex like a watch crystal*
Hornhaut, deren Oberfläche durch die über sie hinsickernde   Hornhaut *cornea*
Tränenfeuchtigkeit und das Blinzeln der Augenlider stets   hinsickernde Tränenfeuchtigkeit *trickling lachrymal fluid*
35 spiegelblank erhalten wird. Hinter der Pupille liegt noch   Blinzeln *blinking*
ein sehr klarer, durchsichtiger, linsenförmiger Körper, die   spiegelblank *highly polished*
Krystallinse, dessen Anwesenheit im lebenden Auge nur   linsenförmiger *lens-shaped*
schwache Lichtreflexe verraten. Das Innere des Auges ist   Kristallinse *crystalline lens*
                                                        Lichtreflexe *reflections of light*

übrigens mit Flüssigkeit gefüllt. Die Krystallinse im Verein mit der gekrümmten Fläche der Hornhaut vertritt im Auge die Stelle der Glaslinse° in der Camera obscura des Photographen. Sie entwerfen verkleinerte, natürlich gefärbte aber auf dem Kopfe stehende Bilder der äußeren 5 Gegenstände auf der Fläche der Netzhaut, welch letztere im Hintergrunde des Auges vor der Aderhaut liegt. Um die Netzhaut des lebenden Auges zu sehen, habe ich vor einigen Jahren ein kleines optisches Instrument, den Augenspiegel, konstruiert, mit dem man nun auch die Netzhautbilder 10 im Auge eines andern direkt sehen und sich von ihrer Schärfe, Stellung usw. überzeugen kann.

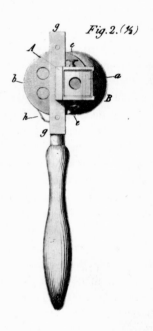

Fig.2.(½)

Augenspiegel. Illustration aus Helmholtz' Handbuch der physiologischen Optik, 1867

Der Photograph muß die Linse seines Instruments der Tafel, auf der das Bild entworfen wird, etwas näher rücken, wenn er ferne Gegenstände, er muß sie etwas entfernen, 15 wenn er nahe Gegenstände deutlich abbilden will. Etwas Ähnliches kommt beim Auge vor. Daß Sie nicht gleichzeitig ferne und nahe sehen, davon überzeugen Sie sich am leichtesten und besten, wenn Sie einen Schleier etwa sechs Zoll von den Augen entfernt halten und das eine 20

66

Auge schließen. Sie können dann willkürlich und ohne die Richtung des Blickes zu ändern, bald durch den Schleier hin ferne Gegenstände betrachten, wobei Ihnen der Schleier nur noch als eine verwaschene Trübung des
5 Gesichtsfeldes erscheint, Sie aber nicht die einzelnen Fäden des Schleiers erkennen, oder Sie können die Fäden des Schleiers betrachten, wobei Sie aber nicht mehr die Gegenstände des Hintergrundes deutlich erkennen. Man fühlt bei diesem Versuche eine gewisse Anstrengung im
10 Auge, indem man von einem zum andern Gesichtspunkte übergeht. In der Tat wird dabei die Form der Krystallinse durch besondere, im Auge liegende Muskelapparate° willkürlich geändert. Diese Veränderung, vermöge deren sich das Auge bald für nahe, bald für ferne Gegenstände ein-
15 richten kann, nennt man die Akkommodation° für die Nähe oder die Ferne. Auch die Veränderungen der Bilder bei veränderter Akkommodation kann man durch den Augenspiegel direkt beobachten.

Lichtstrahlen, welche aus einem durchsichtigen Mittel
20 in ein anderes übergehen, z.B. aus Luft in Glas oder aus Luft in die Augenflüssigkeiten, werden von ihrer früheren Richtung abgelenkt, sie werden „gebrochen," wenn sie nicht gerade senkrecht gegen die Trennungsfläche auffallen. Die Glaslinse der Camera obscura und die durch-
25 sichtigen Mittel des Auges verändern nun den Weg der Lichtstrahlen, welche von e i n e m lichten Punkte eines abgebildeten Gegenstandes ausgegangen sind, so, daß sie alle in e i n e m Punkte, dem entsprechenden Punkte des Bildes, sich wieder vereinigen. Liegt dieser Vereinigungs-
30 punkt der Lichtstrahlen in der Fläche der Netzhaut, so wird dieser Punkt der Netzhaut von allem Licht getroffen, welches von dem entsprechenden Punkte des Gegenstandes her in das Auge fällt, und nichts von diesem Lichte fällt auf andere Teile der Netzhaut. Ebensowenig wird aber auch
35 jener Punkt von Licht getroffen, welches von irgend einem anderen Punkte des Gegenstandes ausgegangen wäre. Also der betreffende Punkt der Netzhaut empfängt a l l e s Licht und n u r das Licht, welches von dem entsprechen- den Punkte des abgebildeten Gegenstandes her in das
40 Auge gefallen ist. Sendet dieser Punkt des Gegenstandes viel Licht aus, so wird der entsprechende Punkt der

verwaschene Trübung *vague disturbance*

vermöge deren *by means of which*

abgebildeten *pictured*

67

Netzhaut stark beleuchtet, sendet er wenig aus, so wird der letztere dunkel sein. So entspricht also jedem Punkte der Außenwelt ein besonderer Punkt des Bildes, der eine entsprechende Stärke der Beleuchtung und die gleiche Farbe hat, und so entspricht insbesondere im Auge beim deutlichen Sehen jeder einzelne Punkt der Netzhaut einem einzelnen Punkte des äußeren Gesichtsfeldes, so daß er nur von dem Lichte, welches von diesem äußeren Punkte hergekommen ist, getroffen und zur Empfindung angeregt wird. Da somit jeder einzelne Punkt des Gesichtsfeldes nur einen einzelnen Punkt der empfindenden Nervensubstanz° affiziert, so kann auch für jeden äußeren Punkt gesondert zum Bewußtsein kommen, welche Menge und Farbe des Lichtes ihm angehört. Es wird durch diese Einrichtung des Auges, als eines optischen Apparates, möglich, die verschiedenen hellen Gegenstände unserer Umgebung gesondert wahrzunehmen, und je vollkommener der optische Teil des Auges seinen Zweck erfüllt, desto schärfer ist die Unterscheidung der Einzelheiten des Gesichtsfeldes.

Nur eines will ich erwähnen als Beispiel, wie unser Bild von der Außenwelt auch durch den Bau des physikalischen° Teiles unseres Auges bestimmt wird. Die Sterne erscheinen uns strahlig: „sternförmig" ist in unserer Sprache von gleicher Bedeutung wie „strahlig". In Wahrheit sind die Sterne von runder Gestalt und meist so klein, daß wir überhaupt von ihrer Gestalt nichts erkennen können, sie müßten uns als unteilbare Punkte erscheinen. Die Strahlen bekommt das Bild des Sternes aber weder in dem Weltenraume, noch in unserer Atmosphäre°, sondern damit wird es erst in unserer Krystallinse geschmückt, welche einen strahligen Bau hat; die Strahlen, die wir den Sternen zuerteilen, sind also in Wahrheit Strahlen unserer Krystalllinse.

Wir sind also jetzt soweit gekommen, daß auf der Fläche der Netzhaut ein optisches Bild entworfen wird, wie es auch in jeder Camera obscura geschieht. Aber die letztere sieht dieses Bild nicht, das Auge sieht es. Worin liegt da der Unterschied? Er liegt darin, daß die Netzhaut, welche im Auge das optische Bild empfängt, ein empfindlicher Teil unseres Nervensystems ist und daß durch die Einwirkung des Lichtes, als eines äußeren Reizes, in ihr

68

affiziert *affects*
gesondert *individually*
welche *whatever, that . . . which*

strahlig *radiating beams of light*

zuerteilen *ascribe to*

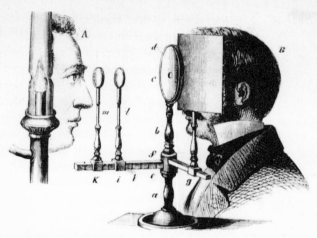

Aus dem Handbuch der physiologischen Optik, *1867*

Lichtempfindung hervorgerufen wird. Was wissen wir nun über die Erregung der Lichtempfindung durch das Licht?

Die ältere und scheinbar natürlichste Ansicht war, daß die Netzhaut des Auges eine viel größere Empfindlich-
5 keit habe als irgend ein anderer Nervenapparat° des Körpers und deshalb auch die Berührung eines so feinen Agens wie das Licht empfinde. Daß die Art des Eindruckes, den das Licht auf das Auge macht, so ganz verschieden ist von der Tonempfindung, von der Wärmeempfindung, von
10 den Empfindungen der Haut für Hartes, Weiches, Rauhes, Glattes usw., schien sich einfach dadurch zu erklären, daß das Licht eben etwas anderes sei als der Ton, die Wärme, als ein harter oder weicher, rauher oder glatter Körper, und man fand es in der Ordnung, daß jedes Ding, je nach seinen
15 verschiedenen Eigenschaften, auch eigentümlich empfunden werde.

Dabei waren nun allerdings einige unbequeme Erscheinungen vorhanden, die man gern als unbedeutend beiseite liegen ließ und nicht beachtete. Wenn man das
20 Auge drückt oder schlägt, treten Lichterscheinungen auf, auch in der tiefsten Dunkelheit. Elektrische Ströme, durch das Auge geleitet, erzeugen ebenfalls Lichterscheinungen. Ja, wir brauchen so gewaltsame Mittel nicht einmal anzuwenden; wer im vollständigsten Dunkel mit geschlossenen
25 Augen Aufmerksamkeit auf sein Gesichtsfeld wendet,

69

krause *irregular*
gesternte *starry*
streifige *striped*

continually
irregular — carry out
stimulated — never

Lichtstaub *luminous dust*

increase an effort
relationship
excitation — anger
excite — produce

by means of which

independently

cause — assume
sensitivity —
organism — injury
overwhelm — accompany

beklagenswerten *pitiable*

establish
careful — carry out
agree with — glow
place

enter — vigorous

schillernd *iridescent*

Tapetum *tapetum, a light-refracting membrane of eye*
E. W. Brücke, German physiologist (1819–1892)

capable

---

bemerkt darin allerlei wunderliche krause, gesternte oder streifige, verschiedenfarbige Figuren°, die fortdauernd wechseln und ein phantastisches° regelloses Spiel ausführen; sie werden heller und schöner gefärbt, wenn man das Auge reibt, oder wenn erregende Getränke oder Krankheiten 5 das Blut zum Kopfe treiben, aber sie fehlen niemals ganz. Man nennt sie den Lichtstaub des dunklen Gesichtsfeldes.

Als man sich zuerst die Mühe nahm, diese Erscheinungen zu beachten und sie erklären zu wollen, meinte man, hier könne wohl durch innere Prozesse° Licht im Auge 10 erzeugt werden. Man erklärte dies durch eine geheimnisvolle Verwandtschaft des Nervenfluidums° der Netzhaut mit dem Lichte, vermöge deren eine Erregung des einen auch das andere erzeugen könne. Die leuchtenden Augen der Katzen und Hunde schienen den Beweis der Möglichkeit 15 zu liefern, sie schienen selbständig Licht zu erzeugen; sie sollten besonders hell leuchten, wenn man diese Tiere zum Zorn reizte, also eine Erregung des Nervensystems hervorbrächte. Man glaubte, so das in ihrem Auge entwickelte Licht selbst beobachten zu können. 20

Eine genauere Prüfung gab der Sache ein ganz anderes Ansehen. Erstens fand sich die vorausgesetzte große Empfindlichkeit des Sehnerven gar nicht bestätigt, im Gegenteil schien dessen Verletzung so gut wie gar keinen Schmerz hervorzubringen, während die Verletzung eines 25 anderen, ebenso starken Hautnerven des Körpers von überwältigendem Schmerze begleitet ist. In einzelnen beklagenswerten Krankheitsfällen muß der Augapfel entfernt werden, um das Leben des Kranken zu retten. Dann hat der Operierte° im Augenblicke der Durchschneidung 30 des Sehnerven keinen Schmerz, sondern er glaubt einen Lichtblitz zu sehen.

Ferner stellten sorgfältig angestellte Untersuchungen übereinstimmend heraus, daß die sogenannten leuchtenden Tieraugen in absoluter Dunkelheit niemals leuchteten, 35 sondern daß ihr Leuchten immer nur durch Zurückwerfung von äußerem Lichte entsteht. In der Tat findet sich im Hintergrunde dieser Augen statt des schwarzen Farbstoffs eine helle, schillernd gefärbte Stelle, das sogenannte Tapetum, welche imstande ist, das eingefallene Licht leb- 40 haft zurückzuwerfen. Ja, später hat Brücke gelehrt, wie

70

man bei passender Beleuchtung auch die Pupille des menschlichen Auges rot erleuchtet, gleich einer glühenden Kohle erscheinen lassen kann, und der Gebrauch des Augenspiegels beruht gerade auf dieser Tatsache. Ebensowenig ist jemals etwas von Licht in dem Auge eines anderen zu sehen, während dieser selbst infolge von Druck, elektrischer Ströme oder anderer Ursachen die lebhaftesten Lichtblitze wahrnimmt. Wir können also in diesen Fällen nicht zweifeln, daß Lichtempfindung stattfindet, ohne durch wirkliches Licht angeregt zu sein. Wir wissen aber, daß die Mittel, durch welche wir im Auge Lichtempfindung erregen, Stoß, Druck, mechanische Mißhandlung oder elektrische Ströme, wenn sie auf irgend einen Nervenapparat wirken, immer dessen Tätigkeit erregen; wir nennen sie deshalb Reizmittel für die Nerven und können also den allgemeinen Satz aussprechen: Die gewöhnlichen Reizmittel der Nerven erregen, auf die Sehnerven wirkend, Lichtempfindung, ganz wie das wirkliche Licht, und, können wir hinzusetzen, wenn wir an die Operierten denken, sie erregen im Sehnerven keine andere Empfindung als Lichtempfindung allein.

Wenn wir dieselben Reize auf andere Nerven einwirken lassen, entsteht niemals Lichtempfindung, sondern im Hörnerven werden Schallempfindungen hervorgerufen, in den Hautnerven Tastempfindungen oder Wärmegefühl, von den Muskelnerven° aus gar keine Empfindungen, wohl aber Muskelzuckungen. Nur wenn sie auf das Auge wirken, erregen alle diese Reize Lichtempfindung.

Wie schade ist es, werden Sie vielleicht denken, daß die übrigen Nervenapparate unseres Körpers gegen das Licht unempfindlich sind. Es würde doch interessant sein, zu erfahren, welche Empfindungen das Licht anderswo erregt? Nach unseren gewöhnlichen Vorstellungen können wir nicht anders glauben, als daß wir das Licht nur mit dem Auge und nicht mit der Hand empfinden. Nun lassen Sie einmal Sonnenstrahlen auf die Hand fallen. Werden Sie diese nicht fühlen? „Ja," werden Sie antworten, „ich fühle sie wohl; aber was ich fühle ist Sonnenwärme, nicht Licht; die Wärme ist immer mit dem Lichte verbunden." Gut, ich verdenke Ihnen diese Antwort nicht, denn die überwiegende Mehrzahl der Physiker hat bis auf die letzten

Reizmittel *stimuli*
Satz *rule*

Tastempfindungen *sensations of feeling*

Muskelzuckungen *muscular twitchings*

ich verdenke Ihnen ... nicht
I don't blame you for
überwiegende *preponderant*

71

(see p. 73)

aufwerfen (inf.) *to raise*

ausscheiden *separate*

Ätherschwingungen *vibrations of the ether*

Johannes Müller, German biologist (1801–1858) (see p. 73)
Sinnesenergien *sense energies*

20 Jahre auch so geantwortet. Wenn aber das Licht immer von Wärme begleitet ist, so wäre doch die Frage aufzuwerfen, ob Wärme und Licht nicht etwa nur die verschiedenen Äußerungen eines und desselben Prinzipes° seien. Die Physik hat diese Frage einer sorgfältigen Prüfung unterzogen und ist bis jetzt zu der Ansicht gekommen, daß bei einfachem, einfarbigem Licht, wie wir es mittelst durchsichtiger Prismen° aus dem Sonnenlicht ausscheiden können, das Erwärmungsvermögen mit dem Erleuchtungsvermögen unzertrennlich verbunden ist; daß, wenn eines von beiden abnimmt, das andere in demselben Verhältnisse vermindert wird, wie es eben sein muß, wenn Wärme und Licht nur die Wirkungen desselben Agens sind. Bei Licht verschiedener Art, d. h. von verschiedener Farbe, sind Erwärmungsvermögen und Erleuchtungsvermögen in sehr verschiedenem Grade verbunden.

Somit bliebe als Unterschied zwischen Wärme und Licht nichts weiter übrig, als die verschiedene Empfindung, welche sie erregen, je nachdem sie die Haut oder das Auge treffen; dort erregen sie das Gefühl von Wärme, hier das von Licht. Dürfen wir nun aus diesen verschiedenen Wirkungen schließen, daß sie zwei verschiedenen physikalischen Agentien° entsprechen? Wohl kaum, wenn wir das erwägen, was ich von den verschiedenen Wirkungen des elektrischen Stromes und der mechanischen Reizung auf verschiedene Nerven gesagt habe. Die Strahlung der leuchtenden und der heißen Körper — die Ätherschwingungen also sind ebenfalls in die Reihe der Reizmittel unserer Nerven einzuschließen und bringen, wie alle anderen Reize, verschiedene Eindrücke hervor, wenn sie auf verschiedene Nerven einwirken, Eindrücke, welche jedes Mal dem besonderen Kreise von Empfindungen des besonderen Nervenapparates angehören.

So kommen wir zu der von Johannes Müller aufgestellten Lehre von den spezifischen° Sinnesenergien. Danach hängt die Qualität° unserer Empfindungen nicht ab von dem wahrgenommenen äußeren Objekte, sondern von dem Sinnesnerven, welcher die Empfindung vermittelt. Lieben Sie paradoxe° Ausdrücke, so können Sie sagen: Licht wird erst Licht, wenn es ein sehendes Auge trifft, ohne dieses ist es nur Ätherschwingung.

72

Johannes Müller

Johannes Müller (1801–1858), professor of physiology and comparative anatomy at Berlin, was one of the leading biologists of his century. In 1834 he revived with a wholly new stature the *Archiv für die Physiologie*, founded in 1796, the first journal devoted exclusively to physiology, broadening its scope, as indicated by the expanded title, *Archiv für Anatomie, Physiologie und wissenschaftliche Medizin*. The *Archiv* under his direction, and his *Handbuch der Physiologie des Menschen* (1834), helped to organize and set the standards for modern physiology. His law of specific nerve energies —discussed in the selection from Helmholtz—is a generalization of the observed fact "that each sense organ, however it may be stimulated, gives rise to its own characteristic sensation and to no other." Thus, if the optic nerve is stimulated by electricity, it causes *only* a sensation of light. The statement below is Müller's mature expression of this great generalization.

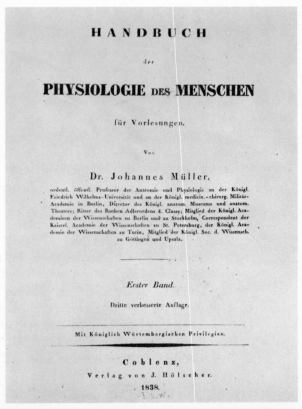

Titelseite von Müllers Handbuch, dritte Auflage, 1838

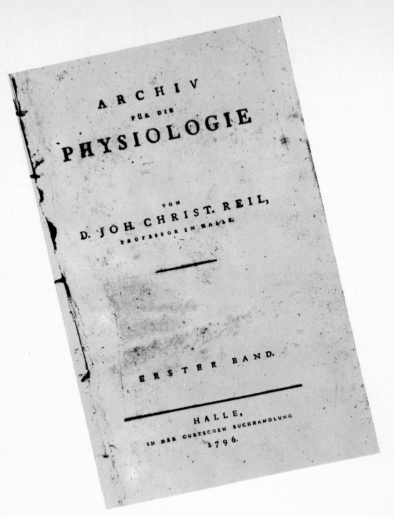

Erster Jahrgang des Archiv für Physiologie. **Titelseite**

Handbuch der Physiologie des Menschen

Denn dieselbe Ursache kann auf alle Sinnesorgane zugleich einwirken, wie die Elektrizität; alle sind dafür empfänglich, und dennoch empfindet jeder Sinnesnerv diese Ursache auf eine andere Art; der eine Nerv sieht davon Licht, der andere hört davon einen Ton, der andere riecht, der andere schmeckt die Elektrizität, der andere empfindet sie als Schmerz und Schlag. Ein Nerv sieht von

74

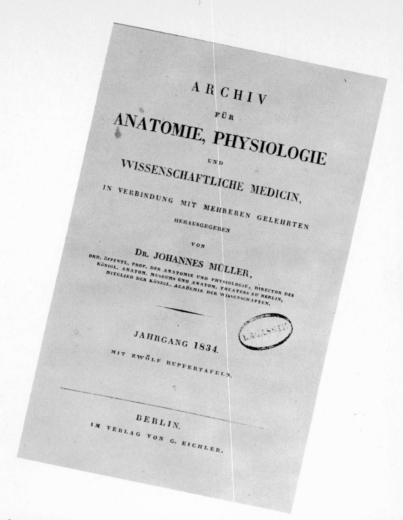

Erster Jahrgang des Archiv für Anatomie, Physiologie und wissenschaftliche Medizin, *herausgegeben von Johannes Müller. Titelseite*

mechanischem Reiz ein leuchtendes Bild, der andere hört davon Brausen, der andere empfindet Schmerz. Wer die Notwendigkeit fühlte, die Konsequenzen° dieser Tatsachen durchzudenken, mußte einsehen, daß die spezifische°
5 Empfänglichkeit der Nerven für gewisse Eindrücke nicht hinreicht, da alle Sinnesnerven für dieselbe Ursache empfänglich, dieselbe Ursache anders empfinden; und so lernten einige einsehen, daß ein Sinnesnerv kein bloß passiver Leiter ist, sondern daß jeder eigentümliche Sinnes-
10 nerv auch gewisse unveräußerliche Kräfte oder Qualitäten

unveräußerliche   *inalienable*

hat, welche durch die Empfindungsursachen nur angeregt und zur Erscheinung gebracht werden. Die Empfindung ist also nicht die Leitung einer Qualität oder eines Zustandes der äußeren Körper zum Bewußtsein, sondern die Leitung einer Qualität, eines Zustandes unserer Nerven zum Bewußtsein, veranlaßt durch eine äußere Ursache. Wir empfinden nicht das Messer, das uns Schmerz verursacht, sondern den Zustand unserer Nerven schmerzhaft; die vielleicht mechanische Oszillation des Lichtes ist an sich keine Lichtempfindung; auch wenn sie zum Bewußtsein kommen könnte, würde sie das Bewußtsein einer Oszillation sein: erst daß sie auf den Sehnerven als den Vermittler zwischen der Ursache und dem Bewußtsein wirkt, wird sie als leuchtend empfunden; die Schwingung der Körper ist an sich kein Ton: der Ton entsteht erst bei der Empfindung durch die Qualität des Gehörnerven, und der Gefühlsnerv empfindet dieselbe Schwingung des scheinbar tönenden Körpers als Gefühl der Erzitterung. Wir stehen also bloß durch die Zustände, welche äußere Ursachen in unseren Nerven erregen, mit der Außenwelt empfindend in Wechselwirkung.

Gregor Mendel

Genetics is a modern science, originating only about 100 years ago in the experiments performed in the Augustinian monastery at Brünn, in Moravia, then part of Austria, but now in Czechoslovakia. Gregor Mendel (1822–1884) approached the age-old problem of inheritance or heredity by selecting certain easily observable characters in garden plants—the color of the flowers, height, the shape of the seeds, and the structure and position of the blossoms—and observing them through successive generations of careful inbreeding and cross-breeding. In so doing, he arrived at the famous principle of "dominant" and "recessive" characters, and determined the exact proportions which in each dominant character will appear in succeeding generations of hybrids formed by crossing pure lines. Mendel also discovered that the distribution of any one character, such as color of blossom, was wholly independent of similar distributions of other hereditable characters such as tall or short plants, smooth or wrinkled seeds, and so on. This principle of Mendelian genetics, known as the law of independent assortment, is still generally held to be valid, although it is not as universal as it was once thought to be.

One of the most curious aspects of the discovery of the laws of inheritance by Mendel is the fact that it lay for so long unnoticed in the literature. Although published in 1866, the experiments attracted no attention whatsoever. Thirty-four years later, at the beginning of the twentieth century, Mendel's laws were rediscovered independently by three scientists—DeVries of Holland, Correns in Germany, and Tschermak in Austria.

Although today we know that all hereditable characters in plants and animals do not follow the simple Mendelian laws, it is nevertheless still true that the principles expounded by Mendel in the paper which follows lie at the basis of all modern genetic research.

Gregor Mendel. Photographie

Versuche über Pflanzenhybriden

vorgelegt *presented*
Verhandlungen *proceedings*
naturforschenden Vereines
Association of Research Scientists

Vorgelegt in der Sitzung vom 8. Feb., 1865, gedruckt in den Verhandlungen des naturforschenden Vereines in Brünn. IV. Bd. 1865

Einleitende Bemerkungen

Befruchtungen *fertilization*
Zierpflanzen *ornamental plants*

Künstliche Befruchtungen, welche an Zierpflanzen deshalb vorgenommen wurden, um neue Farbenvarianten zu erzielen, waren die Veranlassung zu den Versuchen, die hier besprochen werden sollen. Die auffallende Regelmäßigkeit, mit welcher dieselben Hybridformen immer wiederkehrten, so oft die Befruchtung zwischen gleichen Arten geschah, gab die Anregung zu weiteren Experimenten, deren Aufgabe es war, die Entwicklung der Hybriden in ihren Nachkommen zu verfolgen.

Nachkommen *progeny*

Wenn es noch nicht gelungen ist, ein allgemein gültiges Gesetz für die Bildung und Entwicklung der

Hybriden aufzustellen, so kann das niemanden Wunder nehmen, der den Umfang der Aufgabe kennt, und die Schwierigkeiten zu würdigen weiß, mit denen Versuche dieser Art zu kämpfen haben. Eine endgültige Entscheidung

5 kann erst dann erfolgen, wenn D e t a i l v e r s u c h e aus den verschiedensten Pflanzenfamilien vorliegen. Es gehört allerdings einiger Mut dazu, sich einer so weit reichenden Arbeit zu unterziehen; indessen scheint es der einzig richtige Weg zu sein, auf dem endlich die Lösung

10 einer Frage erreicht werden kann, welche für die Entwicklungsgeschichte der organischen Formen von nicht zu unterschätzender Bedeutung ist.

Die vorliegende Abhandlung bespricht die Probe eines solchen Detailversuches. Derselbe wurde sachgemäß

15 auf eine kleine Pflanzengruppe° beschränkt und ist nun nach Verlauf von acht Jahren im wesentlichen abgeschlossen. Ob der Plan, nach welchem die einzelnen Experimente geordnet und durchgeführt wurden, der gestellten Aufgabe entspricht, darüber möge eine wohl-

20 wollende Beurteilung entscheiden.

Auswahl der Versuchspflanzen

Der Wert und die Geltung eines jeden Experimentes wird durch die Tauglichkeit der dazu benützten Hilfsmittel, sowie durch die zweckmäßige Anwendung derselben be-

25 dingt. Auch in dem vorliegenden Falle kann es nicht gleichgültig sein, welche Pflanzenarten als Träger der Versuche gewählt, und in welcher Weise diese durchgeführt wurden.

Die Auswahl der Pflanzengruppe, welche für Ver-

30 suche dieser Art dienen soll, muß mit möglichster Vorsicht geschehen, wenn man nicht im Vorhinein allen Erfolg in Frage stellen will.

Die Versuchspflanzen müssen notwendig

1. konstant differierende Merkmale besitzen.

35 2. Die Hybriden derselben müssen während der Blütezeit vor der Einwirkung jedes fremdartigen Pollens° geschützt sein oder leicht geschützt werden können.

3. Dürfen die Hybriden und ihre Nachkommen in den aufeinanderfolgenden Generationen keine merkliche Stö-

40 rung in der Fruchtbarkeit erleiden.

79

Wunder nehmen *surprise*

endgültige *conclusive*

sich unterziehen (inf.) *to undertake*

Abhandlung *paper*

sachgemäß *for practical purposes*

Tauglichkeit *fitness*

im Vorhinein *from the outset*

konstant differierende Merkmale besitzen *differ in constant characters*

Fälschungen *here: accidental impregnation*

diminish- occur

relations
members

vereiteln *defeat*

Stammarten *parental strains*
Entwicklungsreihe *production*
vollzählig *completely*

subject to
attention - in the beginning
turn to

Leguminosen *leguminosae*
Blütenbaues *floral structure*

Genus Pisum *genus pisum*

demands - sufficient
be suitable - distinct
family - feature
reciprocal - crossing
enclose

Schiffchen *keel*

Antheren *anthers*
Knospe *bud*
platzen *burst*
Narbe *stigma*
aufblühen *(inf.) to blossom*
Kultur *cultivation*

by which

advantages - mention
pots - relatively-
...duration - elaborate
purpose - by means of

Staubfaden *stamen*
Pinzette *tweezers*
behutsam *carefully*

at once
coat   *several*

Samenhandlungen *seed stores*

Erbsensorten *varieties of peas*
bezogen *obtained*

sort
subject to
agree

Fälschungen durch fremden Pollen, wenn solche im Verlaufe des Versuches vorkämen und nicht erkannt würden, müßten zu ganz irrigen Ansichten führen. Verminderte Fruchtbarkeit, oder gänzliche Sterilität° einzelner Formen, wie sie unter den Nachkommen vieler Hybriden auftreten, würden die Versuche sehr erschweren oder ganz vereiteln. Um die Beziehungen zu erkennen, in welchen die Hybridformen zueinander selbst und zu ihren Stammarten stehen, erscheint es als notwendig, daß die Glieder der Entwicklungsreihe jeder Generation vollzählig der Beobachtung unterzogen werden.

Eine besondere Aufmerksamkeit wurde gleich anfangs den Leguminosen wegen ihres eigentümlichen Blütenbaues zugewendet. Versuche, welche mit mehreren Gliedern dieser Familie angestellt wurden, führten zu dem Resultate°, daß das Genus P i s u m den gestellten Anforderungen hinreichend entspreche. Einige ganz selbständige Formen aus diesem Geschlechte besitzen konstante, leicht und sicher zu unterscheidende Merkmale, und geben bei gegenseitiger Kreuzung in ihren Hybriden vollkommen fruchtbare Nachkommen. Auch kann eine Störung durch fremde Pollen nicht leicht eintreten, da die Befruchtungsorgane vom Schiffchen eng umschlossen sind und die Antheren schon in der Knospe platzen, wodurch die Narbe noch vor dem Aufblühen mit Pollen überdeckt wird. Dieser Umstand ist von besonderer Wichtigkeit. Als weitere Vorzüge verdienen noch Erwähnung die leichte Kultur dieser Pflanze im freien Lande und in Töpfen, sowie die verhältnismäßig kurze Vegetationsdauer derselben. Die künstliche Befruchtung ist allerdings etwas umständlich, gelingt jedoch fast immer. Zu diesem Zwecke wird die noch nicht vollkommen entwickelte Knospe geöffnet, das Schiffchen entfernt und jeder Staubfaden mittelst einer Pinzette behutsam herausgenommen, worauf dann die Narbe sogleich mit dem fremden Pollen belegt werden kann.

Aus mehreren Samenhandlungen wurden im ganzen 34 mehr oder weniger verschiedene Erbsensorten bezogen und einer zweijährigen Probe unterworfen. Bei einer Sorte wurden unter einer größeren Anzahl gleicher Pflanzen einige bedeutend abweichende Formen° bemerkt. Diese variierten° jedoch im nächsten Jahre nicht und stimmten

80

Blüte

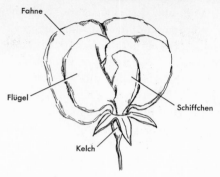

Fahne

Flügel

Schiffchen

Kelch

mit einer anderen, aus derselben Samenhandlung bezogenen Art vollständig überein; ohne Zweifel waren die Samen bloß zufällig beigemengt. Alle anderen Sorten gaben durchaus gleiche und konstante Nachkommen, in den
5 beiden Probejahren wenigstens war eine wesentliche Abänderung nicht zu bemerken. Für die Befruchtung wurden 22 davon ausgewählt und jährlich, während der ganzen Versuchsdauer angebaut. Sie bewährten sich ohne alle Ausnahme.

10 *Einteilung und Ordnung der Versuche*

Werden zwei Pflanzen, welche in einem oder mehreren Merkmalen konstant verschieden sind, durch Befruchtung verbunden, so gehen, wie zahlreiche Versuche beweisen, die gemeinsamen Merkmale unverändert auf die Hybriden
15 und ihre Nachkommen über; je zwei differierende hingegen vereinigen sich an der Hybride zu einem neuen Merkmale, welche gewöhnlich an den Nachkommen denselben Veränderungen unterworfen ist. Diese Veränderungen für je zwei differierende Merkmale zu beobachten und das Gesetz
20 zu ermitteln, nach welchem dieselben in den aufeinanderfolgenden Generationen eintreten, war die Aufgabe des Versuches. Derselbe zerfällt daher in ebenso viele einzelne Experimente, als konstant differierende Merkmale an den Versuchspflanzen vorkommen.
25 Die verschiedenen, zur Befruchtung ausgewählten Erbsenformen zeigten Unterschiede in der Länge und Färbung des Stengels, in der Größe und Gestalt der Blätter, in der Stellung, Farbe und Größe der Blüten, in der Länge

beigemengt *mixed*
Sorten *varieties*

angebaut *cultivated*

ermitteln *ascertain*

Stengels *stem*

81

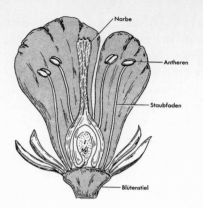

Narbe
Antheren
Staubfaden
Blütenstiel

Querschnitt einer Blüte

Blütenstiele *flower stalks*
Hülsen *pods*
Samenschale *seed-coat*
Albumens *here: cotyledon*

mention — separation

usable - confine
stand out
collectively - uniform
conclusion -
subordinate
select - refer
spherical - roundish

Einsenkungen *depressions*
seicht *shallow*
kantig *ridged*
runzelig *wrinkled*

Samenalbumens *cotyledon*

pale...

transparent

Schalen *coats*

der Blütenstiele, in der Farbe, Gestalt und Größe der Hülsen, in der Gestalt und Größe der Samen, in der Färbung der Samenschale und des Albumens. Ein Teil der angeführten Merkmale läßt jedoch eine sichere und scharfe Trennung nicht zu, indem der Unterschied auf einem oft 5 schwierig zu bestimmenden „mehr oder weniger" beruht. Solche Merkmale waren für die Einzelversuche nicht verwendbar, diese konnten sich nur auf Charaktere° beschränken, die an den Pflanzen deutlich und entschieden hervortreten. Der Erfolg mußte endlich zeigen, ob sie in 10 hybrider Vereinigung sämtlich ein übereinstimmendes Verhalten beobachteten, und ob daraus auch ein Urteil über jene Merkmale möglich wird, welche eine untergeordnete typische° Bedeutung haben.

Die Merkmale, welche in die Versuche aufgenommen 15 wurden, beziehen sich:

1. auf den U n t e r s c h i e d in der Gestalt der r e i f e n S a m e n. Diese sind entweder kugelrund oder rundlich, die Einsenkungen, wenn welche an der Oberfläche vorkommen, immer nur seicht, oder sie sind unregelmäßig 20 kantig, tief runzelig;

2. auf den U n t e r s c h i e d in der Färbung des S a m e n a l b u m e n s. Das Albumen der reifen Samen ist entweder blaßgelb, hellgelb oder orange gefärbt, oder es besitzt eine mehr oder weniger intensive grüne Farbe. 25 Dieser Farbenunterschied ist an den Samen deutlich zu erkennen, da ihre Schalen durchscheinend sind;

82

3. auf den Unterschied in der Färbung der
Samenschale. Diese ist entweder weiß gefärbt,
womit auch konstant weiße Blütenfarbe verbunden ist,
oder sie ist grau, graubraun, lederbraun mit oder ohne
5 violette Punktierung, dann erscheint die Farbe der Fahne
violett, die der Flügel purpurn°, und der Stengel an den
Blattachseln rötlich gezeichnet. Die grauen Samenschalen
werden im kochenden Wasser schwarzbraun;

Punktierung *spotting*
Fahne *standard*
Flügel *wings*
Blattachseln *leaf axils*

4. auf den Unterschied in der Form der
10 reifen Hülse. Diese ist entweder einfach gewölbt,
nie stellenweise verengt, oder sie ist zwischen den Samen
tief eingeschnürt und mehr oder weniger runzelig;

gewölbt *inflated*
stellenweise verengt *contracted in places*
eingeschnürt *constricted*

5. auf den Unterschied in der Farbe der
unreifen Hülse. Sie ist entweder licht- bis dunkel-
15 grün oder lebhaft gelb gefärbt, an welcher Färbung auch
Stengel, Blattrippen und Kelch teilnehmen;

Blattrippen *leaf veins*
Kelch *calyx*

6. auf den Unterschied in der Stellung der
Blüten. Sie sind entweder axenständig, d.h. längs
der Axe verteilt, oder sie sind endständig, am Ende der
20 Axe gehäuft und fast in eine kurze Trugdolde gestellt;
dabei ist der obere Teil des Stengels im Querschnitte mehr
oder weniger erweitert;

axenständig *axial*
Axe *main stem*
endständig *terminal*
Trugdolde *cyme*
Querschnitte *cross section*

7. auf den Unterschied in der Axenlänge.
Die Länge der Axe ist bei einzelnen Formen sehr ver-
25 schieden, jedoch für jede insofern ein konstantes Merkmal,
als dieselbe bei gesunden Pflanzen, die in gleichem Boden
gezogen werden, nur unbedeutenden Änderungen unter-
liegt. Bei den Versuchen über dieses Merkmal wurde der
sicheren Unterscheidung wegen stets die lange Axe von 6-7′
30 mit der kurzen von $\frac{3}{4}$′ bis $1\frac{1}{2}$′ verbunden.

Axenlänge *length of the stem*

Die Gestalt der Hybriden

Schon die Versuche, welche in früheren Jahren an
Zierpflanzen vorgenommen wurden, lieferten den Beweis,
daß die Hybriden in der Regel nicht die genaue Mittelform
35 zwischen den Stammarten darstellen. Bei einzelnen mehr
in die Augen springenden Merkmalen, wie bei solchen, die
sich auf die Gestalt und Größe der Blätter, auf die Behaarung
der einzelnen Teile usw. beziehen, wird in der Tat die
Mittelbildung fast immer ersichtlich; in anderen Fällen

Stammarten *parental types*

Behaarung *trichome (plant hairs)*

Mittelbildung *intermediacy*

83

Stammerkmale *parental characters*
Übergewicht *preponderance*

entschwindet *escapes*

Einreihung *classification*

Hybridenverbindung *hybridization*

somit *thus*

Makel *spots*

Längenmaß *length*

hingegen besitzt das eine der beiden Stammerkmale ein so großes Übergewicht, daß es schwierig oder ganz unmöglich ist, das andere an der Hybride aufzufinden.

Ebenso verhält es sich mit den Hybriden bei Pisum. Jedes von den 7 Hybridenmerkmalen gleicht dem einen der beiden Stammerkmale entweder so vollkommen, daß das andere der Beobachtung entschwindet, oder ist demselben so ähnlich, daß eine sichere Unterscheidung nicht stattfinden kann. Dieser Umstand ist von großer Wichtigkeit für die Bestimmung und Einreihung der Formen, unter welchen die Nachkommen der Hybriden erscheinen. In der weiteren Besprechung werden jene Merkmale, welche ganz oder fast unverändert in die Hybridenverbindung übergehen, somit selbst die Hybridenmerkmale repräsentieren°, als d o m i n i e r e n d e und jene, welche in der Verbindung latent werden, als r e z e s s i v e bezeichnet. Der Ausdruck „rezessiv" wurde deshalb gewählt, weil die damit benannten Merkmale an den Hybriden zurücktreten oder ganz verschwinden, jedoch unter den Nachkommen derselben, wie später gezeigt wird, wieder unverändert zum Vorschein kommen.

Es wurde ferner durch sämtliche Versuche erwiesen, daß es völlig gleichgültig ist, ob das dominierende Merkmal der Samen- oder Pollenpflanze angehört; die Hybridform bleibt in beiden Fällen ganz dieselbe.

Von den differierenden Merkmalen, welche in die Versuche eingeführt wurden, sind nachfolgende dominierend:

1. die runde oder rundliche Samenform mit oder ohne seichte Einsenkungen;
2. die gelbe Färbung des Samenalbumens;
3. die graue, graubraune oder lederbraune Farbe der Samenschale, in Verbindung mit violettroter Blüte und rötlicher Makel in den Blattachseln;
4. die einfach gewölbte Form der Hülse;
5. die grüne Färbung der unreifen Hülse, in Verbindung mit der gleichen Farbe des Stengels, der Blattrippen und des Kelches;
6. die Verteilung der Blüten längs des Stengels;
7. das Längenmaß der größeren Axe.

84

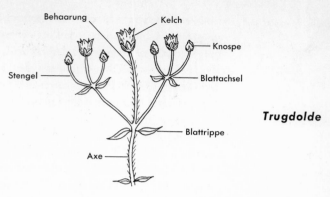

Behaarung · Kelch · Knospe · Stengel · Blattachsel · Blattrippe · Axe

Trugdolde

Die erste Generation der Hybriden

In dieser Generation treten nebst den dominierenden Merkmalen auch die rezessiven in ihrer vollen Eigentümlichkeit wieder auf, und zwar in
5 dem entschieden ausgesprochenen Durchschnittsverhältnisse 3:1, so daß unter je vier Pflanzen aus dieser Generation drei den dominierenden und eine den rezessiven Charakter erhalten. Es gilt das ohne Ausnahme für alle Merkmale, welche in die Versuche aufgenommen waren. Die kantig
10 runzelige Gestalt der Samen, die grüne Färbung des Albumens, die weiße Farbe der Samenschale und der Blüte, die Einschnürungen an den Hülsen, die gelbe Farbe der unreifen Hülse, des Stengels, Kelches und der Blattrippen, der trugdoldenförmige Blütenstand und die zwerg-
15 -artige Axe kommen in dem angeführten numerischen° Verhältnisse wieder zum Vorschein ohne irgend eine wesentliche Abänderung. Übergangsformen wurden bei keinem Versuche beobachtet.

Da die Hybriden, welche aus wechselseitiger Kreuzung
20 hervorgingen, eine völlige Gestalt besaßen und auch in ihrer Weiterentwicklung keine bemerkenswerte Abweichung ersichtlich wurde, konnten die beiderseitigen Resultate° für jeden Versuch unter eine Rechnung gebracht werden. Die Verhältniszahlen, welche für je zwei differierende
25 Merkmale gewonnen wurden, sind folgende:
1. Versuch. Gestalt der Samen. Von 253 Hybriden wurden im zweiten Versuchsjahre 7324 Samen erhalten. Darunter

85

waren rund oder rundlich 5474, und kantig runzelig 1850 Samen. Daraus ergibt sich das Verhältnis 2,96:1.

2. Versuch. Färbung des Albumens. 258 Pflanzen gaben 8023 Samen, 6022 gelbe und 2001 grüne; daher stehen jene zu diesen im Verhältnisse 3,01:1.

3. Versuch. Farbe der Samenschale. Unter 929 Pflanzen brachten 705 violettrote Blüten und graubraune Samenschalen; 224 hatten weiße Blüten und weiße Samenschalen. Daraus ergibt sich das Verhältnis 3,15:1.

4. Versuch. Gestalt der Hülsen. Von 1181 Pflanzen hatten 882 einfach gewölbte, 299 eingeschnürte Hülsen. Daher das Verhältnis 2,95:1.

5. Versuch. Färbung der unreifen Hülse. Die Zahl der Versuchspflanzen betrug 580, wovon 428 grüne und 152 gelbe Hülsen besaßen. Daher stehen jene zu diesen in dem Verhältnisse 2,82:1.

6. Versuch. Stellung der Blüten. Unter 858 Fällen waren die Blüten 651mal axenständig und 207mal endständig. Daraus das Verhältnis 3,14:1.

7. Versuch. Länge der Axe. Von 1064 Pflanzen hatten 787 die lange, 277 die kurze Axe. Daher das gegenseitige Verhältnis 2,84:1. Bei diesem Versuche wurden die zwergartigen Pflanzen behutsam ausgehoben und auf eigene Beete versetzt. Diese Vorsicht war notwendig, weil sie sonst mitten unter ihren hochrankenden Geschwistern hätten verkommen müssen. Sie sind schon in der ersten Jugendzeit an dem gedrungenen Wuchse und den dunkelgrünen dicken Blättern leicht zu unterscheiden.

Werden die Resultate sämtlicher Versuche zusammengefaßt, so ergibt sich zwischen der Anzahl der Formen mit dem dominierenden und rezessiven Merkmale das Durchschnittsverhältnis 2,98:1 oder 3:1.

Das dominierende Merkmal kann hier eine d o p p e l t e   B e d e u t u n g haben, nämlich die des Stammcharakters oder des Hybridenmerkmales. In welcher von beiden Bedeutungen dasselbe in jedem einzelnen Falle vorkommt, darüber kann nur die nächste Generation entscheiden. Als Stammerkmal muß dasselbe unverändert auf sämtliche Nachkommen übergehen, als Hybridenmerkmal hingegen ein gleiches Verhalten wie in der ersten Generation beobachten.

behutsam   *carefully*
Beete   *beds*
versetzt   *transplanted*
hochrankenden   *tall*
verkommen   *perish*
gedrungenen   *compact*

Stammcharakters   *parental character*

86

Jene Formen, welche in der ersten Generation den rezessiven Charakter haben, variieren° in der zweiten Generation in Bezug auf diesen Charakter nicht mehr, sie bleiben in ihren Nachkommen k o n s t a n t.

Anders verhält es sich mit jenen, welche in der ersten Generation das dominierende Merkmal besitzen. Von diesen geben z w e i Teile Nachkommen, welche in dem Verhältnisse 3:1 das dominierende und rezessive Merkmal an sich tragen, somit genau dasselbe Verhalten zeigen, wie die Hybridformen; nur e i n Teil bleibt mit dem dominierenden Merkmale konstant.

Die einzelnen Versuche lieferten nachfolgende Resultate;

1. Versuch. Unter 565 Pflanzen, welche aus runden Samen der ersten Generation erzogen wurden, brachten 193 wieder nur runde Samen und blieben demnach in diesem Merkmale konstant; 372 aber gaben runde und kantige Samen zugleich, in dem Verhältnisse 3:1. Die Anzahl der Hybriden verhielt sich daher zu der Zahl der Konstanten wie 1,93:1.

2. Versuch. Von 519 Pflanzen, welche aus Samen gezogen wurden, deren Albumen in der ersten Generation die gelbe Färbung hatte, gaben 166 ausschließlich gelbe, 353 aber gelbe und grüne Samen in dem Verhältnisse 3:1. Es erfolgte daher eine Teilung in hybride und konstante Formen nach dem Verhältnisse 2,13:1.

Für jeden einzelnen von den nachfolgenden Versuchen wurden 100 Pflanzen ausgewählt, welche in der ersten Generation das dominierende Merkmal besaßen, und um die Bedeutung desselben zu prüfen, von jeder 10 Samen angebaut.

3. Versuch. Die Nachkommen von 36 Pflanzen brachten ausschließlich graubraune Samenschalen; von 64 Pflanzen wurden teils graubraune, teils weiße erhalten.

4. Versuch. Die Nachkommen von 29 Pflanzen hatten nur einfach gewölbte Hülsen, von 71 hingegen teils gewölbte, teils eingeschnürte.

5. Versuch. Die Nachkommen von 40 Pflanzen hatten bloß grüne Hülsen, die von 60 Pflanzen teils grüne, teils gelbe.

6. Versuch. Die Nachkommen von 33 Pflanzen hatten bloß

somit   thus

demnach   accordingly

angebaut   cultivated

axenständige Blüten, bei 67 hingegen waren sie teils axenständig, teils endständig.

7. Versuch. Die Nachkommen von 28 Pflanzen erhielten die lange Axe, die von 72 Pflanzen teils die lange, teils die kurze. 5

Bei jedem dieser Versuche wird eine bestimmte Anzahl Pflanzen mit dem dominierenden Merkmal konstant. Für die Beurteilung des Verhältnisses, in welchem die Ausscheidung der Formen mit dem konstant bleibenden Merkmale erfolgt, sind die beiden ersten Versuche von 10 besonderem Gewichte, weil bei diesen eine größere Anzahl Pflanzen verglichen werden konnte. Die Verhältnisse 1,93 und 2,13:1 geben zusammen fast genau das Durchschnittsverhältnis 2:1. Der 6. Versuch hat ein ganz übereinstimmendes Resultat, bei den anderen schwankt das Verhältnis mehr oder weniger, wie es bei der geringen Anzahl 15 von 100 Versuchspflanzen nicht anders zu erwarten war. Der 5. Versuch, welcher die größte Abweichung zeigte, wurde wiederholt, und dann, statt des Verhältnisses 60:40 das Verhältnis 65:35 erhalten. Das Durch- 20 schnittsverhältnis 2:1 erscheint demnach als gesichert. Es ist damit erwiesen, daß von jenen Formen, welche in der ersten Generation das dominierende Merkmal besitzen, zwei Teile den hybriden Charakter an sich tragen, ein Teil aber mit dem domi- 25 nierenden Merkmale konstant bleibt.

Das Verhältnis 3:1, nach welchem die Verteilung des dominierenden und rezessiven Charakters in der ersten Generation erfolgt, löst sich demnach für alle Versuche in die Verhältnisse 2:1:1 auf, wenn man zugleich das domi- 30 nierende Merkmal in seiner Bedeutung als hybrides Merkmal und als Stammcharakter unterscheidet. Da die Glieder der ersten Generation unmittelbar aus den Samen der Hybriden hervorgehen, wird es nun ersichtlich, daß die Hybriden je zweier diffe- 35 rierender Merkmale Samen bilden, von denen die eine Hälfte wieder die Hybridform entwickelt, während die andere Pflanzen gibt, welche konstant bleiben und zu gleichen Teilen den dominieren- 40 den und rezessiven Charakter erhalten.

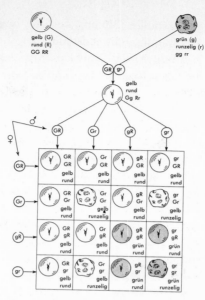

Erbsensamen. *Illustration zur Erklärung der Hybridformen in verschiedenen Generationen*

Versuche über die Hybriden anderer Pflanzenarten

Es wäre eine lohnende Arbeit, die Farbenentwicklung der Hybriden durch ähnliche Versuche weiter zu verfolgen, da es wahrscheinlich ist, daß wir auf diesem Wege die

5 außerordentliche Mannigfaltigkeit in der F ä r b u n g u n s e r e r Zierblumen begreifen lernen.

Bis jetzt ist mit Sicherheit kaum mehr bekannt, als daß die Blütenfarbe bei den meisten Zierpflanzen ein äußerst veränderliches Merkmal ist. Man hat häufig die

10 Meinung ausgesprochen, daß die Stabilität° der Arten durch die Kultur in hohem Grade erschüttert oder ganz gebrochen werde, und ist sehr geneigt, die Entwicklung der Kulturformen als eine regellose und zufällige hinzustellen; dabei wird gewöhnlich auf die Färbung der Zier-

15 pflanzen, als Muster aller Unbeständigkeit, hingewiesen. Es ist jedoch nicht einzusehen, warum das bloße Versetzen in den Gartengrund eine so durchgreifende und nachhaltige Revolution im Pflanzenorganismus zur Folge haben müsse. Niemand wird im Ernste behaupten wollen, daß

20 die Entwicklung der Pflanze im freien Lande durch andere Gesetze geleitet wird, als im Gartenbeete. Hier wie dort

Zierblumen *ornamental flowers*

Kulturformen *cultivated forms*
Unbeständigkeit *instability*
versetzen (inf.) *to transplant*
durchgreifende *sweeping*
nachhaltige *lasting*

89

müssen typische Abänderungen auftreten, wenn die Lebens-
bedingungen für eine Art geändert werden und diese die
Fähigkeit besitzt, sich den neuen Verhältnissen anzupassen.
Es wird gerne zugegeben, daß durch die Kultur die Entstehung neuer Varietäten begünstigt und durch die Hand
des Menschen manche Abänderung erhalten wird, welche
im freien Zustande unterliegen müßte, allein nichts berechtigt uns zu der Annahme, daß die Neigung zur Varie-
tätenbildung so außerordentlich gesteigert werde, daß die
Arten bald alle Selbständigkeit verlieren und ihre Nachkommen in einer endlosen Reihe höchst veränderlicher
Formen auseinandergehen. Wäre die Änderung in den
Vegetationsbedingungen die alleinige Ursache der Varia-
bilität, so dürfte man erwarten, daß jene Kulturpflanzen,
welche Jahrhunderte hindurch unter fast gleichen Verhältnissen angebaut wurden, wieder an Selbständigkeit gewonnen hätten. Das ist bekanntlich nicht der Fall, da gerade
unter diesen nicht bloß die verschiedensten, sondern auch
die veränderlichsten Formen gefunden werden.

Wer die Färbungen, welche bei Zierpflanzen aus
gleicher Befruchtung hervorgehen, überblickt, wird sich
nicht leicht der Überzeugung verschließen können, daß
auch hier die Entwicklung nach einem bestimmten Gesetze
erfolgt, welches möglicherweise seinen Ausdruck in d e r
K o m b i n i e r u n g° m e h r e r e r s e l b s t ä n d i g e r
F a r b e n m e r k m a l e findet.

Gregor Mendel. Relief

Karl Ernst von Baer

Karl Ernst von Baer. Gemälde

The following selection describes one of the major triumphs of the nineteenth century, the discovery of the mammalian ovum by Karl Ernst von Baer (1792–1876). The great discovery itself was made at the end of April or early May in 1827, and was published in Leipzig in July, in a Latin work entitled *De Ovi Mammalium et Hominis Genesi*, or *On the Genesis of the Ovum of Mammals and of Man*. The selection below, taken from Baer's autobiography, describes vividly how he solved the age-old problem of whether mammals reproduce by means of ova, as other forms of life do. So inconclusive had been the search for a mammalian ovum that even so great a man as Albrecht von Haller had concluded that the ovum is formed in the uterus out of uterine fluid by a process of curdling or coagulation. In the account here presented, Baer describes how in the spring of 1827, while working with Burdach at the University of Berlin, his attention was drawn to one factor which had puzzled earlier investigators, and to which the key had been given by Jan Evangelista Purkyně (1787–1869). Purkyně had discovered the germinal vesicle in the egg of the chick, and it is this tiny vesicle to which the mammalian ovum should be compared. In a bird the large egg is required because, unlike the mammalian embryo, the avian embryo develops within the ovum in isolation, so that the ovum must contain all of the nourishment for it.

Baer is extremely frank in his acknowledgment that the epochal discovery was largely accidental, and his account of the details, particularly his own "fright" on first seeing the mammalian ovum through the microscope, cannot fail to be interesting to all scientific readers.

Nachrichten über Leben und Schriften

des Herrn Geheimrats Dr. Karl Ernst von Baer,
mitgeteilt von ihm selbst 1866

Am meisten zog mich die Entwicklungsgeschichte der
Säugetiere an, sowohl in Bezug auf die Entwicklung des
Embryos selbst, als auf die Ausbildung des Eies während
dieser Entwicklung. Obgleich ich von sehr frühzeitigen
5 Embryonen nur wenige und sehr vereinzelte erhalten
konnte, so zeigten diese doch eine so große Ähnlichkeit mit
den entsprechenden Zuständen des Hühnchens, daß man
an einer wesentlichen Übereinstimmung in der Entwick-
lungsweise gar nicht zweifeln konnte. Daß die Eihäute und
10 die Gesamtformen der Eier der Säugetiere nach den verschiedenen Familien sehr verschieden seien, war schon
sehr lange bekannt. Man hatte aber in späterer Zeit angefangen, diese verschiedenen Formen auf eine Grundform
zurückzuführen, welche mehr mit den Eihäuten der älteren
15 Hühnerembryonen übereinstimmt. Namentlich hatten
Dutrochet und Cuvier sehr scharfsinnige Zusammen-
-stellungen in dieser Beziehung gegeben. Sie ließen vermuten,
daß, wenn man bei diesen Tieren auch so wie beim Hühnchen durch alle Stufen bis zu den ersten Anfängen zurück-
20 gehen könnte, und nicht auf einzelne Bildungsstufen, wie
der Zufall sie gab, sich beschränkte, die Übereinstimmungen
noch viel größer gefunden werden müßten. Diesen Weg
versuchte ich zunächst bei Hunden. Ich kam dabei der
ursprünglichen Form immer näher, und sah den Embryo
25 immer einfacher, sah das werdende Hündchen dem werden-
den Küchlein sehr ähnlich, in der Gestaltung des Kopfes
und des gesamten Leibes. In einem noch jüngeren lag der
ganze werdende Embryo flach ausgebreitet über dem
Dotter. Das Ei selbst hatte nur anfangende, kaum kenntliche
30 Zotten und sah unter dem Mikroskop nicht sehr verschieden
von einem ganz kleinen Vogelei ohne harte Schale aus.
Immer weiter zurückgehend, fand ich in den Eileitern
sehr kleine, halb durchsichtige und deshalb schwer kenntliche Bläschen, die unter dem Mikroskope betrachtet,
35 einen runden Fleck, ähnlich dem Hahnentritt, zu erkennen

Geheimrats Privy Councillor

Eihäute egg membranes

René Dutrochet, French physiologist and physicist (1776–
1847)
Georges Cuvier, French naturalist
(1769–1832)

Küchlein chick

Dotter yolk
Zotten villi (presumably: cleav-
age furrows)
Schale shell
Eileitern oviducts

Bläschen follicles
Hahnentritt cicatricula (sign
of fertilization)

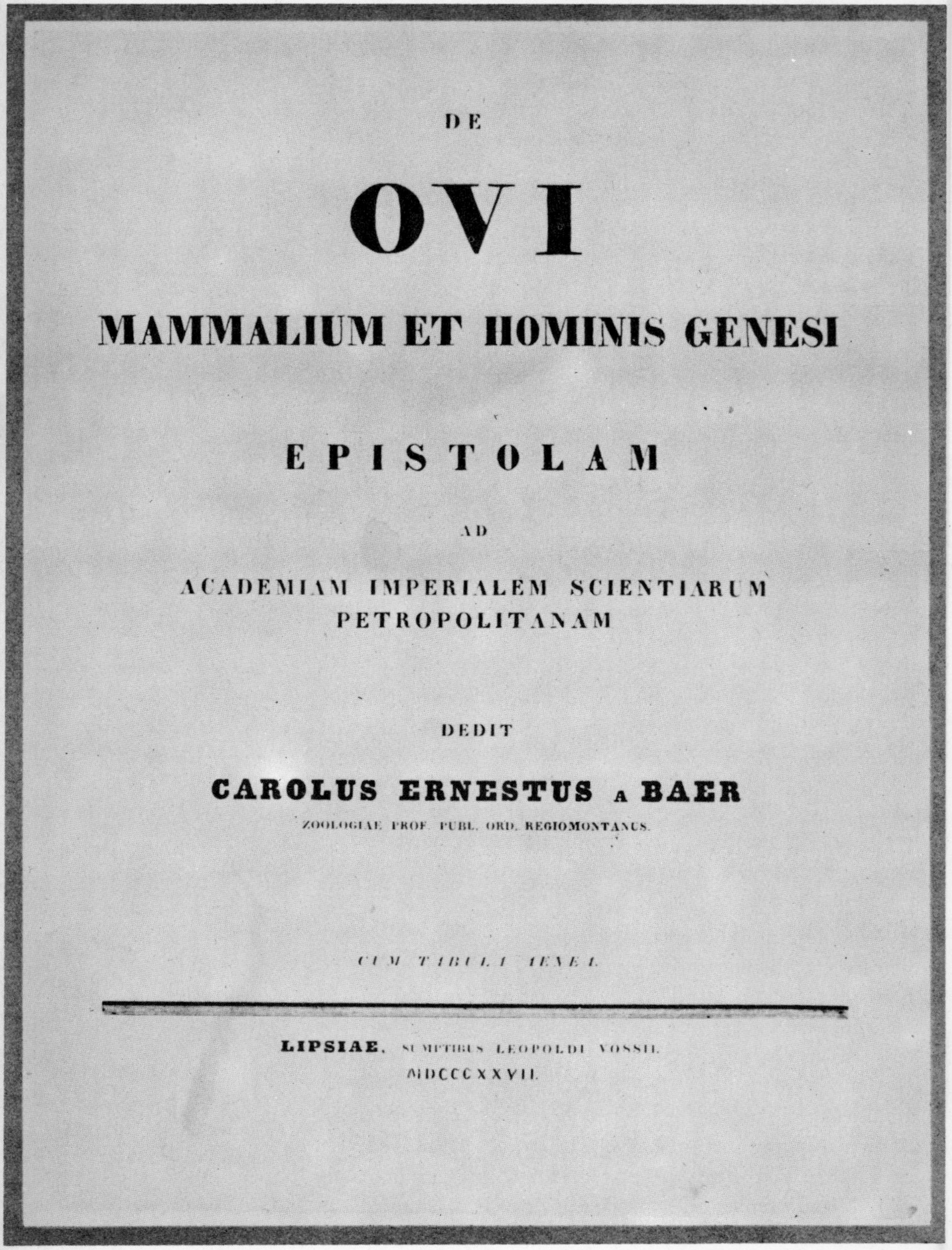

DE

OVI

MAMMALIUM ET HOMINIS GENESI

E P I S T O L A M

AD

ACADEMIAM IMPERIALEM SCIENTIARUM
PETROPOLITANAM

DEDIT

CAROLUS ERNESTUS A BAER

ZOOLOGIAE PROF. PUBL. ORD. REGIOMONTANUS.

CUM TIBULI IENEI

LIPSIAE, SUMPTIBUS LEOPOLDI VOSSII.
MDCCCXXVII.

Titelseite von Baers De ovi mammalium et hominis genesi, *1827*

gaben, ja sogar noch kleinere undurchsichtige Körperchen, von rundlicher Form und körnigem Ansehn. So wurde ich fast mit Gewalt zur Auffindung des Eies, wie es vor der Befruchtung im Eierstocke liegt, geführt, obgleich ich von
5 diesem letzten Ziele anzufangen gar nicht den Mut gehabt hatte.

    Im Jahre 1826 hatte ich schon mehrmals kleine durchsichtige Eier von ½ bis 1½ Linien Durchmesser, wie Prévost und Dumas sie gesehen hatten, in den Hörnern
10 des Uterus° und selbst in den Eileitern gefunden, im Frühling 1827 aber bedeutend kleinere, viel weniger durchsichtige und deshalb kenntliche in den Eileitern. Ich zweifelte nicht, diese auch für Eier zu halten, da es ja wahrscheinlich war, daß die Dottermasse auch bei Säuge-
15 tieren ursprünglich undurchsichtig sein werde. Ich sprach im April oder in den ersten Tagen des Mai des zuletzt genannten Jahres mit Burdach darüber, daß ich gar nicht mehr in Zweifel sein könne, die Eier der Säugetiere kämen fertig gebildet aus dem Eierstocke, und daß ich sehr
20 wünschte, eine Hündin zu erhalten, die erst vor ein paar Tagen sich belaufen habe. Nach Prévosts und Dumas Beobachtungen mußte man nämlich glauben, daß man um diese Zeit bei Hunden die Graafischen Bläschen noch geschlossen finden werde, aber reif zur Eröffnung. Man
25 glaubte damals, daß die Eröffnung der Eikapsel oder der Graafischen Bläschen unmittelbar von der Paarung abhänge, (was nicht richtig ist.) Zufällig besaß Burdach im eigenen Hause eine solche Hündin, die längere Zeit schon Hausgenossin gewesen war. Sie wurde geopfert. Als ich sie
30 öffnete, fand ich einige Graafische Bläschen geborsten, keine dem Bersten sehr nahe. Indem ich, niedergeschlagen, daß die Hoffnung wieder nicht erfüllt sei, den Eierstock betrachtete, bemerkte ich ein gelbes Fleckchen in einem Bläschen, sodann auch in mehreren andern, ja in den
35 meisten, und immer nur ein Fleckchen. Sonderbar! dachte ich, was muß das sein? Ich öffnete ein Bläschen und hob vorsichtig das Fleckchen mit dem Messer in ein mit Wasser gefülltes Uhrglas, das ich unter das Mikroskop brachte. Als ich in dieses einen Blick geworfen hatte, fuhr ich, wie
40 vom Blitze getroffen, zurück, denn ich sah deutlich eine sehr kleine, scharf ausgebildete gelbe Dotterkugel. Ich

körnigem	*granular*
Eierstocke	*ovary*
½ bis 1½ Linien Durchmesser	*approx. .04 to .12 inches in diameter*
	Jean-Louis Prévost, Swiss physician and physiologist (1790–1850)
	Jean Baptiste André Dumas, French chemist and physiologist (1800–84)
Hörnern	*horns*
Dottermasse	*yolk mass*
	Karl Burdach, German physiologist (1776–1847)
sich belaufen	*mated*
Graafischen Bläschen	*Graafian follicles*
Eikapsel	*ovarian follicle*
Paarung	*mating*
Hausgenossin	*here: pet*
bersten (inf.)	*to burst*
niedergeschlagen	*dejected*
sodann	*then*
Uhrglas	*watch glass*
Dotterkugel	*vitelline sphere*

95

mußte mich erholen, ehe ich den Mut hatte, wieder hinzusehen, da ich besorgte, ein Phantom habe mich betrogen. Es scheint sonderbar, daß ein Anblick, den man erwartet und ersehnt hat, erschrecken kann, wenn er da ist. Allerdings war aber doch etwas Unerwartetes dabei. Ich hatte mir nicht gedacht, daß der Inhalt des Eies der Säugetiere dem Dotter der Vögel so ähnlich sehen würde. Da ich aber nur ein einfaches Mikroskop mit dreifacher Linse hingestellt hatte, war die Vergrößerung nur mäßig und die gelbe Farbe blieb kenntlich, die bei stärkerer Vergrößerung und Beleuchtung von unten, schwarz erscheint. Was mich erschreckte, war also, daß ich ein scharf umschriebenes, von einer starken Haut umschlossenes, regelmäßiges Kügelchen vor mir sah, von dem Vogeldotter nur durch die derbe, etwas abstehende äußere Haut unterschieden. Auch die kleinen undurchsichtigen Eichen, die ich im Eileiter gefunden hatte, hatten nur eine gelblich-weiße Färbung gehabt, ohne Zweifel weil der Dotter schon in Auflösung begriffen war; die größeren waren durchsichtig. Es wurden noch mehrere solcher unaufgelöster Dotterkugeln ausgehoben, und alle auch von Burdach gesehen, der bald hinzugekommen war.

Das ursprüngliche Ei des Hundes war also gefunden! Es schwimmt nicht in unbestimmter Stellung im Innern der ziemlich dicken Flüssigkeit des Graafischen Bläschens, sondern ist an die Wand desselben angedrückt, gehalten von einem breiten Kranze größerer Zellen°, der sich in einen ganz zarten innern Überzug des Graafischen Bläschens verliert. Ich habe seitdem bei allen Hündinnen, die ich untersucht habe, dieses Ei wenigstens in einigen Graafischen Bläschen vor der Öffnung derselben erkannt. Sind die Wände der Graafischen Bläschen etwas dünner als gewöhnlich, und ist wenig Zellgewebe und Fett im Eierstock, so erkennt man es sehr leicht und bestimmt, ist aber die Wand des Bläschens etwas derber als gewöhnlich, besonders aber wenn der Eierstock reich an Bindegewebe und Fett ist, so konnte ich es ohne Zergliederung nur sehr unbestimmt erkennen. Natürlich suchte ich das Ei nun auch in anderen Säugetieren und im menschlichen Weibe auf. Hier fand ich es aber mehr weißlich, selten mit einem Stich ins Gelbe und nur sehr

selten konnte ich es von außen ohne Öffnung der Graafischen
Bläschen und ohne Mikroskop erkennen, am häufigsten
noch bei Schweinen. Das Eichen ist hier weniger gefärbt,
aber wenn man den Inhalt der Graafischen Bläschen mikro-
5 skopisch sorgsam durchsucht, ist es immer zu finden, auch
in sehr unreifen Zuständen dieser Bläschen.

    Das Ei der Säugetiere also ist im Wesentlichen eine
Dotterkugel, wie das Ei der Vögel, aber sehr viel kleiner.
Es hat bei Hunden, wenn man die Dotterkugel allein
10 nimmt, ohne die etwas abstehende äußere Haut, weniger
als $\frac{1}{20}$ Linie Durchmesser, mit dieser etwa $\frac{1}{10}$ Linie. Die $\frac{1}{20}$ Linie   *approx. .004 inches*
Dottermasse ist bei den meisten Tieren nur weißgelb oder
gelblich weiß, bei Hunden aber und wahrscheinlich bei
anderen Raubtieren gelb. Die auffallende Kleinheit hängt
15 offenbar damit zusammen, daß diese Eier sehr rasch die
Flüssigkeit einsaugen, welche in die Eileiter und in die
Hörner des Uterus sich ergießt, sobald die Eier eintreten.   sich ergießt   *discharges*
Sie schwimmen zuvörderst in dieser Flüssigkeit, treiben   zuvörderst   *first*
bald aber kleine Zotten hervor, die gleichsam im Uterus   Zotten *villi* (*presumably: cleav-*
20 einwurzeln, und denen entsprechende Verlängerungen aus   *age furrows*)
dem Uterus entgegenwachsen. Jetzt ist die Sekretion aus   hervortreiben (inf.)   *to push*
dem mütterlichen Körper noch stärker, aber auch die   *out, project*
Aufsaugung durch das Ei so stark, daß alles Ausgeschiedene   gleichsam   *so to speak*
sogleich aufgenommen wird, und die Blutgefäße beider   ausscheiden (inf.)   *to secrete*
25 Seiten nebeneinander sich verzweigen, ohne in einander   Blutgefäße   *blood vessels*
überzugehen. So wird das Ei, und sobald der Embryo deut-
lich ist, dieser vermittelst der Eihäute von der Mutter
ernährt. — Das alles ist im Vogel ganz anders. Sobald   vermittelst   *by means of*
das Vogelei gelegt ist, kann es von der Mutter keinen Stoff
30 zur Ernährung erhalten, sondern nur Wärme. Es muß also
allen Stoff, den es zu der Bildung des Küchleins braucht, als
Mitgift schon mitbringen. Das geschieht dadurch, daß die   Mitgift   *dowry*
Masse der Dotterkugel, wie sie im Eierstocke sich bildet,
ungemein groß ist, und daß über diese Dotterkugel, indem
35 sie durch die Eileiter sich drängt, eine große Menge
Eiweiß sich anlegt, das später ebenfalls zur Ernährung des
Embryos verwendet wird; zuletzt setzt sich über das Ganze
eine harte Kalkschale ab. Das Ei ist nun fertig, aber es   Kalkschale   *calcareous shell*
enthält nur einen Keim, keinen geformten Embryo. Das   Keim   *nucleus*
40 Säugetierei ist erst fertig, wenn der Embryo fertig ist zur
Geburt. — Die weiter vorgeschrittenen Eier der Säugetiere   vorgeschrittenen   *advanced*

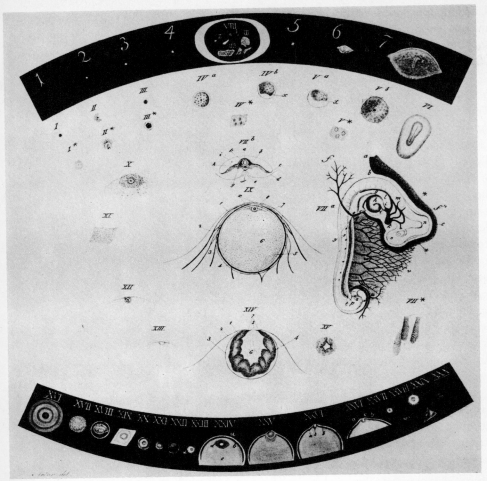

Diagramm aus Baers Über die Bildung des Eies der Säugetiere *(Übersetzung aus dem Lateinischen)*

Beschaffenheit *character, quality*

sind nach den einzelnen Ordnungen sehr verschieden in der äußeren Gestalt und Beschaffenheit der Häute, was hier nicht weiter ausgeführt werden kann. Es genüge zu sagen, daß diese Verhältnisse von der Form des Uterus bestimmt werden.

mit einbegriffen *included*

Ich durfte, nach dem Gesagten, wohl die Entdeckung des wahren Verhältnisses der Erzeugung der Säugetiere, den Menschen mit einbegriffen, mir zuschreiben, wobei ich gern anerkenne, daß ich sie weniger sehr angestrengten

98

Untersuchungen oder großem Scharfsinne, als der Schärfe
meines Auges in früheren Jahren, und einer bei den Untersuchungen des Hühnchens gewonnenen Überzeugung ver-
danke.

5   Seit jener Zeit habe ich nicht umhin gekonnt, alle Fortpflanzung als Umbildung eines schon früher organisierten°
Teiles anzusehen, wie ich diese Ansicht später in öffentlichen Vorträgen, die zum Teil gedruckt sind (z.B. in den
„Reden"), weiter entwickelt habe. Die Eier der niederen
10 Tiere sind zwar öfter sehr durchsichtig, doch ist ihr Inhalt
in keinem Tiere, soviel ich weiß, völlig flüssig, so daß man
ihn auch für organisiert zu betrachten berechtigt ist. Das
Ei ist hiernach ein organisierter Teil des Mutterkörpers,
der fast immer der Einwirkung des männlichen Zeugungs-
15 stoffes bedarf, um sich nach dem Typus° des zugehörigen
Tieres unter günstigen Umständen zu entwickeln. Auf
welche Weise aber der männliche Zeugungsstoff im Ei, das
früher nur Teil war, und als solcher absterben muß, wenn
er nicht befruchtet wird, diese Entwicklungsfähigkeit, das
20 heißt also, dieses Selbständigwerden bewirkt, und wodurch
es bewirkt wird, daß auch Eigentümlichkeiten des Vaters
auf das neue Individuum übergehen, ist freilich noch
unverstanden.

    Ich habe mich lange bei dem vorliegenden Gegen-
25 stande aufgehalten, weil ich es nicht verhehlen will, daß
ich mich noch jetzt freue, diesen Fund gemacht zu haben,
obgleich ich gern einräume, daß mehr Glück als Verdienst
dabei war. Ich beschloß, ihn bald zu publizieren und
schickte einen rasch entworfenen Bericht in der Form eines
30 dankenden Sendschreibens an die Akademie zu St. Petersburg, die mich zu ihrem korrespondierenden Mitglied
ernannt hatte, unter dem Titel: De ovi mammalium et
hominis genesi epistola etc. in der Mitte des Juli 1827 an
Herrn L. Voss in Leipzig ab.

35   Meine Schrift wurde erst im Januar 1828 ausgegeben,
obgleich das Jahr 1827 auf dem Titel steht. Aber auffallend
war es mir, als ich im September des genannten Jahres die
Versammlung der Naturforscher in Berlin besuchte, daß
nicht ein einziger der anwesenden Anatomen°, deren
40 Bekanntschaft ich machte, diese Schrift mit einer Silbe
erwähnte. Sie war doch schon in der Mitte des Januars

---

nicht umhin gekonnt *had no choice but*

hiernach *according to this*
Zeugungsstoffes *semen*

verhehlen *conceal*

einräume *concede*

entworfenen *drafted*
Sendschreibens *letter*

De ovi mammalium et homi-
nis genesi epistola *Letter on
the Genesis of the Ovum of
Mammals and of Man*

ausgegeben *published*

Naturforscher *natural scientists*

Silbe *syllable*

publish — to send to
Furthermore — concern

kurz abgefaßt *concisely worded*

EXTENSIVE — journal

proud — vain

mere

Radotage *nonsense*

coarse error

in order to

conviction — disturb

be silent — surprise

Swede

set

Aufwärter *attendant*
sich einfinden (inf.) *to be present, come*

Müller (see p. 73)
tückische *treacherous*

trick — fed — put on

project

Befangenheit *constraint*
zuvörderst *at first*
Zergliederung *dissection*

durchschimmern (inf.) *to shimmer through*

convince

---

ausgegeben, ganz unbekannt konnte sie allen wohl nicht
sein. Auch hatte ich sie einigen, wenn auch nicht vielen,
zuschicken lassen. Überdies hatte ich, in der Besorgnis,
mein Sendschreiben möge zu kurz abgefaßt sein, einen
ausführlichen Kommentar° in Heusingers Zeitschrift für 5
organische Physik, Bd. II (Januar 1828) erscheinen lassen.
Ich war zu stolz oder zu eitel, in Berlin selbst davon anzufangen. Sollte man sie allgemein für eine bloße Radotage
oder für einen groben Irrtum halten? Oder sollte man diese
Sache an sich für zu unbedeutend ansehen, um darüber 10
ein Wort zu verlieren? Ich wußte es in der Tat nicht.

Daß die alten Herren meine Schrift nicht lesen oder
wenigstens in ihren Überzeugungen sich nicht würden
stören lassen, konnte ich mir wohl denken — aber auch die
jungen schwiegen, das fiel mir auf! Endlich, am letzten 15
Tag der Versammlung, fragte mich Professor A. Retzius
— also ein Schwede, kein Deutscher: Können Sie uns nicht
das Säugetierei im Eierstock zeigen? „Mit Vergnügen, wenn
ich eine Hündin erhalten kann." Eine solche wurde beim
Aufwärter der Anatomie gefunden und der Nachmittag 20
zur Demonstration bestimmt. Es fanden sich nun ziemlich
viele der jüngeren Anatomen ein, außer Retzius, Johannes
Müller, Ernst Weber, Purkinje und andere Bekannte und
Unbekannte. Fast schien es aber, als ob das tückische
Schicksal mir einen Streich spielen wollte. Der Hund des 25
Aufwärters war so gut genährt, daß er überall eine Masse
Fett angesetzt hatte, auch an den Eierstock. Die Graafischen Bläschen ragten nur sehr wenig hervor. War es
diese Fettmasse, oder eine gewisse Befangenheit in mir?
Ich konnte zuvörderst kein Ei ohne Zergliederung erkennen, 30
was mir noch nicht vorgekommen war. Endlich sah ich
eins undeutlich durchschimmern und brachte es glücklich
unter das Mikroskop. Man schien allgemein überzeugt, so
viel ich bemerken konnte. Doch mögen vorher noch viele
Zweifel bestanden haben. Jedenfalls muß ich glauben, 35
daß niemand vorher versucht hatte, diese Dotterkugel
oder dieses Ei aufzufinden. Vielleicht hielt man diese
Operation für zu schwierig, was sie gar nicht ist.

as too insignificant to 100 lose words on

Bd = Band = volume

Theodor Schwann

Th. Schwann

    The doctrine of cells, fundamental to our thinking about plants and animals, is associated with M. J. Schleiden (1804–1881) and Theodor Schwann (1810–1882). Schleiden studied plant cells, while Schwann studied cells in animals; Schwann came to the then astonishing conclusion that the ovum is itself a cell, surrounded in some animals by food substance or yolk and a layer of protective albumen, in others such as the microscopic ovum of mammals just recently discovered by Baer, accompanied by only a minimum of yolk and albumen. The general concepts expressed by Schwann, that the cells have a kind of life of their own, and yet are subject to the life of the organism as a whole, remain a cornerstone of biological thought.

Aus: *Mikroskopische Untersuchungen über die Übereinstimmung in der Struktur und dem Wachstum der Tiere und Pflanzen. 1839*

Faßt man die organische Natur, Tiere und Pflanzen, als ein Ganzes im Gegensatz zur anorganischen° auf, so finden wir alle Organismen und alle einzelnen Organe derselben nicht als kompakte Massen°, sondern zusammengesetzt aus zahllosen kleinen Teilchen von bestimmter 5 Form. Die Form dieser Elementarteile ist aber außerordentlich mannigfaltig, besonders bei den Tieren; bei den Pflanzen sind es meistens oder ausschließlich Zellen°. Die schien im Zusammenhange zu stehen mit der bei den Tieren weit mannigfaltigeren physiologischen Funktion der 10 Elementarteile, so daß man den Grundsatz aufstellen konnte, daß jede Verschiedenheit der physiologischen Funktion eine Verschiedenheit der Elementarteile erfordere, und man auch umgekehrt aus der Gleichheit zweier Elementarteile auf die gleiche physiologische Bedeutung 15 zu schließen berechtigt schien.

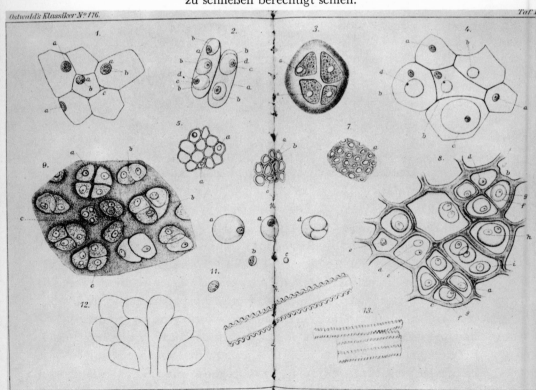

Tafel aus Schwanns Mikroskopische Untersuchungen über die Übereinstimmung in der Struktur und dem Wachstum der Tiere und Pflanzen

Robert Koch

Robert Koch (1843–1910) obtained his medical degree from the University of Göttingen after studying under Friedrich Wöhler (see p. 181) and Jakob Henle (1809–1885). From 1872 to 1876, while he was a medical officer in Wollstein, he laid the foundation for his famous contributions to the new science of bacteriology by growing the anthrax bacillus in a pure culture. Many great discoveries followed: the isolation of the tuberculosis organism in 1882, the isolation of the vibrio of cholera in 1883. In Berlin he founded the Institute of Infectious Diseases, one of the greatest bacteriological schools in the world, to which students came from all parts of the globe to study with him. In 1905 he was awarded the Nobel prize for his work on tuberculosis, the citation declaring that seldom in the history of science "have so many discoveries, of incisive importance for the human race, emanated from the activity of a single individual."

In addition to the work on the cause, control, and cure of infectious diseases, Koch developed many of the bacteriological techniques still used in the laboratory. Among these are methods for drying and preserving bacteriological material, the washing and staining of bacteria, and methods of photographing bacteriological preservations with a detail and clarity that is still an astonishment to all who see them for the first time.

The following selection from Koch's first paper on traumatic infectious diseases (1878) describes six varieties of surgical infection, and proves that each was produced by characteristic bacteria, shown by Koch's improved method to be present in large quantities in the infected animal.

Robert Koch in seinem Laboratorium in Kimberley, Südafrika, 1896

Neue Untersuchungen über die Mikroorganismen bei infektiösen Wundkrankheiten

Aus: Deutsche Medizinische Wochenschrift, 1878, Nr. 43.

Nach seinen Mitteilungen in der Sektion für pathologische Anatomie und für innere Medizin der 51. deutschen Naturforscherversammlung zu Kassel. Von Dr. R. Koch, Kreisphysikus in Wollstein.

Vielfach sind bei infektiösen Wundkrankheiten Mikroorganismen gefunden. Gleichwohl berechtigen diese Befunde noch nicht zu der Annahme, daß die Wundinfektionskrankheiten lediglich durch das Eindringen der Mikroorganismen
5 in den Körper und ihre Vermehrung in demselben bedingt werden, mit einem Worte also parasitäre Krankheiten sind. Denn es wird mit Recht gegen die Beweiskraft jener Befunde geltend gemacht, daß gar nicht selten in Fällen von unzweifelhaft infektiösen Wundkrankheiten die Mikroorganismen
10 vermißt, in anderen ebensolchen Fällen in zu geringer Zahl gefunden werden, um die Krankheitssymptome oder den tödlichen Ausgang der Krankheit zu erklären. Auch erscheint es ganz rätselhaft, daß bei den verschiedenen Arten der Wundinfektionskrankheiten, z.B. Pyämie, Ery-
15 sipel°, Wunddiphtheritis, stets dieselben Mikroorganismen, nämlich Mikrokokken° auftreten und, was die Sache noch komplizierter° macht, daß bei puerperalen Erkrankungen, bei Pocken, bei Endokarditis°, bei verschiedenen infektiösen Tierkrankheiten dieselben ganz gleichgeformten
20 Mikrokokken gefunden werden.

Um nun zu sehen, ob diese Einwände gegen die parasitäre Erklärung der Wundinfektionskrankheiten in der Tat berechtigt sind oder nicht, ob sie vielleicht den unvollkommenen Untersuchungsmethoden und daraus resultie-
25 renden mangelhaften Ergebnissen ihre Entstehung verdanken, wurden an Tieren Versuche angestellt, welche darauf hinausgingen, durch Einspritzungen und Impfungen mit putriden Substanzen künstliche Wundinfektionskrankheiten zu erzeugen und das in dieser Weise
30 gewonnene Material nach einem verbesserten Verfahren zu untersuchen.

Marginal glosses:

Naturforscherversammlung *conference of natural scientists*
Kreisphysikus *District Doctor*

Wundkrankheiten *traumatic diseases*
gleichwohl *nevertheless*

parasitäre *parasitic*

ebensolchen *like*

Pyämie *pyemia*
Wunddiphtheritis *wound diphtheria*
puerperalen *puerperal*
Pocken *small pox*

Einspritzungen *injections*
Impfungen *inoculations*

Sonnabend — № **43**. — 26. October 1878.

DEUTSCHE
MEDICINISCHE WOCHENSCHRIFT.

Mit Berücksichtigung der öffentlichen Gesundheitspflege und der Interessen des ärztlichen Standes.

Vierter Jahrgang.

Redacteur Dr. P. Börner. — Druck und Verlag von G. Reimer in Berlin.

I. Neue Untersuchungen über die Mikroorganismen bei infectiösen Wundkrankheiten.

Nach seinen Mittheilungen in der Section für pathologische Anatomie und für innere Medicin der 51. deutschen Naturforscherversammlung zu Cassel

von

Dr. Koch,
Kreisphysikus in Wollstein.

Vielfach sind bei infectiösen Wundkrankheiten Mikroorganismen gefunden. Gleichwohl berechtigen diese Befunde noch nicht zu der Annahme, dass die Wundinfectionskrankheiten lediglich durch das Eindringen der Mikroorganismen in den Körper und ihre Vermehrung in demselben bedingt werden, mit einem Worte also parasitäre Krankheiten sind. Denn es wird mit Recht gegen die Beweiskraft jener Befunde geltend gemacht, dass gar nicht selten in Fällen von unzweifelhaft infectiösen Wundkrankheiten die Mikroorganismen vermisst, in anderen ebensolchen Fällen in zu geringer Zahl gefunden werden, um die Krankheitssymptome oder den tödtlichen Ausgang der Krankheit zu erklären. Auch erscheint es ganz räthselhaft, dass bei den verschiedensten Arten der Wundinfectionskrankheiten z. B. Pyämie, Erysipel, Wunddiphtheritis stets dieselben Mikroorganismen, nämlich Mikrokokken, auftreten und was die Sache noch complicirter macht, dass bei puerperalen Erkrankungen, bei Pocken, bei Endocarditis, bei verschiedenen infectiösen Thierkrankheiten dieselben ganz gleich geformten Mikrokokken gefunden wurden.

Um nun zu sehen, ob diese Einwände gegen die parasitäre Erklärung der Wundinfectionskrankheiten in der That berechtigt sind oder nicht, ob sie vielleicht den unvollkommenen Untersuchungsmethoden und daraus resultirenden mangelhaften Ergebnissen ihre Entstehung verdanken, wurden an Thieren Versuche angestellt, welche darauf hinausgingen, durch Einspritzungen und Impfungen mit putriden Substanzen künstliche Wundinfectionskrankheiten zu erzeugen und das in dieser Weise gewonnene Material nach einem verbesserten Verfahren zu untersuchen.

Durch Application von faulendem Blut, Fleischinfus, macerirten Hautstückchen, thierischen Excrementen gelang es, sechs ganz verschiedene Wundinfectionskrankheiten bei Kaninchen und Mäusen hervorzurufen, welche makroskopisch die grösste Aehnlichkeit mit den analogen Erkrankungsformen des Menschen besitzen und nach ihren Symptomen als Pyämie, Septicämie, Phlegmone, Gangrän und Erysipel bezeichnet werden müssten.

Dass diese Krankheiten aber, wenn auch künstliche, so doch unzweifelhafte Infectionskrankheiten sind, folgt mit voller Gewissheit daraus, dass von dem zuerst erkrankten Thiere gewonnenes Blut, Eiter oder Gewebssaft in kleinster Menge

Anfang des Artikels über die Mikroorganismen bei infektiösen Wundkrankheiten in der Deutschen Medicinischen Wochenschrift, 26. Okt. 1878

faulendem	*putrefying*
Fleischinfus	*meat infusion*
mazerierten	*macerated*
Kaninchen	*rabbits*
Phlegmone	*phlegmonous inflammation*

Durch Applikation von faulendem Blut, Fleischinfus, mazerierten Hautstückchen, tierischen Exkrementen gelang es, sechs ganz verschiedene Wundinfektionskrankheiten bei Kaninchen und Mäusen hervorzurufen, welche makroskopisch° die größte Ähnlichkeit mit den analogen° Erkrankungsformen des Menschen besitzen und nach ihren Symptomen als Pyämie, Septikämie°, Phlegmone, Gangrän und Erysipel bezeichnet werden müßten. 5

Daß diese Krankheiten aber, wenn auch künstliche, so doch unzweifelhafte Infektionskrankheiten sind, folgt 10

mit voller Gewißheit daraus, daß von dem zuerst erkrankten Tiere gewonnenes Blut, Eiter oder Gewebssaft, in kleinster Menge auf ein anderes Tier verimpft, ausnahmslos genau dieselbe Krankheit hervorruft und das einmal durch die
5 erste Infektion erhaltene Kontagium° mit ganz konstanter Wirkung in beliebig vielen Generationen im Tierkörper fortgepflanzt werden kann. So wurde beispielsweise eine durch Einspritzung von faulendem Blut bei Mäusen hervorgerufene Septikämie durch unglaublich geringe Mengen
10 von Infektionsstoff auf ein zweites Tier, von diesem auf ein drittes und so weiter durch 17 Generationen übertragen. Es genügte in diesem Falle, ähnlich wie bei Milzbrand, mit der Messerspitze ein kaum sichtbares Tröpfchen Blut von einem unmittelbar vorher gestorbenen Tier aufzunehmen
15 oder auch nur das subkutane Bindegewebe mit der Messerspitze zu berühren und ein zweites Tier am Ohr oder Schwanz zu impfen, und es mit absoluter Sicherheit binnen 40-60 Stunden zu töten. Die Sektion der so getöteten Tiere hatte immer dasselbe Ergebnis, nämlich außer Milzan-
20 schwellung keine makroskopisch erkennbaren Veränderungen der inneren Organe.

In ähnlicher Weise konnte bei Kaninchen eine mit keilförmigen metastatischen° Herden in Lunge und Leber, mit Milzanschwellung und Peritonitis verlaufende Pyämie
25 von einem Tier auf das andere durch subkutane° Einspritzung einer sehr geringen Menge Blut (bis zu $\frac{1}{10}$ Tropfen) übertragen werden. Ebenso ließ sich bei Kaninchen Phlegmone, wie sie oft nach Einspritzung mit faulendem Blut bei diesen Tieren entsteht, durch ein
30 kleines Quantum° des Abszeßinhaltes (das Blut des kranken Tieres ist in diesem Falle wirkungslos) auf andere Kaninchen verpflanzen.

Auch eine ziemlich schnell von der Impfstelle sich ausbreitende und tödlich verlaufende Gewebsnekrose
35 (Gangrän) wurde bei Mäusen durch Einspritzung mit faulendem Blut erhalten und später durch sukzessive° Impfung auf eine größere Zahl von Versuchstieren übertragen.

Ferner entsteht bei Kaninchen durch Einspritzung
40 mit faulendem Fleischinfus ein durch Milzanschwellung, Ekchymosen am Darm, Fehlen metastatischer Herde

107

Eiter *pus*
Gewebssaft *tissue fluid*
verimpft *inoculated*

Milzbrand *anthrax*

Bindegewebe *connective tissue*

binnen *within*
Sektion *dissection*
Milzanschwellung *swelling of the spleen*

keilförmigen *wedge shaped*
Herden *nodules, foci*
Leber *liver*

Gewebsnekrose *tissue necrosis*

Ekchymosen *ecchymoses*
Darm *intestine*

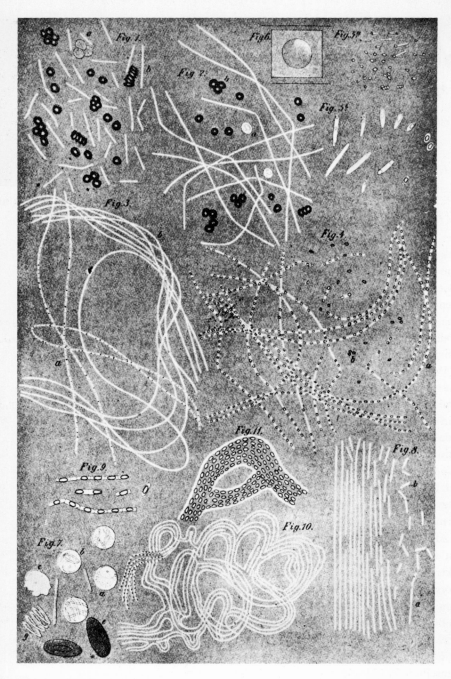

Illustration aus Kochs "Die Aetiologie der Milzbrandkrankheit" in Beiträge zur Biologie der Pflanzen, *1877*

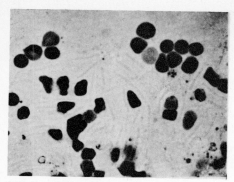

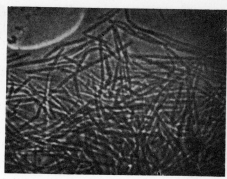

Milzbrandbazillen vom Blut eines Meerschweinchens. Aufnahme von Koch

Milzbrandbazillen aus der Milz einer Maus. Aufnahme von Koch

charakterisierter septikämischer Prozeß, der durch subkutane Injektion mit Blut des infizierten° Tieres von einem
Kaninchen auf das andere und auch auf Mäuse verpflanzt
werden kann. Schließlich wurde noch in einem Falle am
5 Ohr eines Kaninchens durch Impfung mit Mausekot eine
erysipelatöse, nur mit langsam sich ausbreitender Rötung
und Schwellung verlaufende Entzündung erhalten.

Wenn nun die an diesen künstlichen Infektionskrankheiten gestorbenen Tiere frisch oder mit den bekannten
10 Hilfsmitteln (Anwendung von Säuren, Alkalien°, Häma-
toxylin- und Anilinfärbung) untersucht wurden, dann ergab
sich dasselbe Resultat° wie bei den menschlichen Wundinfektionskrankheiten. Es konnten nämlich nur in einzelnen
günstigen Fällen Mikroorganismen nachgewiesen werden.
15 In der Mehrzahl und besonders in dem zur Weiterimpfung
benutzten Blut und Eiter waren sie gar nicht oder doch
nicht mit Sicherheit zu erkennen.

Als aber eine andere Untersuchungsmethode angewandt wurde, die im wesentlichen darin besteht, daß die
20 Objekte mit Anilinfarben, welche von den fraglichen
Mikroorganismen bekanntlich mit Vorliebe aufgenommen
werden, behandelt und dann unter Benutzung des Abbéschen Beleuchtungsapparates, der bei richtiger Verwendung
das Erkennen der kleinsten gefärbten Körper ermöglicht,
5 untersucht wurden, da änderte sich die Sachlage vollständig.
In denselben Präparaten, in denen vorher gar keine oder
wenig charakteristische Bakterien zu sehen waren, zeigte

Mausekot   *mouse excreta*
erysipelatöse   *erysipelatous*

Hämatoxylin- und Anilinfärbung   *hematoxylin and aniline
dye*

Abbéschen   Beleuchtungsapparates   *Abbé's illumination
apparatus*

Präparaten   *slides*

dieses neue Verfahren in überraschender Weise selbst die kleinsten Bakterienformen mit einer solchen Klarheit und Schärfe des Bildes, daß sie mit Leichtigkeit zu erkennen und von anderen gefärbten Objekten im Präparat ganz sicher zu unterscheiden waren. Aber noch mehr leistet diese Untersuchungsmethode. Nicht allein gestattet sie, was bis jetzt ein frommer Wunsch war, vereinzelte und zerstreute Bakterien in den Geweben nachzuweisen, sondern, was das Wichtigste zu sein scheint, mit ihrer Hilfe sind die Größenverhältnisse und die Formen der in die Gewebe eingedrungenen Bakterien mit solcher Genauigkeit zu bestimmen, daß es nicht schwer fällt, die pathogenen Bakterienformen, welche man bislang fast nur unter dem Bilde der aus Mikrokokken zusammengesetzten Zoogloea kannte, nach Größe und Gestalt zu differenzieren°.

Auch in dem zur Infektion gebrauchten Blut und Eiter sowie in den erkrankten Organen der an den geschilderten künstlichen Infektionskrankheiten gestorbenen Tiere wurden nun vermittels der verbesserten Untersuchungsmethode ausnahmslos Bakterien und zwar in so bedeutender Anzahl gefunden, daß man über ihre Bedeutung als Erreger dieser Krankheiten nicht im Zweifel sein kann. Von hervorragender Wichtigkeit ist aber noch, daß einer jeden der künstlichen Infektionskrankheiten eine ganz konstante, durch Größe, Gestalt und eigentümliche Wachstumsverhältnisse wohl charakterisierte Bakterienform entspricht.

So kommen bei der zuerst erwähnten Septikämie der Mäuse im Blute zahllose außerordentlich kleine Bazillen vor, die in die weißen Blutkörperchen eindringen und dieselben zerstören. Niemals gehen diese Bazillen in größere Stäbchen, Mikrokokken oder andere Formen über, so oft man sie auch von Tier zu Tier verimpft und mit derselben Gesetzmäßigkeit, mit welcher das verimpfte Blut eines solchen septikämischen Tieres immer wieder dieselbe Septikämie und keine andere Krankheitsform erzeugt, mit derselben Konstanz° enthält auch das Blut der an dieser Krankheit gestorbenen Tiere eine beispiellose Menge gleichmäßig geformter kleiner Bazillen und niemals andere Bakterienformen. Ebenso regelmäßig wurden bei der infektiösen Gewebsnekrose Mikrokokken von mittlerer

---

pathogenen *pathogenic*
bislang *until now*
Zoogloea *zooglaea, heap of micrococci*

vermittels *by means of*

Blutkörperchen *corpuscles*

Stäbchen *rods*

Entwurf zu einem Vortrag über die Tuberkulose. Erste Seite

Größe gefunden, die stets in Kettenform verbunden sind; bei der Septikämie der Kaninchen ein großer, eiförmig gestalteter Mikrokokkus; bei der Pyämie der Kaninchen ein sehr viel kleinerer, die roten Blutkörperchen umspinnender Mikrokokkus; bei der Phlegmone ein außerordentlich kleiner, in Zoogloeahaufen am Rande der Abszesse wuchernder Mikrokokkus; schließlich beim Erysipel des Kaninchenohrs ein netzförmig an der Knorpeloberfläche sich ausbreitender und sternförmige Figuren bildender Bazillus.

umspinnender *spinning around, enclosing*

Zoogloeahaufen *zooglaea masses*

netzförmig *reticularly*
Knorpeloberfläche *surface of the cartilage*

111

mithin *therefore*
Rekurrens *relapsing fever*

Diese Untersuchungen beweisen mithin, daß es außer dem Rekurrens und dem Milzbrand auch noch eine Reihe anderer Infektionskrankheiten gibt, deren Entstehungsweise bisher rätselhaft war, die mit Hilfe vervollkommneter Methoden sich aber als parasitäre Krankheiten erweisen. 5 Sie lehren uns daher, daß auch die teils unsicheren, teils negativen Befunde bei der Untersuchung der menschlichen Wundinfektionskrankheiten das Fehlen von Mikroorganismen und ihre Bedeutungslosigkeit für diese Krankheiten nicht beweisen können, sondern daß diese Untersuchungen 10 mit besseren Hilfsmitteln wieder aufzunehmen sind und höchstwahrscheinlich zu ähnlichen Ergebnissen wie bei den künstlich zu Tieren erzeugten Wundinfektionskrankheiten führen werden.

infizierten *infected*

Als das wesentlichste Resultat muß indessen der 15 Nachweis angesehen werden, daß einer jeden der untersuchten Infektionskrankheiten eine konstante, nicht nur durch physiologische Wirkung auf den infizierten Organismus, sondern auch durch Größe, Gestalt, Wachstum wohl charakterisierte Bakterienform entspricht und daß dadurch 20 die Berechtigung, ja sogar die Notwendigkeit gegeben ist, ebensoviele bestimmte Arten von pathogenen° Bakterien zu unterscheiden.

im Anschluß an *in connection with*
Sektion *section (of the conference)*
Zeißschen *Zeiss*

Im Anschluß an diese Ausführungen und zur Bestätigung derselben wurden den Mitgliedern der Sektion 25 über eine jede der besprochenen Infektionskrankheiten ein oder mehrere entsprechende Präparate mit Zeißschen Mikroskopen, die mit dem Abbéschen Beleuchtungsapparat versehen waren, demonstriert°. Außerdem wurden einige Milzbrandpräparate vorgelegt, in denen nur die Milz- 30 brandbazillen gefärbt, das umschließende Gewebe aber ungefärbt geblieben war, um zu zeigen, daß in zweifelhaften

Reagens *test*

Fällen die Färbung als sicheres Reagens zur Unterscheidung der Bakterien von Bestandteilen tierischer Gewebe benutzt werden kann. 35

demnächst *shortly*

Eine ausführliche Beschreibung der Untersuchungsmethode und die detaillierte° Schilderung der damit erzielten Resultate wird in einer demnächst erscheinenden Schrift veröffentlicht werden.

Eduard Suess

8

The following selection is taken from *Das Antlitz der Erde* by Eduard Suess (1831–1914), a massive study—called by an American geologist "that greatest of geological syntheses"—published in several volumes between 1885 and 1909. Suess was born in London, where his father was engaged in business; shortly the family moved to Prague, later to Vienna. Though he was first educated for a life of business, Suess early turned to scholarship, publishing his first scientific paper when he was nineteen. He was professor of geology at the University of Vienna from 1857 to 1901. *Das Antlitz der Erde* was his crowning work, a treatise on the evolution of the earth's surface features, itself evolving with the progress of his own and his fellow scientists' knowledge during the many years he devoted to it.

Not only was Suess a leader in science; he was also active in politics. Indeed, his *Erinnerungen* are more concerned with this side of his activity than with science. He tells in these memoirs of his arrest, and of a month spent in jail in 1850–51, on suspicion of subversive activities, aroused in part because of a private letter he had written asking a friend's opinion on "die Erhebung Mittel-italiens" (a large part of Italy was then under Austrian rule). His question had really concerned an English geologist's study of volcanic activity and the elevation of mountains (Gebirgserhebung)! A publication he issued in 1862 on the soil and the water supply of Vienna opened the road to a political career, for it led to his election to the city council, where he successfully advocated building a huge aqueduct to bring Alpine water direct to Vienna. Soon he became a member of the Austrian parliament, and remained for some thirty years a leader of the Liberal party there.

The selection, from the introduction to *Das Antlitz der Erde*, presents a view of the earth's surface as it would appear to a traveler from space, and quickly moves to questions of historical and theoretical geology. The introduction leads into Part I of the work, devoted to movements in the rocky external crust of the earth. Suess concluded that the tensions producing changes in the surface are created by the contraction of the globe's exterior, and that we are witnessing—a process stretching over a vast period— the collapse of the earth: "Der Zusammenbruch des Erdballes ist es, dem wir beiwohnen."

Westliche Hemisphäre. *Illustration aus* Das Antlitz der Erde

(Band I, Einleitung)

Könnte ein Beobachter, aus dem Himmelsraume
unserem Planeten° sich nähernd, die rötlichbraunen
Wolkenzonen unserer Atmosphäre beiseite schieben und   Wolkenzonen *cloud belts*
die Oberfläche des Erdballes überblicken, wie sie, unter

rotierend *rotating*

keilförmig *wedge-shaped*

seinen Augen rotierend, sich im Laufe eines Tages ihm darbietet, so würde vor allen anderen Zügen der südwärts keilförmig sich verengende Umriß der Festländer ihn fesseln.

Dieses ist das auffallendste Merkmal unserer Erdkarte und ist wohl auch als solches bezeichnet worden, seitdem man diese Karte kennt. Diese keilförmige Gestalt wiederholt sich in den verschiedensten Breiten. Kap° Horn, das Kap der guten Hoffnung, Kap Comorin in Ostindien°, Kap Farewell in Grönland° sind allbekannte Beispiele.

Es ist der Versuch gemacht worden, diese Umrisse

angeblich *allegedly*

Vorgebirge *promontories*

schroff *abruptly*

durch eine heute angeblich vorhandene größere Anhäufung von Wasser gegen den Südpol zu erklären. Diese Vorgebirge tauchen aber nicht allmählich unter das Meer, sondern sie sind felsig und ihre Abhänge fallen in den meisten Fällen schroff in große Tiefen hinab. Eine gleiche Anhäufung des Wassers gegen den Nordpol würde ähnliche keilförmige Umrisse nicht erzeugen.

Diese Umrisse sind daher in der Struktur der äußeren Teile des Planeten selbst bedingt.

Hierüber würde demselben Beobachter nicht der geringste Zweifel bleiben, wenn er, so wie er die Wolkenzonen der Atmosphäre beiseite schob, nun auch die Meere

Felsgerüste *rocky crust*

Meeresbecken *oceanic basins*

Abfall *slope*

zu entfernen und das Felsgerüste des Erdballes in seiner Nacktheit zu überblicken imstande wäre. Die außerordentliche Tiefe der Meeresbecken in ihrem Gegensatze zu der geringen Höhe der Festländer und der steile Abfall eines großen Teiles der Küsten würden ihm dann vor die Augen treten.

Alexander von Humboldt, German scientist renowned in many fields (1769–1859)

aufragen *rise*

allenthalben *everywhere*

Strandlinie *coast line*

Schon Alexander von Humboldt verglich die Kontinente treffend mit „Plateaux"°, welche aus den großen Tiefen aufragen.

Man pflegt von der Voraussetzung auszugehen, daß die Meeresfläche allenthalben gleich hoch, d. i. daß jeder Teil derselben und folglich auch jeder Teil der Strandlinie gleich weit von dem Mittelpunkte der Erde entfernt sei. Diese Voraussetzung ist, obwohl auf derselben ein so großer Teil unserer geodätischen° Arbeiten beruht, eine unhaltbare.

Parallelkreises *parallel of latitude*

Führt man einen Schnitt in der Ebene eines Parallelkreises quer über einen der großen Ozeane, so wird sich

116

ergeben, daß die Mitte des Ozeans dem Mittelpunkte der Erde näher liegt als die beiden Strandlinien. Die Küsten der Festländer und diese selbst erscheinen dem Auge daher viel zu niedrig; dieses Anschmiegen des Meeres verhüllt 5 einen großen Teil des Gegensatzes, welcher tatsächlich zwischen Kontinent und Ozean besteht.

anschmiegen (inf.) *to cling*

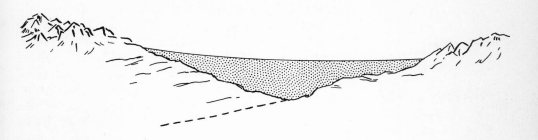

Die Bedeutung dieses Umstandes tritt hervor, wenn man annimmt, daß diese Attraktion aufhöre. Der jetzt an den Rändern der Kontinente aufsteigende Teil der Meere 10 würde zurücksinken, ein großer Teil der tiefer in die Kontinente eingreifenden Buchten würde gänzlich trockengelegt, die Kontinente würden etwas an Umfang und viel an Höhe und Zusammenhang gewinnen. Aber während die Festländer hervortreten, würden zugleich die Meere an 15 Tiefe zunehmen, und die gleichförmige Ausbreitung der bisher von den Kontinenten festgehaltenen Meeresteile würde vielleicht hinreichen, um eine Anzahl flacher ozeanischer° Inseln dauernd zu überfluten.

Buchten *bays*

Die Lotungen, welche von der Küste gegen das offene 20 Meer hinaus vorgenommen werden, sind demnach nicht auf einen horizontalen, sondern auf einen konkaven° Wasserspiegel zu beziehen, wodurch sich die Profillinie des Untergrundes wesentlich verändert.

Lotungen *soundings*
demnach *accordingly*

Profillinie *profile*

Eine lange Reihe der schwierigsten Fragen tritt uns 25 aus dieser ersten Betrachtung der großen Züge der Erdoberfläche entgegen.

Wie mögen diese großen Tiefen des Meeres entstanden sein?

117

Ausmaßes *dimensions*

Unter dem Eindrucke des außerordentlichen Ausmaßes derselben und unter der Überzeugung, daß die
älteren Ansichten über Erhebung und Senkung des Landes
durchaus nicht hinreichen, um so gewaltige und ausge-
dehnte Verschiedenheiten des Reliefs° zu erzeugen, hat
die Ansicht Wurzel gefaßt, daß die oft erwähnten Veränderungen in der Verteilung von Ozean und Festland denn
doch nur innerhalb gewisser, nicht allzuweiter Grenzen
nachweisbar und überhaupt denkbar seien, und daß von
jeher die Lage der großen Festländer und der großen
Meeresbecken in der Wesenheit unverändert geblieben sei.

in der Wesenheit *essentially*

In der Tat möchte es wohl scheinen, als ob die Über-
flutungen unserer heutigen Kontinente in früheren Zeiten,
d. i. seit dem Abschlusse der unteren Silurablagerungen,
kaum weiter gediehen seien als bis zu einem verhältnismäßig geringen Bruchteile der mittleren Tiefe der heutigen
Meere.

Silurablagerungen *Silurian deposits*
gediehen *extended*

Auf der anderen Seite ist aber die Mächtigkeit der
Meeresablagerungen, welche an dem Aufbaue der Kontinente teilnehmen, zuweilen so außerordentlich groß, daß
es schwer wird, den Mangel abyssischer Merkmale zu
erklären, und nicht nur die Einverleibung so beträchtlicher
Massen von Sediment in die Kontinente, sondern auch die
Frage nach jenen Festländern, durch deren Abschwemmung diese mächtigen Massen erzeugt wurden, bleibt ein
Rätsel.

Mächtigkeit *thickness*
Meeresablagerungen *marine deposits*
abyssischer *abyssal*
Einverleibung *incorporation*
Abschwemmung *erosion*

Es wäre nicht eben schwer, eine gute Anzahl von
Gegenden zu ermitteln, in welchen die Summe° der
Mächtigkeit der vorhandenen Meeressedimente ebenso
groß ist, als die ganze beiläufige mittlere Tiefe der heutigen
Meere, also etwa 4000 bis 5000 m, erreicht. Wie tief
muß aber nach den herrschenden Voraussetzungen die
Senkung eines Landstriches einst gewesen sein, wenn nicht
etwa seine Meeresbedeckung, sondern wenn sogar die
Sedimente eine solche Mächtigkeit erreichten?

beiläufige *approximate*
Landstriches *region*

Der außerordentliche Anteil, welchen paläozoische°
Sedimente an dem Aufbau der Festländer, z. B. in China,
nehmen, ist ein untrügliches Zeichen für das große Maß
des eingetretenen Wechsels. Die hohen Sockel, auf welchen
unsere Kontinente liegen, mögen also sehr alt sein, sie
mögen zum großen Teile weit in die mesozoische° Zeit

Sockel *pedestals*

118

zurückreichen, aber für die paläozoische Periode könnte
man der Voraussetzung allgemein persistierender Festländer
nicht zustimmen, und jener Teil der kontinentalen Ränder,
welcher quer über das Streichen junger Kettengebirge
5 gebrochen ist, hat sicher nur ein gar geringes Alter.
    Es handelt sich also bei Betrachtung der keilförmigen
Gestalt der Festlandsmassen nicht um etwas seit der
Bildung des Erdkörpers unverändert Gegebenes, sondern
es wird sich jeder Versuch, die Bewegungen und die
10 Formveränderungen der Erdrinde zu verstehen, mit diesen
größten Merkmalen der planetarischen° Oberfläche zu
beschäftigen haben.

    Denken wir uns nun weiter, daß derselbe Beobachter
dem Erdballe sich so weit genähert habe, daß er nicht nur
15 den Umriß und die Steilheit, sondern auch die Beziehungen
der Umrisse der Kontinente zu den Gebirgen auf denselben
wahrzunehmen imstande sei. Nun wird er erkennen, daß
auf diesem Planeten sich zwei Gebiete unterscheiden lassen,
in welchen die Grenzen der Meeresbecken in einem wesent-
20 lich verschiedenen Grade von Abhängigkeit stehen von
den Gebirgsketten der Festländer.

    Von Chittagong° am nördlichen Ende der Bucht
von Bengalen° bis Java und entlang der asiatischen Küste
des pazifischen Ozeans durch Japan und die Kurilen° und
25 dann ostwärts durch die Aleuten° bis Alaska zeigen sich
auf dem Festlande selbst oder auf langen vorliegenden
Inselreihen mehr oder minder zusammenhängende Linien°
von Gebirgsketten, deren Streichen entweder der Küste
parallel oder gegen dieselbe konkav ist, so daß die Inseln wie
30 ebensoviele hängende Blumenkränze das Festland umgeben
und daß bestimmte Beziehungen zwischen der Umgrenzung
des Festlandes und seiner Struktur nicht zu leugnen sind.

    In ebenso unverkennbarer Weise tritt der Zusammen-
hang des Verlaufes der Küste mit dem Streichen der
35 Gebirgsketten an der amerikanischen Westküste bis Kalifornien hinab und durch ganz Südamerika hervor.
    Vom Ganges bis zum Kap Horn ist also eine Wechsel-
beziehung dieser Art die Regel; dieses ist der p a z i f i s c h e
T y p u s°.

40   Begeben wir uns an die Ostseite von Kap Horn, so
zeigt sich sofort eine geänderte Sachlage. Die Gebirge

persistierender   *persistent*

quer über . . . gebrochen ist
cuts across
streichen (inf.)   *to strike, trend*
Kettengebirge   *mountain ranges*

unverändert Gegebenes   *remaining unchanged*

Erdrinde   *earth's crust*

Bucht   *bay*

vorliegenden   *bordering*

Umgrenzung   *delimination*

119

streichen gegen Staten Island hinaus und Kap Horn selbst folgt noch der pazifischen Regel. Aber für die ganze patagonische°, für die brasilische°; ja für die ganze ostamerikanische Küstenlinie bis Grönland hinauf, mit Ausnahme der Antillen°-Region, gilt diese Regel nicht. Wo ein Gebirge in der Nähe des Meeres liegt, wie die Appalachien, ist es abgewendet vom Meere; es ist gar kein ursächlicher Zusammenhang zwischen der Küstenlinie und der Struktur des Kontinentes sichtbar. So ist es auch auf der ganzen Westküste der alten Welt, mit Ausnahme eines Teiles der westlichen Pyrenäen°. Schottland°, die Bretagne, Portugal bieten auffallende Beispiele von quer die Struktur durchschneidenden Küstenlinien, und namentlich im nördlichen Schottland kann man deutlich erkennen, wie die großen, nach Nordost streichenden **Verwerfungen**, welche das ganze Land **durchqueren**, gegen das Meer auslaufen, während das Ufer mit **zackigem** Umrisse zwischen diesen Verwerfungen eingebrochen ist.

Diese Unabhängigkeit des Verlaufes der Meeresküste von jener der Gebirgsketten ist bezeichnend für die a t l a n t i s c h e Region.

Die mächtigsten Gebirgsketten der Erde sind nur untergeordnete Glieder sehr großer **Strukturerscheinungen**, welche den ganzen Erdball beherrschen. Man mag die **Schichtstellung** und den Bau eines Gebirges im Einzelnen beobachten und beschreiben, aber man vermag nicht eine Erklärung für dieselben zu geben, ohne die Beziehungen dieses Gebirges zu der Verteilung der Gebirgsketten überhaupt im Auge zu halten.

Verwerfungen *faults*
durchqueren *traverse*
zackigem *jagged*

Strukturerscheinungen *structural phenomena*

Schichtstellung *disposition of strata*

120

9

Berichte der Durstigen Chemischen Gesellschaft

Ordinarily today we think of science as a very serious business, and of scientific journals as vehicles for the publication of dry data, exhilarating theories, new syntheses, and the like. In the nineteenth century, however, the scientific journal did not scorn the lighter touch. Under the date of 20 September 1886, a special issue was published of the *Berichte der Deutschen Chemischen Gesellschaft*, which so much resembled the normal issues that many librarians simply bound it in place, thus preserving it for future generations. On close examination, the cover (reproduced on p. 123) shows a number of curious features. Instead of being the "Neunzehnter Jahrgang" this is the "Unerhörter Jahrgang." Instead of being *Berichte der Deutschen Chemischen Gesellschaft*, it is the *Berichte der Durstigen Chemischen Gesellschaft*. The first article, written by two collaborators with the names Tea and Totalor, appropriately enough concerns the removal of alcohol; while another, printed below, of which one of the authors is named Süffig (from *saufen*, to booze), deals with the synthesis of cognac, making reference among others to an experiment of Professor Delirius. One of the communications, by E. Schläuling, parodies a lecture-demonstration to show the blue color of water. This contribution originated from "the University Laboratory, Cloud-Cuckoo-Land." The discussion of the constitution of benzene (*Benzol*) pokes fun at the benzene ring structures of August Kekulé, president of the Deutsche Chemische Gesellschaft. This article comes from a private laboratory "Schnurrenburg-Mixpickel."

In this issue even the names of authors appearing in the list of patents and abstracts are entertaining. They include R. Heuschrecker, C. Bierfreund, A. Alicke, B. Belicke, C. Celicke, and D. Delicke, to say nothing of James W. Porkins of Chicago.

BERICHTE

DER

DEUTSCHEN

CHEMISCHEN GESELLSCHAFT.

REDACTEUR: FERD. TIEMANN.
STELLVERTRETENDER REDACTEUR: F. v. DECHEND.

NEUNZEHNTER JAHRGANG.

JULI—DECEMBER.

BERLIN.
EIGENTHUM DER DEUTSCHEN CHEMISCHEN GESELLSCHAFT
COMMISSIONSVERLAG von R. FRIEDLÄNDER & SOHN
NW. CARLSTRASSE 11
1886.

Titelseite der Berichte der deutschen chemischen Gesellschaft, *Juli-Dez., 1886*

K. Süffig und F. F. Stark:
Die Synthese° des Kognaks°

Gärung *fermentation*

in dieser Richtung *with this aim*

Konsumenten *consumers*

genossen *imbibed*

Die Synthese eines durch natürliche Gärung erzeugten Getränkes ist bisher noch immer nicht gelungen, und die in dieser Richtung angestellten Versuche haben bis jetzt stets zu Produkten geführt, welche von den Konsumenten nur ungern genossen wurden und in ihrer physiologischen Wirkung von den natürlichen erheblich verschieden sind.

Auch ist meist ein erheblicher Unterschied des Molekulargewichts zwischen den künstlich dargestellten und den natürlich gewonnenen Produkten zu erkennen.

122

Titelseite der Parodie

Während z. B. für den natürlichen Kognak, je nach dem Alter desselben, 10-15 Mark pro Liter gezahlt werden, besitzt der aus Kartoffelsprit, Wasser und Essenzen° dargestellte, sogenannte synthetische Kognak einen so niedrigen Preis, daß er selbst in Bahnhofsrestaurationen zu 0.20 Mark pro 15 ccm verkauft werden kann.

Aus dieser Tatsache erhellt zur Genüge, daß beide Körper nicht identisch° sein können.

Der Eine von uns machte die weittragende Beobachtung, daß sich der natürliche Kognak, wenn man ihn in einem Destillationsapparat° auf 90-95° C. erhitzt, i n einen bei dieser Temperatur flüchtigen

pro *per* — pay

Kartoffelsprit *potato spirits*

Bahnhofsrestaurationen *railroad restaurants*

erhellt zur Genüge *it is sufficiently clear*

Far reaching

volatile

123

und in einen bei dieser Temperatur nichtflüchtigen Anteil spaltet. Der erste Schritt zur Synthese des Kognaks wäre getan, wenn es gelänge, denselben aus den obigen Spaltungsprodukten künstlich wieder herzustellen. Nach vielfachen vergeblichen Versuchen fanden wir zwei Methoden, welche uns zum gewünschten Ziele führten. Die erstere bestand darin, daß wir das Gemisch beider Körper etwa eine Stunde im geschlossenen Rohr auf 100° erhitzten, die zweite gestattete, die Reaktion in der Kälte zu vollziehen. Man ließ das Gemisch einige Monate in einer wohl verschlossenen Flasche in einem kühlen Keller lagern. Die in beiden Fällen erhaltenen Produkte erwiesen sich chemisch als in jeder Hinsicht mit dem natürlichen Kognak identisch.

Hr. Professor D e l i r i u s hatte die Güte, unter günstiger Mitwirkung seiner Assistenten° Dr. V o l l und Dr. F u s e l i u s mit dem künstlichen Kognak physiologische Versuche anzustellen, welche auch in dieser Hinsicht eine völlige Übereinstimmung mit dem natürlichen Produkt ergaben. Wir verdanken Hrn. Prof. D e l i r i u s darüber folgende Mitteilungen:

100 ccm erzeugten bei einem ausgewachsenen Manne (stud. med. X) einen auffallenden Grad von Heiterkeit, nach weiteren 100 ccm trat üble Laune ein, welche sich darin Luft machte, daß das Objekt dem Experimentator° einige Biergläser an den Kopf warf. Weitere 100 ccm erzeugten einen tiefen andauernden Schlaf, welchem anderen Tages ein unbehagliches Gefühl in der Magengegend sowie Schmerzen in den Haarwurzeln folgten. Der natürliche Kognak erzeugte unter denselben Bedingungen genau dieselben Symptome°.

Zu einer vollständigen Synthese des Kognaks bleibt nun nur noch eine künstliche Darstellung der obigen Spaltungsprodukte übrig. In letzter Zeit nun hat der Andere von uns die wichtige Beobachtung gemacht, daß der oberhalb 95° siedende Anteil des Kognaks Wasser ist. Wirklich gelang eine Kognaksynthese ebenfalls, als wir die flüchtigeren Anteile mit Wasser mischten, und das Gemisch in obiger Weise behandelten. Da nun das Wasser bereits seit langer Zeit in die Reihe der synthetisch darstellbaren Substanzen gehört, so bleibt hier nur noch die

5

10

15

20

25

30

35

40

Spaltungsprodukten *products of degradation*

stud. med. X *Mr. X, student of medicine*
sich darin Luft machte, daß das Objekt ... warf *was relieved by the subject's throwing*

der Andere *the second (i.e. "Stark")*

in die Reihe ... gehört *is ranked among*

124

künstliche Darstellung des flüchtigeren Anteils übrig, um
die Kognaksynthese zu einer vollständigen zu machen.
Wir sind gegenwärtig mit der Lösung dieser Aufgabe beschäftigt.

5   L e i k , Universitäts-Laboratorium°.

M. Quieccolini:
Über das Spinatin, ein neues Alkaloid

Seit längerer Zeit war es mir aufgefallen, daß nach
dem Genuß von Spinat mit Spiegeleiern, namentlich in
Verbindung mit 1 — 2 Kalbskoteletten, ein eigentümliches
Wohlbehagen sich bemerkbar macht, welches der von
10 Kreatin und Kreatinin (in Form von Bouillon genossen)
erzeugten Wirkung ähnlich, aber nachhaltiger und inten-
siver ist. Es erschien mir wahrscheinlich, daß diese Wirkung
auf ein eigentümliches Alkaloid zurückzuführen ist, und
ich unternahm daher die Isolierung° dieses interessanten
15 Körpers. Nur mit Beihilfe der Verwaltung des Albergo
imperiale, welche mir in liebenswürdiger Weise ihre aus-
gedehnten Einrichtungen zur Gemüseverarbeitung zur
Benutzung überließ, ist es mir gelungen, meine Aufgabe zu
lösen.

20   5000 kg Spinat wurden fein gehackt und mit Wasser
zu Brei gekocht, welcher nun mit frisch° gelöschtem Kalk
zusammengerieben wurde. Der entstandene Brei wurde in
gläsernen Scheidetrichtern mit Äther ausgeschüttelt; von
der ätherischen Lösung wurde der Äther abdestilliert, der
25 Rückstand wurde in verdünnter Salzsäure aufgenommen
und mit phosphormolybdänsaurem Natron gefällt. Aus
dem erhaltenen Niederschlag wurde in bekannter Weise
das Alkaloid isoliert. So erhielt ich 0,03 g eines wohl-
charakterisierten° Körpers, welcher als glasartig durch-
30 sichtige, halbflüssige Masse das Gefäß überzog. Leider
reichte die erhaltene Menge nicht zur genaueren Untersuchung. Es wurde indes konstatiert, daß das neue Alkaloid
irgend welche Farben-Reaktionen nicht liefert. Mit 0,01 g
wurde nach der kürzlich von V. M e y e r und P.

Spinatin *"spinatin,"* an imag-
   inary compound

Spinat *spinach*
Kalbskoteletten *veal cutlets,*
   chops

Kreatin *creatine*
Kreatinin *creatinine*
nachhaltiger *more lasting*

Beihilfe *aid*
Albergo imperiale *Imperial*
   Hotel (Italian)
Gemüseverarbeitung *prepara-*
   tion of vegetables

gehackt *chopped*
Brei *pulp*
gelöschtem Kalk *slaked lime*

Scheidetrichtern *separatory*
   funnels
ausgeschüttelt *extracted*
abdestilliert *distilled off*
Rückstand *residue*
Salzsäure *hydrochloric acid*
phosphormolybdänsaurem
   Natron *sodium phosphomo-*
   lybdenate
Niederschlag *precipitate*
Gefäß *vessel*

konstatiert *determined*

125

carry out

Elementaranalyse *elementary analysis*

salzsaure *hydrochloric*

highly esteemed
veal cutlets

versetzt *treated*

consume
arise
intensify
discomfort
occur
serious — temporary

Brechreiz *nausea*

Vergiftungserscheinungen *symptoms of poisoning*

stimulate
continue

dell'Università *of the university (Italian)*

disadvantage — customary
generally
emphasize

Fachgenossen *professional colleagues*

nachstehend *below*

use — bend — immerse

gas main

Schenkel *arm, side*

by means of

Kautschukschlauches *rubber tube*

notieren (inf.) *to note*

reading

Jannasch beschriebenen Methode eine Elementar-analyse ausgeführt, welche die Formel°

$$C_{187}H_{231}N_{11}O_{17} + \tfrac{1}{17} H_2O$$

ergeben hat.

Das salzsaure Salz°, $C_{187}H_{231}N_{11}O_{17} \cdot HCl +$ 5 $\tfrac{1}{17} H_2O$, ist der freien Base° im äußern ganz ähnlich.

Mein hochverehrter Kollege°, Herr Prof. F r e s s - c a t i , hat die physiologische Untersuchung des neuen Alkaloids mit vielem Erfolge durchgeführt. Zwei Kalbs-koteletten wurden mit 0,0007 g salzsauren Spinatins ver- 10 setzt und vom Kollegen F r e s s c a t i verspeist. Es stellte sich ein entschiedenes Wohlbehagen ein, welches sich bei dem Genuß noch einer Kotelette mit 0,00035 g salzsauren Spinatins noch etwas steigerte. Nach dem Genuß der 7. Kotelette stellte sich Mißbehagen und nach der 10. traten 15 sogar Brechreiz und bedenkliche, aber vorübergehende Vergiftungserscheinungen ein.

Das Spinatin besitzt also, ebenso wie Kreatin, Kaffein° und Theobromin° in geringen Dosen° genommen, eine anregende Wirkung auf den menschlichen Körper, 20 während es in größeren Dosen als Gift wirkt.

Diese Untersuchung wird fortgesetzt.

S y r a k u s , Laboratorio physiologico dell' Università.

E. Schläuling:
Über einen einfachen Thermoregulator°

Die Nachteile der bisher üblichen Thermoregulatoren 25 sind allseitig bekannt, so daß es unnötig ist, dieselben hier nochmals hervorzuheben. Ich hoffe mir daher den Dank der Fachgenossen zu verdienen, wenn ich nachstehend einen Apparat beschreibe, dessen ich mich seit Jahren mit Erfolg bediene. Derselbe besteht aus einem U-förmig° 30 gebogenen Glasrohr, welches in das zu erhitzende Ölbad eintaucht. Der eine Schenkel desselben ist mit der Gas-leitung, der andere mit einem guten Brenner mittelst Kautschukschlauches verbunden. Notiert man nun von Viertelstunde zu Viertelstunde den Stand des in das Ölbad 35

126

eintauchenden Thermometers, so gelingt es, durch passende Regulierung° des Gashahnes die Temperatur innerhalb derjenigen Grenzen zu erhalten, welche für den Versuch erforderlich sind.

suitable gas cock necessary

E. Schläuling: *Vorlesungsversuch*

experiment for the lecture

5 Bekanntlich gelingt es, die blaue Farbe größerer Wasserschichten derart nachzuweisen, daß man ein 50 m langes, an beiden Enden mit planparallelen Platten verschlossenes Glasrohr mit Wasser füllt und dann durch dasselbe hindurchsieht.

as is well known thus—establish

planparallelen *plano-parallel*

to the extent that considerable

10 Dieser Versuch ist insofern verbesserungsfähig, als die bedeutende Länge des zu demselben nötigen Rohres den Apparat unhandlich macht. In meinem Auditorium sind z. B. die Zuhörer genötigt, beim Betreten des Saales über den sorgfältig vorbereiteten Apparat wegzuspringen, 15 wenn sie zu ihren Sitzen gelangen wollen. Auch gibt es Studierende°, welche die blaue Farbe der Wasserschicht erst nach längerem Zureden zu erkennen vermögen.

unhandlich *awkward*

compel—enter—room careful—studying (students)

Alle diese Übelstände werden vollkommen vermieden, wenn man dem zu untersuchenden Wasser vor Beginn der 20 Vorlesung eine Lösung von Methylenblau in passender Menge zusetzt. Bei Benutzung dieses Kunstgriffes kann man auch die Länge des Apparates wesentlich reduzieren°, ja es ist mir gelungen, selbst in einfachen Reagensröhrchen den gesuchten Farbenton in überraschend deutlicher Weise 25 zu zeigen. Ich kann daher diese Form des Vorlesungsversuches allen Fachgenossen bestens empfehlen. W o l k e n k u c k u c k s h e i m, Universitätslaboratorium°.

längerem Zureden *considerable urging* *avoid*
Übelstände *drawbacks* *suitable—add*
Methylenblau *methylene blue* *use*
Kunstgriffes *device* *substantially*

Reagensröhrchen *test tubes* *surprising* *show* *professional colleagues* *very much recommend*

in the clouds

F. W. Findig: *Zur Konstitution des Benzols*
(*Eingegangen am 31. Juni; mitgeteilt in der Sitzung*)

composition

Benzols *benzene*

eingegangen *received*

Die Frage nach der Konstitution des Benzols beschäftigt seit geraumer Zeit die größten lebenden Chemiker. 30 Unter diesen Umständen kann ich nicht umhin, mich ebenfalls an der Diskussion dieses Problems zu beteiligen.

geraumer *considerable*
kann ich nicht umhin *I can't resist*
participate

127

reported in the meeting

define - mutual
look
start
welcome
capable behavior
comprehend

Es ist klar, daß die Gesichtspunkte, von denen aus man bisher die Konstitution des Benzols betrachtet hat, kurzsichtige und ungenügende waren. Ich habe nach neuen gesucht und bin von dem Prinzip° ausgegangen, daß die Wissenschaften dazu bestimmt sind, sich gegenseitig auszuhelfen. Ich habe gefunden, daß die Zoologie die willkommensten Hilfsmittel für das Verständnis des Verhaltens der Kohlenstoffatome liefert. Ich werde versuchen, dies dem Leser klar zu machen, obgleich ich daran zweifle, daß er imstande ist, es zu begreifen. 10

Wie das Kohlenstoffatom 4 Affinitäten° besitzt, so besitzen die Angehörigen der Familie der Vierhänder vier Hände, mit denen sie andere Gegenstände ergreifen und sich an dieselben anklammern können. Denkt man sich nun eine Gruppe von sechs Angehörigen dieser Familie, 15 z. B. Macacus cynocephalus, welche unter sich einen Ring bilden, indem sie sich abwechselnd je zwei und eine Hand reichen, so erhält man ein höchst vollkommenes Analogon° des Kekulé'schen Benzolsechsecks:

members - objects
size

Vierhänder *quadrumana*

sich ... anklammern *cling to*

Macacus cynocephalus *species of monkey*
alternate — obtain

Kekulé'schen Benzolsechsecks
Kekulé's benzene hexagon

reichen, so erhält man ein höchst vollkommenes Analogon des Kekulé'schen Benzolsechsecks:
Fig. 1.

real

Greifwerkzeug *instrument for seizing*
zieht man diesen mit in Betracht *if one considers this also*

draw

Nun aber besitzt der genannte Macacus cynocephalus 20 außer seinen eigentlichen vier Händen noch ein fünftes Greifwerkzeug in Form eines kaudalen° Appendix. Zieht man diesen mit in Betracht, dann gelingt es, die 6 Individuen° des gezeichneten Ringes auch noch in anderer

128

Weise miteinander zu verbinden. So entsteht das nachfolgende Bild:

Fig. 2.

Es erscheint mir nun höchst wahrscheinlich, dass die Analogie
zwischen Macacus cynocephalus und dem Kohlenstoffatom eine voll-

Es erscheint mir nun höchst wahrscheinlich, daß die
Analogie zwischen Macacus cynocephalus und dem
5 Kohlenstoffatom eine vollkommene ist. In diesem Falle
besitzt jedes C-Atom ebenfalls einen kaudalen Appendix,
welcher zwar nicht zu den normalen Affinitäten gezählt
werden kann, trotzdem aber zum Greifen geeignet ist.
Sobald nun dieser Appendix, den ich als „kaudale Residual-
10 Affinität"° bezeichne, ins Spiel kommt, entsteht eine zweite
Form des Kekulé'schen Sechsecks, welche von der ersten
offenbar verschieden ist und sich von ihr verschieden verhalten muß.

Je nach der Lage nun, in der sich ein Benzolring
15 jeweilig befindet, wird er die eine oder die andere dieser
beiden Formen annehmen und dementsprechend eine
stetig wechselnde Konstitution besitzen.

Es liegt hier ein frappanter Fall von Tautomerie vor,
wie es schöner gar nicht gedacht werden kann. [Die
20 Hypothese°, daß ein Molekül, je nach dem Bedürfnis des
mit demselben experimentierenden Chemikers, seine Konstitution zu wechseln und aufs Bequemste einzurichten
vermag, gehört zu den großartigsten Errungenschaften des

129

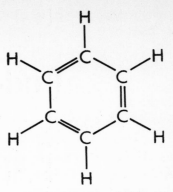

Das Kekulé'sche Benzolsechseck **Moderner Benzolring**

apply-shine

Leitstern *guiding star*

kritisch° forschenden menschlichen Geistes;) diese Errungenschaft, auf die Benzoltheorie angewandt, erscheint als glänzender Leitstern zukünftiger Forschung!

Schnurrenburg - Mixpickel, Privatlaboratorium°. Im Mai 1886.

5

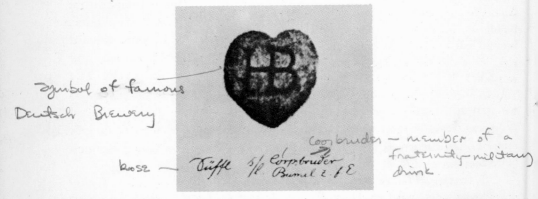

symbol of famous Deutsch Brewery

rose —

Coorbruder — member of a fraternity — military drink

Röntgen-Karikatur aus dem Witzblatt Fliegende Blätter, **26. Mai 1896**

Humor magazine

10

Rudolf Diesel

Today the word "diesel" has become so familiar that most of us are not even aware that it is the name of a German engineer, Rudolf Diesel (1858–1913), who in 1892 made a radical improvement of the internal combustion engine. An ordinary gasoline engine is powered by the ignition of gasoline vapor by a spark, and it runs at a maximum efficiency of about 20 percent. Diesel had the idea of compressing the mixture of fuel and air in the cylinder until it became so hot that it would explode by itself, thus not requiring any spark plugs for ignition.

In a detailed treatise published in 1893, from which the following selections are taken, Diesel describes how in his engine air is sucked into the cylinder and then compressed (commonly to about $\frac{1}{18}$ of its normal volume), with the result that the temperature rises to about 1000° Fahrenheit. Fuel then enters the cylinder, and burns on contact with the hot air, from which point onward the burning gases expand, keeping a constant temperature, and producing useful energy throughout the rest of the cycle. The efficiency of the diesel engine may be as high as 40 percent, and in addition it does not need expensive high-octane gasoline. Diesel suggests the use of pulverized coal, crude petroleum, or a gas. Today diesel engines chiefly use a crude form of oil which is much less expensive than gasoline.

Diesel engines have, of course, found widespread use in heavy industry, and for locomotives and marine engines, as predicted in the inventor's treatise. Time has shown certain of his claims to be over-enthusiastic, however. It has not been possible to produce an engine as convenient and light as he claimed, although in recent years diesel engines have been developed for trucks and automobiles. Though diesel locomotives are rapidly replacing steam and electric engines, Diesel's sketch of a "railroad of the future" has not, up to now, been more than a plan on paper.

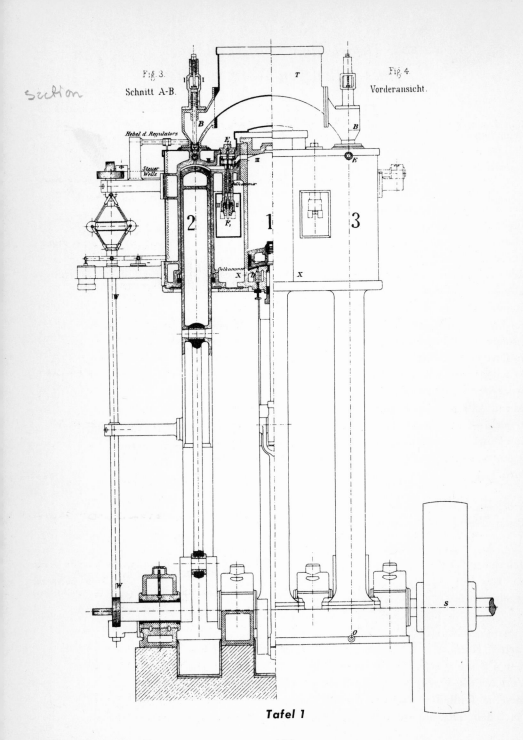

section

Fig. 3   Fig. 4
Schnitt A-B.   Vorderansicht.

Tafel 1

132

Theorie und Konstruktion
eines rationellen Wärmemotors

Zum Ersatz der Dampfmaschinen und der heute bekannten Verbrennungsmotoren von Rudolf Diesel, Ingenieur, Berlin, 1893.

Einleitende Bemerkungen

In der vorliegenden Schrift ist eine neue Theorie der Verbrennung entwickelt und aus derselben sind die Bedingungen abgeleitet, nach welchen eine Verbrennung zu leiten ist, um einen möglichst hohen Arbeitsgewinn aus der
5 Verbrennungswärme zu erzielen. Endlich ist in einigen Konstruktionen angegeben, auf welche Weise die abgeleiteten theoretischen Sätze zur Herstellung eines praktischen Motors führen. — Dieser neue Motor hat eine gewisse Ähnlichkeit mit Feuerluft- oder Gasmotoren,
10 insofern ein Verbrennungsprozeß im Arbeitszylinder stattfindet. Diese Ähnlichkeit ist jedoch nur scheinbar, denn das Arbeitsprinzip°, bzw. die Leitung des Verbrennungsprozesses in demselben weicht von den bekannten Verfahren vollkommen ab; die Theorie wird zeigen, daß sowohl
15 Feuerluft- als Gasmotoren prinzipiell falsch arbeiten, und daß keine Verbesserung an denselben günstigere Resultate° ergeben kann, solange deren Arbeitsprinzip beibehalten wird.

Konstruktion des vollkommenen Motors
Beschreibung der Konstruktion

20 Aus der Gesamtheit obiger Betrachtungen entwickelte sich der auf Tafel 1 konstruktiv dargestellte Motor, welcher für 100 ind. Pferde berechnet und im Maßstabe 1:20 gezeichnet ist.

Die Maschine besteht aus 3 Zylindern, davon ist 1 der Expansionszylinder°; 2 und 3 sind zwei vollkommen iden-
25 tische° Kompressionszylinder, oder besser V e r b r e n n u n g s z y l i n d e r (weil darin als wichtigster Vorgang die Verbrennung stattfindet), welche abwechselnd dieselbe Funktion ausüben, so daß der große Zylinder 1 bei jedem Hub einen Arbeitsgang hat. Die Kurbeln von

Marginal glossary:

rationellen Wärmemotors *rational heat engine*
Ingenieur *engineer*

Arbeitsgewinn *power output*

Konstruktionen *designs*
abgeleiteten *derived*

Feuerluft- *hot air*

prinzipiell *fundamentally*

konstruktiv dargestellte *drawn*
ind. Pferde *indicated horsepower*
1:20 (*diagram on page 132 is slightly reduced*)

Hub *forward stroke*
Arbeitsgang *working stroke*
Kurbeln *cranks*

133

gleich *in like positions*
versetzt *placed*
Schwungrad *flywheel*
Arbeitsweise *manner of performance*

Luftquantum pro Hub *quantity of air per stroke*

originally – draw

manner of performance

Kolben *piston*

block off

Gang *stroke*

gradually spritzt *sprays*
Vorrichtung *mechanism*
Kohlenstaub *coal dust*
simultaneous
Rückgang *return*

burn up
isothermisch *isothermally*
Einführungsvorrichtung *injecting mechanism*
jeweils *each time*
take care of – enter
inject – prescribe

Kohlenzufuhr *supply of coal*
adiabatisch *adiabatically*

denoting a change in volume without a loss in heat

gußeisernen Hohlgestell *cast-iron tank*

---

2 und 3 stehen gleich; diejenige des Zylinders 1 ist gegen jene um genau 180° versetzt. — S ist das Schwungrad. Das Volumen° des Zylinders 1 ist V, das der Zylinder 2 und 3 ist V_2. Die Arbeitsweise der einzelnen Zylinder ist im folgenden beschrieben, wobei man nützlich das Diagramm Tafel 2, Seite 135 vor Augen hält, welches ohne weiteres für das Luftquantum pro Hub gilt, wenn man sich den Maßstab der Volumina° entsprechend verändert denkt (weil dieses Diagramm ursprünglich für 1 kg Luft aufgezeichnet wurde).

Das Arbeitsverfahren

1. Kolben 1 geht aufwärts und treibt die Verbrennungsluft des vorigen Hubes in die Atmosphäre; unter sich saugt er dabei frische Luft aus der Atmosphäre an. Zylinder 1 ist also oben Arbeitszylinder und unten Luftpumpe. — Kolben 2 geht dabei abwärts; in der obersten Stellung sperrte dieser Kolben vom vorigen Gang her gerade das Volumen V_1 Luft ab, bei 250 Atmosphären Spannung und 800° C.; während des Abwärtsganges spritzt eine besondere Vorrichtung Kohlenstaub (oder Petroleum oder Gas) allmählich in den Raum über Kolben 2 und zwar kontinuierlich° unter gleichzeitigem Rückgang des Kolbens, bis dieser das Volumen V_{1S} (vgl. Diagramm) absperrt. Die Kohle° verbrennt isothermisch, wofür die Einführungsvorrichtung zu sorgen hat, in der Weise, daß das jeweils einfallende Kohlenquantum° dem jeweils isothermisch vorgeschriebenen Volumen entspricht. Beim Volumen V_{1S} muß das ganze pro Hub nötige Kohlenquantum eingespritzt, bzw. verbrannt sein. Dann wird die Kohlenzufuhr abgesperrt und die Luft expandiert adiabatisch bis zum Volumen V_2, welches der unteren Kolbenstellung entspricht (weil Zylinder 2 dieses Volumen V_2 hat). Druck und Temperatur der Luft sind in diesem Moment:

p′ 43 826   4,38 Atmosphären
t′ 223° C.

Kolben 3 ist während dieser Zeit auch abwärts gegangen und hat dabei aus einem Luftreservoir (dem gußeisernen

134

vergleiche – compare

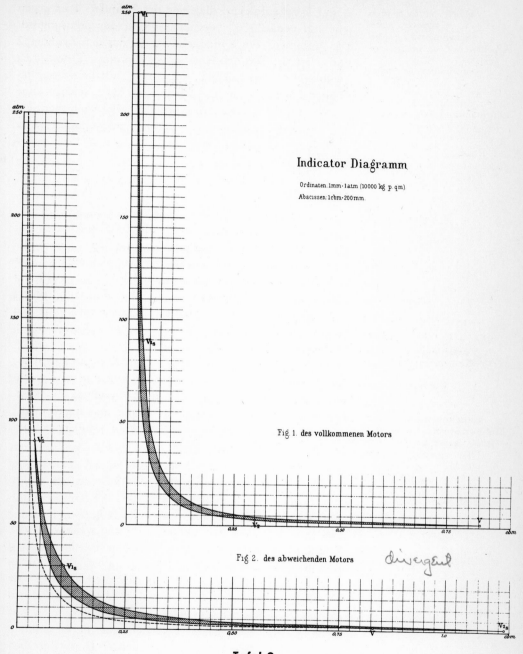

Indicator Diagramm

Ordinaten 1mm·1atm (10000 kg p.qm)
Abscissen:1cbm·200mm.

Fig 1. des vollkommenen Motors

Fig 2. des abweichenden Motors   divergent

Tafel 2

135

Hohlgestell der Maschine) ein Luftvolumen V_2 unter Druck p_2 (2,88 Atmosphären) und Temperatur T (20° C.) angesaugt, denn V_2 ist ja auch das Volumen dieses Zylinders. — In dieses Reservoir ist die Luft komprimiert worden durch den vorhergehenden Abwärtsgang von Kolben 1, und zwar unterhalb dieses letzteren und unter Einspritzung von Wasser, also isothermisch; der Enddruck dieser isothermischen Kompression wird durch die Steuerung nach Vorschrift reguliert (2,88 Atmosphären).

2. Kolben 1 geht abwärts. Dabei wird durch die Steuerung die Kommunikation zwischen Zylinder 2 und 1 eröffnet; die Luft, welche vorher in 2 adiabatisch bis V_2 expandiert hatte, expandiert nun weiter in Zylinder 1, wobei Kolben 2 aufwärts geht. Am Ende des Hubes hat die Luft den vorgeschriebenen Zustand VpT, da ja die Luft nunmehr ganz (bis auf das geringe Volumen V_1) im Zylinder 1 sich befindet, dessen Volumen V ist. — Während dieser Zeit geht Kolben 3 auch aufwärts und komprimiert die vorher isothermisch gepreßte Luft nunmehr adiabatisch weiter vom Volumen V_2 auf V_1, da ja das die Endvolumina in diesem Zylinder sind.

Beim nächsten Aufwärtsgang des Kolbens 1 sind die Funktionen von 2 und 3 umgekehrt; in 3 findet Verbrennung und Expansion statt und in 2 Ansaugen von komprimierter Luft aus dem Gestellreservoir. Kommt Kolben 1 oben an, so kann er sofort wieder arbeiten, indem er Verbrennungsluft aus 3 entnimmt.

Anwendungen des Motors
Die Vorteile

dieses Motors sind augenfällig; durch den Wegfall der Kessel, Schornsteine, offenen Feuerungen, durch seine Kleinheit und Einfachheit ist derselbe allem Bestehenden gegenüber derart im Vorteil, daß dies allein einen Ersatz der bestehenden Motoren durch den neuen rechtfertigen würde. Dazu kommt die Brennmaterialersparnis, welche nicht nur für den einzelnen, sondern für die Gesamtheit von so hoher Bedeutung ist, daß ihr der Hauptwert beizumessen wäre, selbst wenn der Motor komplizierter° ausfiele als die bekannten.

Marginal glossary:

beneath

komprimiert *compressed*
Einspritzung *injection*
Steuerung *regulator*

specification

proscribed — condition
Volume pressure & temp
nunmehr *now*

gepreßte *compressed*

Gestellreservoir *reservoir*

conclude

augenfällig *obvious*
Kessel *boilers*
Feuerungen *fire-boxes*

Brennmaterialersparnis *saving in fuel*

beimessen (inf.) *to attribute*

136

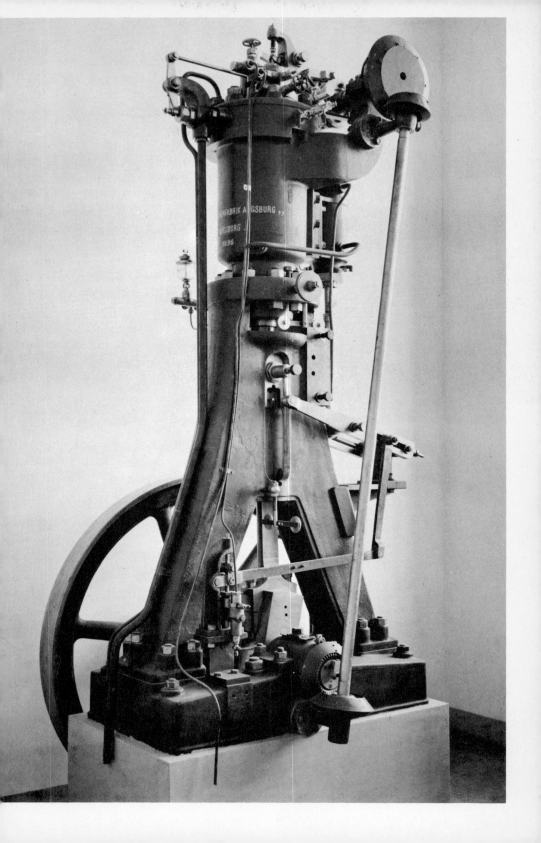

Modell des Dieselmotors bei M.A.N. (Maschinenfabrik Augsburg-Nürnberg).
Rudolf Diesel in der Mitte

Neben obigen Punkten sind noch besonders hervorzuheben: die Unabhängigkeit des neuen Motors von einer

Zentralen *central station*
Zentralen (Gas-, Wasser-, Elektrizitätswerke etc.), seine

Aufstellbarkeit *ease of instal-lation*
unbeschränkte Aufstellbarkeit, seine Transportfähigkeit,
seine geringen Dimensionen. Alle diese Eigenschaften lassen 5

Umwälzungen *revolutions*
den neuen Motor berufen erscheinen, wesentliche Umwäl-

Technik *industry*
zungen in der Technik herbeizuführen, wovon einige hier
kurz berührt werden mögen.

Großindustrie *large-scale in-dustry*
1. Maschinen für die Großindustrie

zufügen (inf.) *to add*
Es ist hier dem bereits gesagten nichts zuzufügen, da die 10

Abschaffung *elimination*
Vorteile der Brennmaterialersparnis und der Abschaffung
von Kesseln, Schornsteinen und offenen Feuerungen ohne
weiteres übersehbar sind.

138

2. Maschinen für die Kleinindustrie

Der neue Motor wird für kleine Kräfte ungemein klein und leicht; für die ganz kleinen Leistungen wird er in seiner Leichtigkeit und Transportfähigkeit fast den Nähmaschinen
5 vergleichbar; da er überdies einfach ist und nicht mehr Wartung und Verständnis erfordert als Elektro- und Gasmotoren, so ist nicht ausgeschlossen, daß der neue Motor der Entwicklung der Zentralen für Kraftverteilung entgegentrete.
10   Und darin liegt ein großer Vorteil. Es ist zweifellos besser, die Kleinindustrie möglichst zu dezentralisieren, sie auf die Umgebung der Städte, selbst auf das Land zu verweisen, statt dieselbe in großen Städten, möglichst kompakt zusammengepfercht, ohne Luft, Licht und Raum, zu
15 zentralisieren°.
    Dieses Ziel kann aber nur eine unabhängige, einfach zu bedienende Maschine, wie die vorgeschlagene, erreichen. — Zweifellos kann durch den neuen Motor der Kleinindustrie eine gesundere Entwicklung gegeben werden, als
20 die bisher angestrebte, welche wirtschaftlich, politisch, humanitär° und hygienisch falsch ist.

3. Lokomotiven

    Hier ist vor allem wichtig, daß der neue Motor im offenen Zustande keines Wassers bedarf, im geschlossenen
25 Zustande nur ganz minimaler Wassermengen, deren Transport gar nicht in Betracht kommt.
    Wie einfach aber eine Lokomotive wird, wenn Kessel und Tender wegfallen und die Brennstoffmenge auf Bruchteile der heute nötigen Quantitäten reduziert wird,
30 ist leicht zu übersehen. Deshalb wird der neue Motor auf das Transportwesen eine ähnliche Dezentralisation ausüben können wie auf die Kleinindustrie.
    Wir haben heute lange Eisenbahnzüge, nur um die schweren Lokomotiven auszunutzen, weil dieselben nicht
35 anders gebaut werden können. In einem Zuge sind deshalb die verschiedenartigsten Zwecke vereinigt, jede Person, jedes Gut hat einen andern Zweck, eine andere Bestim-

---

kleine Kräfte   *low power*

Wartung   *attention*

Kraftverteilung   *distribution of power*
entgegentreten (inf.)   *to compete with, work against*

verweisen (inf.)   *to relegate*

zusammengepfercht *packed together*

im offenen Zustande   *unenclosed*

Bruchteile   *fractions*

Transportwesen   *transport system(s)*

139

mung, und doch ist alles vereinigt. Die Güterexpedition ist so ungemein langsam wegen des Bedürfnisses, ganze Wagen oder ganze Züge von Waren zu sammeln, um die Lokomotiven auszunutzen.

Das umgekehrte ist richtig. Auf den Bahnen muß gleichsam jeder einzelne Wagen einem besonderen Zweck dienen und sich unabhängig von anderen Bedürfnissen als seinen eigenen bewegen können. Deshalb würde ein richtiges Eisenbahnwesen wie folgt sich gestalten müssen.

Jeder einzelne Eisenbahnwagen wird mit seinem eigenen Motor versehen (was mit der vorgeschlagenen Maschine leicht durchführbar). Personen, Güter, Postwagen, etc. verkehren alle mit g l e i c h e r Ge - s c h w i n d i g k e i t .

Die Bahn besteht aus zwei Schienensträngen, Textfig. 3, wovon I nur in der einen Richtung, II nur in der anderen Richtung befahren wird. Beide Stränge haben an keiner Stelle der Bahn, wie lang sie auch sein mag, irgend eine Kommunikation unter sich. Zusammenstöße sind also unmöglich.

An der Station ist eine Weiche W, welche zu einem Seitengeleise führt. Diese Weiche wird vom Führerstand der Maschine aus eingestellt und tritt nach Einfahrt des Wagens automatisch zurück. Hat der Führer das Einstellen der Weiche versäumt, so muß er mit konstanter Geschwindigkeit bis zur nächsten Station

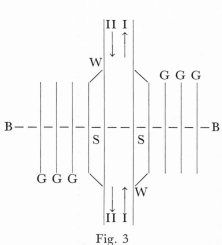

Fig. 3

weiterfahren und dort auf dem anderen Geleise zurückkehren, denn auf dem Schienenstrang selbst darf unter keinen Umständen angehalten werden.

Durch das Eintreten in die Weiche W tritt automa-

140

tische Bremsung des Wagens ein (durch eine am Bahnkörper angebrachte, vom Maschinisten unabhängige Vorrichtung), so daß der Wagen ganz von selbst in der Gegend
S stehen bleibt; hier tritt er auf eine Brücke (B), auf welcher
5 er hydraulisch, hoch über den Hauptgeleisen, oder unter
denselben weg, in einem Tunnel, auf eines der Nebengeleise
GGG gebracht wird, wo Aussteigen, Abladen, etc. stattfindet. Zur Rückfahrt bringt dieselbe hydraulische Vorrichtung die Wagen auf das gegenüberliegende Weichen-
10 geleise, von wo aus der Wagen auf dem anderen Schienenstrang zurückfährt.

Es wurde schon erwähnt, daß alle Wagen mit gleicher
Geschwindigkeit hintereinander fahren. Damit nie ein
Hinterwagen in den Vorderwagen fährt, müssen die
15 Schienen (oder eine seitliche Drahtleitung) elektrische
Verbindung der Wagen herstellen und zwar so, daß bei
Annäherung der Wagen über das zulässige Maß wiederum
automatisch (durch Elektrizität) eine Bremse in Tätigkeit
tritt, bis die Distanz wieder hergestellt ist.

20 Auf diese Weise können nie Unglücksfälle entstehen.

Jeder Wagen fährt ohne Unterbrechung und ohne
Station zu machen direkt an sein Ziel. Güter werden ebenso
schnell befördert wie Menschen; Post-, Güter- und Men-
schenverkehr sind gänzlich voneinandergetrennt. Der
25 Großverkehr bekommt Ähnlichkeit mit dem Tramwayverkehr der Städte. Die Bahnen werden viel leistungsfähiger.

Es braucht nicht hervorgehoben zu werden, daß zur
richtigen Durchführung des Systems Abzweigungen und
30 Kreuzungen nur in den Stationen stattfinden dürfen.

4. Straßenbahnen, Fuhrwerk

Es leuchtet ein, wie ungemein verwertbar für diese
Zwecke der neue Motor ist, der keine Feuerung, keine
Kessel, keinen Rauch zeigt, und nur geringer Kohlen-
35 vorräte und gar keines Wassers bedarf. Es scheint auch hier
eine erfolgreiche Konkurrenz mit dem elektrischen Betriebe
möglich. — Der Motor läßt sich fast ohne Änderung an
die bestehenden Pferdebahnwagen anbringen; ja auch an
anderem Fuhrwerk ist er leicht anbringbar.

Bremsung *braking*
Bahnkörper *right of way*
Maschinisten *operator*
Vorrichtung *device*

Hauptgeleisen *main tracks*
Nebengeleise *side tracks*
abladen (inf.) *to unload*

Weichengeleise *switch-track*

Schienen *rails*
seitliche Drahtleitung *wire conductor parallel to the rails*

Bremse *brake*

Station machen (inf.) *to make a stop*

Großverkehr *long distance traffic*
Tramwayverkehr *street car traffic*
leistungsfähiger *more efficient*
hervorgehoben *emphasized*
Abzweigungen *branches*

Fuhrwerk *vehicles*

einleuchten (inf.) *to be evident*
verwertbar *useful*

Konkurrenz *competition*
Betriebe *operation*

anbringbar *adaptable*

141

Neue, rationelle Wärmekraftmaschine
v. Rudolf Diesel.
Ingenieur. Berlin.

Es sind heute 3 Arten von Motoren bekannt, welche Luft oder Verbrennungsgase, einzeln oder gemischt, als motorisches Medium verwenden, nämlich:

A. Feuerluftmaschinen.

B. Gasmotoren (bzw. Petroleum motoren).

C. Heißluftmaschinen.

§ A. Der Grundgedanke der Feuerluftmaschinen ist, in einem geschlossenen Feuerraum Verbrennungsluft unter Druck einzuführen, und die gebildeten Verbrennungsgase arbeits- verrichtend expandieren zu lassen. Da die Luft stets in Gegenwart von glühendem Brennstoff ist, so kommt gerade die zur Verbrennung absolut nothwendige Luftmenge zur Wirkung und die Verbrennungsgase enthalten keine oder nur geringe, zufällige, Überschüße an unverbrannter Luft. Die theoretische Luftmenge bei reiner Kohle ist rund 11,32 Kg. pro 1 Kg. Kohle, die Summe der Verbrennungsproducte also rund 12,32 kg. oder unbedeutend mehr. Da nun die Verbrennung von 1 Kg. Kohle rund 7800 Calorien entwickelt, und die spec. Wärme der Luft rund 0,25 beträgt, so entstehen bei dieser Art von Verbrennung Temperaturen von weit über 2000° C. Diese zwingen dazu, die Wände des Ofens und des Arbeitscylinders energisch zu kühlen, da sonst die Maschinen unhaltbar sind. In dieser Kühlung liegt der erste bedeutende Verlust an Wärme.

Erste Seite der Originalhandschrift der Theorie und Konstruktion eines rationellen Wärmemotors von Rudolf Diesel

5. Schiffsmaschinen

Die neuen gewaltigen Schiffsmaschinen nehmen $\frac{4}{8} - \frac{5}{8}$ des Schiffsraumes ein. Das Gewicht der Maschinen, Kessel und der Kohle beanspruchen den größten Teil der Tragfähigkeit des Schiffes. — Wie viel hier durch kleinere Maschinen, geringen Kohlenkonsum, Abschaffung der Kessel zu gewinnen ist, läßt sich kaum absehen. — Die Schiffe können trotz ebenso kräftiger Maschinen viel kleiner ausfallen und doch mehr nützliche Last tragen und schneller gehen.

Kohlenkonsum consumption of coal
Abschaffung elimination

Schlußbemerkungen

Auf das Unterscheidende des neuen Motors gegenüber den jetzt bekannten Wärmekraftmaschinen ist im Laufe dieser Schrift an mehreren Stellen hingewiesen worden; es bietet jedoch ein gewisses Interesse, gerade hierüber eine übersichtliche Zusammenstellung vor Augen zu führen. Wegen deren Wichtigkeit wiederholen wir die charakteristischen Merkmale des neuen Arbeitsverfahrens, wie sie sich aus der Verbrennungstheorie ergaben.

Wärmekraftmaschinen heat power engines

1. Herstellung der höchsten Temperatur des Prozesses (der Verbrennungstemperatur) nicht durch die Verbrennung und während derselben, sondern vor derselben und unabhängig von ihr, lediglich durch mechanische Kompression reiner Luft (bzw. einer Mischung von Luft mit indifferenten Gasen oder Dämpfen).

indifferenten inert

2. Allmähliche Einführung fein verteilten Brennstoffs in diese hoch komprimierte und dadurch hoch erhitzte Luft während eines Teiles des Kolbenrückganges in der Weise, daß durch den eigentlichen Verbrennungsprozeß keine Temperatursteigerung der Gasmasse° eintrete, daß also als Verbrennungskurve möglichst nahe eine Isotherme entstehe. Die Verbrennung darf also nach der Zündung nicht sich selbst überlassen bleiben, sondern es muß während ihres ganzen Verlaufes ein steuernder Einfluß von außen stattfinden, welcher das richtige Verhältnis zwischen Druck, Volumen und Temperatur herstellt.

Isotherme isotherm

steuernder regulating

3. Richtige Wahl des Luftgewichtes im Verhältnis zum Heizwert des Brennstoffes unter vorheriger Feststellung der Kompressionstemperatur (welche gleichzeitig Ver-

Heizwert fuel value

143

brennungstemperatur ist) derart, daß der praktische Gang der Maschine, die Schmierung etc. ohne künstliche Kühlung der Zylinderwände möglich ist.

Im folgenden wollen wir nun die bestehenden Wärmemotoren im Lichte obiger 3 Bedingungen unter- 5 suchen:

I. *Dampfmaschinen*

Die Ausnutzung des Brennstoffes in denselben ent-spricht keiner der genannten Bedingungen; alles an der hier üblichen Verbrennungsart ist unrichtig, sowohl die 10 Art der Wärmezufuhr bei steigender Temperatur erst an die Verbrennungsluft, dann an den Dampf, als die zur Verbrennung verwendete Luftmenge, etc. Dazu kommt der Verlust der offenen Feuerung durch Strahlung und Leitung, die Zugerzeugung durch einen Schornstein, wodurch von 15 vornherein 20-30% Wärme geopfert sind. — Es ist daher nur natürlich, daß diese Maschinen, selbst in ihrer voll-kommensten Form, nur 7-8% der ganzen Wärme effektiv in Arbeit verwandeln.

II. *Heißluftmaschinen* 20

Zunächst haben dieselben von vornherein den Verlust von 20 bis 30%, welchen jede offene Feuerung ergibt. — Dann ist es unmöglich, die erforderlichen Kompressionen in Zylindern herzustellen, welche von außen geheizt werden und oft der Rotglut nahe sind. Dann findet die Wärmezu- 25 fuhr infolge der auf die Zylinderwände beschränkten Heiz-fläche ungenügend und unrichtig statt, desgleichen die Wärmeabfuhr; endlich müssen die Organe künstlich ge-kühlt werden, um sich zu erhalten. Diese Art von Maschinen hat noch geringere Resultate° ergeben als die Dampf- 30 maschinen.

III. *Gas- und Petroleummotoren*

Es wurde schon nachgewiesen, daß bei Mischung von Brennstoff und Luft die Kompression des Gemisches nicht hoch getrieben werden kann, da unterwegs Zündung eintritt, 35 wodurch der nach der Theorie vorgeschriebene Kompres-

144

sionsgrad nicht erreicht werden kann; ferner findet infolge der Mischung die Verbrennung plötzlich statt; nach der Zündung ist die Verbrennung sich selbst überlassen, so daß die Volumen- und Druckverhältnisse unrichtig werden;

5 es findet immer durch die Verbrennung eine gewaltige Temperatursteigerung statt, welche zu energischer Kühlung der Zylinderwände zwingt. — Endlich hat die Mischung den Nachteil, daß man nicht entfernt die theoretisch vorgeschriebene Luftmenge anwenden kann, weil bei etwas

10 großen Luftmengen die Zündung des verdünnten Gemisches nicht mehr vor sich geht.

Auch bei den Gasmotoren ist daher die Verbrennung in allen Punkten unrichtig. Wenn daher die Gasmotoren bessere Resultate ergeben haben als die Dampfmaschinen

15 (bis zu 20% Wärmeausnutzung), so ist das nur im geringeren Grade einer besser geleiteten Verbrennung zuzuschreiben, der Hauptsache nach aber der Abwesenheit einer offenen Feuerung oder eines besonderen Ofens. Auch bei denjenigen Gasmotoren, welche das brennbare Gemisch

20 bis zur Selbstzündung komprimieren, ist die eigentliche Verbrennung sich selbst überlassen und bringt die enorme Temperatursteigerung mit sich, welche die Hauptquelle aller Verluste ist.

Auch solche Motoren, welche reine Luft komprimie-

25 ren und gegen Ende der Kompression plötzlich das Brennmaterial unter Zündung einspritzen, zeigen die Drucksteigerung verbunden mit bedeutender Temperatursteigerung, welche nach der Verbrennungstheorie zu vermeiden ist, und erzeugen also die Verbrennungstemperatur nicht

30 durch Kompression, sondern durch Verbrennung, sie widersprechen also den Bedingungen 1 und 2 von vornherein durch ihr Verfahren, und praktisch auch der Bedingung 3, weil sie Wasserkühlung haben.

Endlich gibt es noch eine Art von Gasmotoren, welche

35 das entzündliche Gemisch in ein besonderes Gefäß hineinkomprimieren, aus welchem es unter konstantem Druck in den Arbeitszylinder überströmt, indem es gleichzeitig über eine ständig brennende Zündvorrichtung streicht, also verbrennt, worauf es noch bis auf atmosphärischen Druck

40 expandiert. — Scheinbar bietet die so hervorgerufene allmähliche Verbrennung Ähnlichkeit mit Punkt 2 unserer

Gefäß   *container*

ständig   *constantly*
Zündvorrichtung   *ignition pilot*

Vorschriften, jedoch nur scheinbar, denn dieser Vorgang genügt weder der Bedingung 2, noch den anderen von uns aufgestellten Grundbedingungen einer rationellen Verbrennung. — Zunächst ist ein brennbares Gemisch vorhanden, wodurch, wie bereits mehrfach erwähnt, es unmöglich wird, die Verbrennungstemperatur der Hauptsache nach durch Kompression herzustellen, die Hauptbedingung ist daher nicht erfüllt und nicht erfüllbar. Ferner findet die Verbrennung, wenn auch nicht plötzlich, sondern allmählich, unter stark ansteigender Temperatur statt, wodurch Bedingung 2 unerfüllt bleibt; endlich sind auch hier die beigemischten Luftmengen wegen der Möglichkeit der Zündung lange nicht so groß wie nötig, es ist also Bedingung 3 nicht verwirklicht. — Dieser Vorgang hat keine Analogie mit der allmählichen Einführung von Brennstoff unter **Wahrung** konstanter Temperatur in ein durch Kompression auf die Maximaltemperatur erhitztes Luftquantum.

Wahrung *maintenance*

V. Regeneratoren und andere Mittel, die verlorene Wärme zu benutzen

Regeneratoren *recuperators*

aufgeführten *discussed*

Derartige Apparate sind an allen eben **aufgeführten** Maschinenarten probiert oder vorgeschlagen worden. — Es wurde auf S. 26ff. auf mathematischer Grundlage nachgewiesen, daß vom Regenerator für motorische Zwecke keinerlei Vorteil zu erwarten ist. — Was die Vorschläge betrifft, welche bezwecken, die Wärme des Kühlwassers zur Dampfbildung zu benutzen und den Dampf allein oder mit den Verbrennungsgasen gemischt arbeiten zu lassen, so ergaben dieselben so minimale Vorteile, daß sie meist die zu ihrer Erreichung nötige Komplikation der Maschine nicht rechtfertigen.

Aus dieser Zusammenstellung geht hervor, daß keine der heute bekannten Wärmekraftmaschinen in ihrem Arbeitsverfahren die Bedingungen einer rationellen Verbrennung auch nur angenähert erfüllt, und es ist deshalb die Hoffnung berechtigt, daß der neue Motor seine Aufgabe, den **Brennstoffkonsum** so weit zu reduzieren, als es nach dem heutigen Stand der Wissenschaft überhaupt möglich ist, auch erfüllen wird.

Brennstoffkonsum *fuel consumption*

146

Wilhelm Röntgen

The following paper, announcing the discovery of X-rays, is a classic in experimental science. The author, Wilhelm Konrad Röntgen (1845–1923), took his doctor's degree in Zürich in 1868, and was successively professor of physics in Giessen, Würzburg, and Munich. In this paper, Röntgen describes the experiments that he made with an induction coil and a discharge tube such as were available in every physicist's laboratory. Having observed a fluorescence, Röntgen proceeded to analyze step by step the various properties of the mysterious radiation. He was so certain that the penetrating power of the rays would be greeted by the scientific world with skepticism that he included X-ray photographs of a hand, showing the bones distinct from the flesh, when he sent out reprints of his articles.

Röntgen first describes the properties of the mysterious rays, and then discusses what he was able to determine about their nature. He shows conclusively that although the X-rays are produced by cathode rays within the discharge tube, they are not identical with the cathode rays. That they are rays indeed, of whatever sort, seemed clear to Röntgen, because they formed sharp shadows and were propagated in a straight line. At that time, visible light, ultra-violet light, infrared rays, and the Hertzian or radio waves (see p. 163), were all thought to be transverse vibrations of the ether which was supposed to have filled all of space.

Röntgen, for reasons which he describes in the last section of his article, explains the basis of his belief that the new rays might be longitudinal vibrations in the ether.

Later on, owing to the work of Max von Laue (see p. 166), the X-rays were shown to be electromagnetic waves of about the same wave lengths as the gamma rays produced in radioactivity. For the research described in this article, Röntgen was awarded the very first Nobel prize in physics in 1901.

Röhren, mit denen Röntgen die X-Strahlen ent-deckte. Links: Lenard'sche Röhre

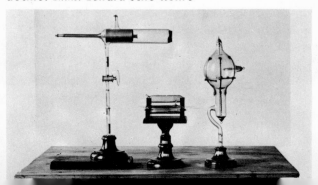

Über eine neue Art von Strahlen

Originalhandschrift von Röntgens "Über eine neue Art von Strahlen"

Vorläufige Mitteilung. Aus den Sitzungsberichten der physikalisch-medizinischen Gesellschaft zu Würzburg. Jahrgang 1895

1. Läßt man durch eine Hittorf'sche Vakuumröhre, oder einen genügend evakuierten° Lenard'schen, Crookes'schen oder ähnlichen Apparat° die Entladung eines größeren Ruhmkorff gehen und bedeckt die Röhre mit einem ziem-
5 lich eng anliegenden Mantel aus dünnem, schwarzem Karton, so sieht man in dem vollständig verdunkelten Zimmer einen in die Nähe des Apparates gebrachten, mit Baryumplatincyanür angestrichenen Papierschirm bei jeder Entladung hell aufleuchten, fluoreszieren°, gleichgültig ob die angestrichene oder die andere Seite des Schirmes dem Entladungsapparat zugewendet ist. Die Fluoreszenz ist noch in 2 m Entfernung vom Apparat bemerkbar.

preliminary report

discharge rather

Sitzungsberichten *proceedings*
Jahrgang *year of publication*

Hittorf'sche Vakuumröhre *Hittorf vacuum tube (see illustration)*
Lenard'schen, Crookes'schen *(see illustrations)*
Ruhmkorff *induction coil (see illustration)*
Karton *cardboard*

Baryumplatincyanür *barium platinocyanide*

Entladungsapparat *discharge apparatus*

fit – sheath
shade

149

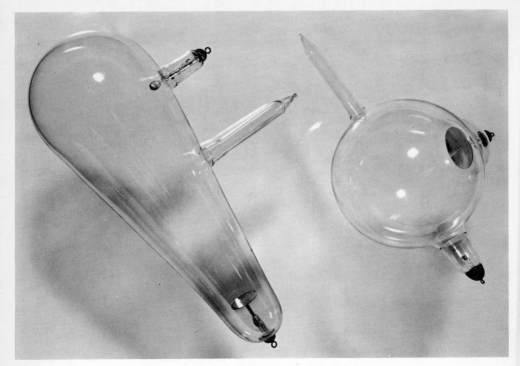

Ruhmkorff-Funkeninduktor

Kartonhülse   *cardboard cover-*
   ing

Bogenlichtes   *arc-lamp*
   Agens   *active agent*

Zwischenschaltung   *interposi-*
   tion

Man überzeugt sich leicht, daß die Ursache der Fluoreszenz vom Entladungsapparat und von keiner anderen Stelle der Leitung ausgeht.

2. Das an dieser Erscheinung zunächst Auffallende ist, daß durch die schwarze Kartonhülse, welche keine sichtbaren oder ultravioletten Strahlen des Sonnen- oder des elektrischen Bogenlichtes durchläßt, ein Agens hindurchgeht, das imstande ist, lebhafte Fluoreszenz zu erzeugen, und man wird deshalb wohl zuerst untersuchen, ob auch andere Körper diese Eigenschaft besitzen.

Man findet bald, daß alle Körper für dasselbe durchlässig sind, aber in sehr verschiedenem Grade. Einige Beispiele führe ich an. Papier ist sehr durchlässig.[1] Hinter

[1] Mit „Durchlässigkeit" eines Körpers bezeichne ich das Verhältnis der Helligkeit eines dicht hinter dem Körper gehaltenen Fluoreszenzschirmes zu derjenigen Helligkeit des Schirmes, welche dieser unter denselben Verhältnissen, aber ohne Zwischenschaltung des Körpers zeigt.

Hittorf-Crook'sche Röhren

frühere Mitglieder der Gesellschaft lediglich deshalb nicht mehr im Personalverzeichnisse geführt würden, weil sie bei ihrem Weggange aus Würzburg vergessen hatten, den entsprechenden Antrag zu stellen.

Herr von K ö l l i k e r stellt deshalb einen Antrag auf diesbezügliche Aenderung der Statuten. — Ueber denselben soll in der ersten Sitzung des nächsten Geschäftsjahres berathen werden.

Am 28. Dezember wurde als Beitrag eingereicht:

W. C. Röntgen: Ueber eine neue Art von Strahlen.

(Vorläufige Mittheilung.)

1. Lässt man durch eine *Hittorf*'sche Vacuumröhre, oder einen genügend evacuirten *Lenard*'schen, *Crookes*'schen oder ähnlichen Apparat die Entladungen eines grösseren *Ruhmkorff*'s gehen und bedeckt die Röhre mit einem ziemlich eng anliegenden Mantel aus dünnem, schwarzem Carton, so sieht man in dem vollständig verdunkelten Zimmer einen in die Nähe des Apparates gebrachten, mit Bariumplatincyanür angestrichenen Papierschirm bei jeder Entladung hell aufleuchten, fluoresciren, gleichgültig ob die angestrichene oder die andere Seite des Schirmes dem Entladungsapparat zugewendet ist. Die Fluorescenz ist noch in 2 m Entfernung vom Apparat bemerkbar.

Man überzeugt sich leicht, dass die Ursache der Fluorescenz vom Entladungsapparat und von keiner anderen Stelle der Leitung ausgeht.

2. Das an dieser Erscheinung zunächst Auffallende ist, dass durch die schwarze Cartonhülse, welche keine sichtbare oder ultravioletten Strahlen des Sonnen- oder des elektrischen Bogenlichtes durchlässt, ein Agens hindurchgeht, das im Stande ist, lebhafte Fluorescenz zu erzeugen, und man wird deshalb wohl zuerst untersuchen, ob auch andere Körper diese Eigenschaft besitzen.

Man findet bald, dass alle Körper für dasselbe durchlässig sind, aber in sehr verschiedenem Grade. Einige Beispiele führe ich an. Papier ist sehr durchlässig: [1]) hinter einem eingebun-

[1]) Mit „Durchlässigkeit" eines Körpers bezeichne ich das Verhältniss der Helligkeit eines dicht hinter dem Körper gehaltenen Fluorescenzschirmes zu derjenigen Helligkeit des Schirmes, welcher dieser unter denselben Verhältnissen aber ohne Zwischenschaltung des Körpers zeigt.

Röntgens erste Mitteilung über die X-Strahlen

eingebundenen *bound*
Druckerschwärze *printer's ink*
likewise
Whistspiel *pack of cards*

Stanniol *tinfoil*
layer – shadow
broard – pine wood
very

einem eingebundenen Buch von ca. 1000 Seiten sah ich den Fluoreszenzschirm noch deutlich leuchten; die Druckerschwärze bietet kein merkliches Hindernis. Ebenso zeigte sich Fluoreszenz hinter einem doppelten Whistspiel; eine einzelne Karte° zwischen Apparat und Schirm gehalten macht sich dem Auge fast gar nicht bemerkbar. — Auch ein einfaches Blatt Stanniol ist kaum wahrzunehmen; erst nachdem mehrere Lagen übereinander gelegt sind, sieht man ihren Schatten deutlich auf dem Schirm. — Dicke Holzblöcke sind noch durchlässig; 2 bis 3 cm dicke Bretter aus Tannenholz absorbieren nur sehr wenig. — Eine ca. 15 mm dicke Aluminiumschicht schwächte die Wirkung recht beträchtlich, war aber nicht imstande, die Fluoreszenz ganz zum Verschwinden zu bringen. — Mehrere Zenti-

152

final

meter dicke Hartgummischeiben lassen noch Strahlen[1] hindurch. — Glasplatten gleicher Dicke verhalten sich verschieden, je nachdem sie bleihaltig sind oder nicht; erstere sind viel weniger durchlässig als letztere. — Hält
5 man die Hand zwischen dem Entladungsapparat und dem Schirm, so sieht man die dunkleren Schatten der Handknochen in dem nur wenig dunklen Schattenbild der Hand. — Wasser, Schwefelkohlenstoff und verschiedene andere Flüssigkeiten erweisen sich in Glimmergefäßen untersucht
10 als sehr durchlässig. — Daß Wasserstoff wesentlich durchlässiger wäre als Luft habe ich nicht finden können. — Hinter Platten aus Kupfer, bzw. Silber, Blei, Gold, Platin ist die Fluoreszenz noch deutlich zu erkennen, doch nur dann, wenn die Plattendicke nicht zu bedeutend ist.
15 Platin von 0,2 mm Dicke ist noch durchlässig; die Silberund Kupferplatten können schon stärker sein. Blei in 1,5 mm Dicke ist so gut wie undurchlässig und wurde deshalb häufig wegen dieser Eigenschaft verwendet. — Ein Holzstab mit quadratischem Querschnitt (20 × 20 mm), dessen
20 eine Seite mit Bleifarbe weiß angestrichen ist, verhält sich verschieden, je nachdem er zwischen Apparat und Schirm gehalten wird; fast vollständig wirkungslos, wenn die X-Strahlen parallel der angestrichenen Seite durchgehen, entwirft der Stab einen dunklen Schatten, wenn die Strahlen
25 die Anstrichfarbe durchsetzen müssen. — In eine ähnliche Reihe, wie die Metalle, lassen sich ihre Salze fest oder in Lösung, in Bezug auf ihre Durchlässigkeit ordnen.

[1] Der Kürze halber möchte ich den Ausdruck „Strahlen" und zwar zur Unterscheidung von anderen den Namen „X-Strahlen" gebrauchen.

Hartgummischeiben *hard rubber disks*

bleihaltig *containing lead*

Schwefelkohlenstoff *carbon disulphide*
Glimmergefäßen *mica vessels*

Platten *sheets*

Holzstab mit quadratischem Querschnitt *wooden rod with square cross-section*
Bleifarbe *lead paint*

entwirft *throws, projects*
go through

halber *for the sake of*

Leadsheets - slit
scatter - pencil of rays

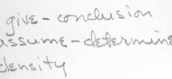

Bleibleche mit zwei Spalten zur Ausblendung eines Strahlenbündels, von Röntgen benutzt

give - conclusion
assume - determine
density

3. Die angeführten Versuchsergebnisse und andere führen zu der Folgerung, daß die Durchlässigkeit der verschiedenen Substanzen, gleiche Schichtendicke vorausgesetzt, wesentlich bedingt ist durch ihre Dichte; keine andere Eigenschaft macht sich wenigstens in so hohem Grade bemerkbar als diese. [5]

maßgebend *determining*
almost

Daß aber die Dichte doch nicht ganz allein maßgebend ist, das beweisen folgende Versuche. Ich untersuchte auf ihre Durchlässigkeit nahezu gleich dicke Platten aus

Kalkspath *calcite*
considerably

Glas, Aluminium, Kalkspath und Quarz; die Dichte dieser [10] Substanzen stellte sich als ungefähr gleich heraus, und doch

evident *certain*

zeigte sich ganz evident, daß der Kalkspath beträchtlich weniger durchlässig ist als die übrigen Körper, die sich untereinander ziemlich gleich verhielten. Eine besonders starke Fluoreszenz des Kalkspaths namentlich im Vergleich [15] zum Glas habe ich nicht bemerkt.

4. Mit zunehmender Dicke werden alle Körper weniger durchlässig. Um vielleicht eine Beziehung zwischen Durchlässigkeit und Schichtendicke finden zu können, habe ich

tin foil

photographische Aufnahmen gemacht, bei denen die [20] photographische Platte zum Teil bedeckt war mit Stanniolschichten von stufenweise zunehmender Blätterzahl; eine

stufenweise *gradually*
undertake - own

photometrische Messung soll vorgenommen werden, wenn ich im Besitz eines geeigneten Photometers bin.

5. Aus Platin°, Blei, Zink und Aluminium wurden durch [25]

auswalzen (inf.) *to roll out*
Bleche *sheets*

Auswalzen Bleche von einer solchen Dicke hergestellt, daß alle nahezu gleich durchlässig erschienen. Die folgende Tabelle enthält die gemessene Dicke in Millimetern, die

bezogen auf *referred to*

relative Dicke bezogen auf die des Platinblechs und die Dichte. [30]

154

	Dicke		relat. Dicke	Dichte
Pt	0,018	mm	1	21,5
Pb	0,05	mm	3	11,3
Zn	0,10	mm	6	7,1
Al	3,5	mm	200	2,6

Aus diesen Werten ist zu entnehmen, daß keineswegs gleiche Durchlässigkeit verschiedener Metalle vorhanden ist, wenn das Produkt aus Dicke und Dichte gleich ist. Die Durchlässigkeit nimmt in viel stärkerem Maße zu, als jenes Produkt abnimmt.

6. Von besonderer Bedeutung in mancher Hinsicht ist die Tatsache, daß photographische Trockenplatten sich als empfindlich für die X-Strahlen erwiesen haben. Man ist imstande, manche Erscheinung zu fixieren, wodurch Täuschungen leichter ausgeschlossen werden; und ich habe, wo es irgend anging, jede wichtigere Beobachtung, die ich mit dem Auge am Fluoreszenzschirm machte, durch eine photographische Aufnahme kontrolliert.

Dabei kommt die Eigenschaft der Strahlen, fast ungehindert durch dünnere Holz-, Papier-, und Stanniolschichten hindurchgehen zu können, sehr zustatten; man kann die Aufnahmen mit der in der Kassette, oder in einer Papierumhüllung eingeschlossenen photographischen Platte° im beleuchteten Zimmer machen. Andererseits hat diese Eigenschaft auch zur Folge, daß man unentwickelte Platten nicht bloß durch die gebräuchliche Hülle aus Pappendeckel und Papier geschützt längere Zeit in der Nähe des Entladungsapparates liegen lassen darf.

Fraglich erscheint es noch, ob die chemische Wirkung auf die Silbersalze der photographischen Platte direkt von den X-Strahlen ausgeübt wird. Möglich ist es, daß diese Wirkung herrührt von dem Fluoreszenzlicht, das, wie oben angegeben, in der Glasplatte, oder vielleicht in der Gelatineschicht erzeugt wird. „Films" können übrigens ebenso gut wie Glasplatten verwendet werden.

Die Retina des Auges ist für unsere Strahlen unempfindlich; das dicht an den Entladungsapparat herangebrachte Auge bemerkt nichts, wiewohl nach den gemachten Erfahrungen die im Auge enthaltenen Medien für die Strahlen durchlässig genug sein müssen.

Trockenplatten *dry plates*

fixieren *determine*

wo es irgend anging *whenever possible*

kontrolliert *checked*

Kassette *plate holder*
Papierumhüllung *paper cover*

Pappendeckel *cardboard cover*

herrührt *stems*

wiewohl *although*
Medien *media*

Prismen aus Hartgummi und Aluminium und Hohlprisma aus Glimmerplättchen. Diese wurden auf die Bleiplatte (siehe Abbildung auf S. 154) **gesetzt; etwaige Ablenkung der Strahlen hätte auf diese Weise erkennbar werden müssen**

hollowprism
mica sheets
possible - deflection
recognizable

hasten - learn
be the case
deflect

Schwefelkohlenstoff *carbon disulphide*
Glimmerprismen *mica prisms*
brechendem Winkel *angle of refraction*

Brechungsexponent *refractive index*

in any case

resulting

Linsen *lenses*

7. Nachdem ich die Durchlässigkeit verschiedener Körper von relativ großer Dicke erkannt hatte, beeilte ich mich, zu erfahren, wie sich die X-Strahlen beim Durchgang durch ein Prisma° verhalten, ob sie darin abgelenkt werden oder nicht. Versuche mit Wasser und Schwefelkohlenstoff in Glimmerprismen von ca. 30° brechendem Winkel haben gar keine Ablenkung erkennen lassen, weder am Fluoreszenzschirm, noch an der photographischen Platte. Zum Vergleich wurde unter denselben Verhältnissen die Ablenkung von Lichtstrahlen beobachtet; die abgelenkten Bilder lagen auf der Platte um ca. 10 mm bzw. ca. 20 mm von dem nicht abgelenkten entfernt. — Mit einem Hartgummi- und einem Aluminiumprisma von ebenfalls ca. 30° brechendem Winkel habe ich auf der photographischen Platte Bilder bekommen, an denen man vielleicht eine Ablenkung erkennen kann. Doch ist die Sache sehr unsicher, und die Ablenkung ist, wenn überhaupt vorhanden, jedenfalls so klein, daß der Brechungsexponent der X-Strahlen in den genannten Substanzen höchstens 1,05 sein könnte. Mit dem Fluoreszenzschirm habe ich auch in diesem Fall keine Ablenkung beobachten können.

Versuche mit Prismen aus dichteren Metallen lieferten bis jetzt wegen der geringen Durchlässigkeit und der infolgedessen geringen Intensität der durchgelassenen Strahlen kein sicheres Resultat°.

Daß man mit Linsen die X-Strahlen nicht konzen-

trieren° kann, ist nach dem Mitgeteilten selbstverständlich;
eine große Hartgummilinse und eine Glaslinse erwiesen
sich in der Tat als wirkungslos. Das Schattenbild eines
runden Stabes ist in der Mitte dunkler als am Rande;
5 dasjenige einer Röhre, die mit einer Substanz gefüllt ist,
die durchlässiger ist als das Material der Röhre, ist in der
Mitte heller als am Rande.

8. Die Frage nach der Reflexion der X-Strahlen ist durch
die Versuche des vorigen Paragraphen als in dem Sinne
10 erledigt zu betrachten, daß eine merkliche regelmäßige
Zurückwerfung der Strahlen an keiner der untersuchten
Substanzen stattfindet. Andere Versuche, die ich hier
übergehen will, führen zu demselben Resultat.

Indessen ist eine Beobachtung zu erwähnen, die auf
15 den ersten Blick das Gegenteil zu ergeben scheint. Ich
exponierte eine durch schwarzes Papier gegen Lichtstrahlen   exponierte *exposed*
geschützte photographische Platte, mit der Glasseite dem
Entladungsapparat zugewendet, den X-Strahlen; die empfindliche Schicht war bis auf einen frei bleibenden Teil mit
20 blanken Platten aus Platin, Blei, Zink und Aluminium in   blanken *polished*
sternförmiger Anordnung bedeckt. Auf dem entwickelten
Negativ ist deutlich zu erkennen, daß die Schwärzung unter
dem Platin, dem Blei und besonders unter dem Zink
stärker ist als an den anderen Stellen; das Aluminium hatte
25 gar keine Wirkung ausgeübt. Es scheint somit, daß die drei
genannten Metalle die Strahlen reflektieren; indessen
wären noch andere Ursachen für die stärkere Schwärzung
denkbar, und um sicher zu gehen, legte ich bei einem
zweiten Versuch zwischen die empfindliche Schicht und
30 die Metallplatten ein Stück dünnes Blattaluminium,
welches für ultraviolette Strahlen undurchlässig, dagegen
für die X-Strahlen sehr durchlässig ist. Da auch jetzt wieder
im wesentlichen dasselbe Resultat erhalten wurde, so ist
eine Reflexion von X-Strahlen an den genannten Metallen
35 nachgewiesen.

Da ich auch keine Brechung beim Übergang von   Brechung *refraction*
einem Medium zum anderen nachweisen konnte, so hat es
den Anschein, als ob die X-Strahlen sich mit gleicher
Geschwindigkeit in allen Körpern bewegen, und zwar in
40 einem Medium, das überall vorhanden ist, und in welchem
die Körperteilchen eingebettet sind. Die letzteren bilden   Körperteilchen *particles*

157

demnach *accordingly*

für die Ausbreitung der X-Strahlen ein Hindernis und zwar im allgemeinen ein desto größeres, je dichter der betreffende Körper ist.

9. Demnach wäre es möglich, daß auch die Anordnung der Teilchen im Körper auf die Durchlässigkeit desselben einen Einfluß ausübte, daß z.B. ein Stück Kalkspath bei gleicher Dicke verschieden durchlässig wäre, wenn dasselbe in der

Axe *axis*

Richtung der Axe oder senkrecht dazu durchstrahlt wird. Versuche mit Kalkspath und Quarz haben aber ein negatives Resultat ergeben.

Lenard *German physicist*
(*1862–1947*)

10. Bekanntlich ist Lenard bei seinen schönen Versuchen über die von einem dünnen Aluminiumblättchen hindurchgelassenen Hittorf'schen Kathodenstrahlen zu dem Resultat gekommen, daß diese Strahlen Vorgänge im Äther° sind,

diffus verlaufen *diffuse themselves*

und daß sie in allen Körpern diffus verlaufen. Von unseren Strahlen haben wir ähnliches aussagen können.

In seiner letzten Arbeit hat Lenard das Absorptionsvermögen verschiedener Körper für Luft von Atmosphärendruck zu 4,10 3,40 3,10 auf 1 cm bezogen gefunden, je nach der Verdünnung des im Entladungsapparat ent-

aus der Funkenstrecke geschätzten Entladungsspannung *discharge potential estimated from the spark-gap*

haltenen Gases. Nach der aus der Funkenstrecke geschätzten Entladungsspannung zu urteilen, habe ich es bei meinen Versuchen meistens mit ungefähr gleich großen und nur selten mit geringeren und größeren Verdünnungen zu tun gehabt. Es gelang mir mit dem L. Weber'schen Photometer — ein besseres besitze ich nicht — in atmosphärischer Luft die Intensitäten des Fluoreszenzlichtes meines Schirmes in zwei Abständen — ca. 100 bzw. 200 mm — vom Entladungsapparat miteinander zu vergleichen und ich fand aus drei recht gut miteinander übereinstimmenden Versuchen, daß dieselben sich umgekehrt wie die Quadrate der bzw. Entfernungen des Schirmes vom Entladungsapparat verhalten. Demnach hält die Luft von den hindurch-

Bruchteil *fraction*

gehenden X-Strahlen einen viel kleineren Bruchteil zurück als von den Kathodenstrahlen. Dieses Resultat ist auch ganz in Übereinstimmung mit der oben erwähnten Beobachtung, daß das Fluoreszenzlicht noch in 2 m Distanz vom Entladungsapparat wahrzunehmen ist. Ähnlich wie Luft verhalten sich im allgemeinen die anderen Körper: sie sind für die X-Strahlen durchlässiger als für die Kathodenstrahlen.

158

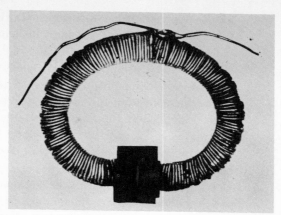

Elektromagnet, mit dem Röntgen die Ablenkung der Strahlen versuchte

11. Eine weitere sehr bemerkenswerte Verschiedenheit in dem Verhalten der Kathodenstrahlen und der X-Strahlen liegt in der Tatsache, daß es mir trotz vieler Bemühungen nicht gelungen ist, auch in sehr kräftigen magnetischen
5 Feldern eine Ablenkung der X-Strahlen durch den Magnet zu erhalten.

Die Ablenkbarkeit durch den Magnet gilt aber bis jetzt als ein charakteristisches Merkmal der Kathodenstrahlen; wohl ward von Hertz und Lenard beobachtet,
10 daß es verschiedene Arten von Kathodenstrahlen gibt, die sich durch ihre „Phosphoreszenzerzeugung, Absorbierbarkeit und Ablenkbarkeit durch den Magnet voneinander unterscheiden", aber eine beträchtliche Ablenkung wurde doch in allen von ihnen untersuchten Fällen wahrgenom-
15 men, und ich glaube nicht, daß man dieses Charakteristikum° ohne zwingenden Grund aufgeben wird.

12. Nach besonders zu diesem Zweck angestellten Versuchen ist es sicher, daß die Stelle der Wand des Entladungsapparates, die am stärksten fluoresziert, als Haupt-
20 ausgangspunkt der nach allen Richtungen sich ausbreitenden X-Strahlen zu betrachten ist. Die X-Strahlen gehen somit von der Stelle aus, wo nach den Angaben verschiedener Forscher die Kathodenstrahlen die Glaswand treffen. Lenkt man die Kathodenstrahlen innerhalb des Ent-
25 ladungsapparates durch einen Magnet ab, so sieht man, daß auch die X-Strahlen von einer anderen Stelle, d.h.

Heinrich Hertz *German physicist (1857–94) (See p. 163)*

Absorbierbarkeit *ability to be absorbed*

159

wieder von dem Endpunkte der Kathodenstrahlen aus-
gehen Auch aus diesem Grund können die X-Strahlen, die
nicht ablenkbar sind, nicht einfach unverändert von der
Glaswand hindurchgelassene bzw. reflektierte° Kathodenstrahlen sein. Die größere Dichte des Glases außerhalb des
Entladungsgefäßes kann ja nach Lenard für die große
Verschiedenheit der Ablenkbarkeit nicht verantwortlich
gemacht werden.

Entladungsgefäßes *discharge tube*

Ich komme deshalb zu dem Resultat, daß die X-
Strahlen nicht identisch sind mit den Kathodenstrahlen,
daß sie aber von den Kathodenstrahlen in der Glaswand
des Entladungsapparates erzeugt werden.

13. Diese Erzeugung findet nicht nur in Glas statt, sondern,
wie ich an einem mit 2 mm starken Aluminiumblech
abgeschlossenen Apparat beobachten konnte, auch in
diesem Metall. Andere Substanzen sollen später untersucht
werden.

Aluminiumblech *sheet of aluminum*

14. Die Berechtigung, für das von der Wand des Entladungsapparates ausgehende Agens den Namen „Strahlen"
zu verwenden, leite ich zum Teil von der ganz regel-
mäßigen Schattenbildung her, die sich zeigt, wenn man
zwischen den Apparat und den fluoreszierenden Schirm
(oder die photographische Platte) mehr oder weniger durch-
lässige Körper bringt.

Agens *active agent*

Viele derartige Schattenbilder, deren Erzeugung
mitunter einen ganz besonderen Reiz bietet, habe ich
beobachtet und teilweise auch photographisch aufgenommen; so besitze ich z.B. Photographien von den Schatten
der Profile einer Tür, welche die Zimmer trennt, in welchen
einerseits der Entladungsapparat, andererseits die photographische Platte aufgestellt waren; von den Schatten der
Handknochen; von dem Schatten eines in einem Kästchen
eingeschlossenen Gewichtsatzes; einer Bussole, bei welcher
die Magnetnadel ganz von Metall eingeschlossen ist; eines
Metallstückes, dessen Inhomogenität durch die X-Strahlen
bemerkbar wird, etc.

mitunter *occasionally*

Gewichtsatzes *set of weights*
Bussole *compass*

Inhomogenität *lack of homogeneity*

Für die geradlinige Ausbreitung der X-Strahlen
beweisend ist weiter eine Lochphotographie, die ich von
dem mit schwarzem Papier eingehüllten Entladungsapparat
habe machen können; das Bild ist schwach, aber unverkennbar richtig.

geradlinige *rectilinear*
Lochphotographie *pin-hole photograph*

160

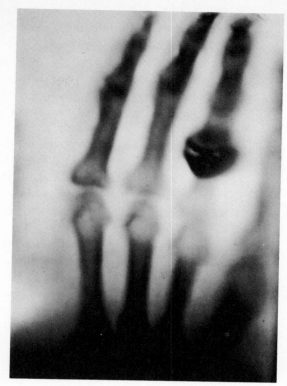

Röntgenbild von Frau Röntgens Hand

15. Nach Interferenzerscheinungen der X-Strahlen habe ich viel gesucht, aber leider, vielleicht nur infolge der geringen Intensität derselben, ohne Erfolg.

16. Versuche, um zu konstatieren, ob elektrostatische Kräfte in irgend einer Weise die X-Strahlen beeinflussen können, sind zwar angefangen, aber noch nicht abgeschlossen.

        konstatieren *substantiate*

17. Legt man sich die Frage vor, was denn die X-Strahlen — die keine Kathodenstrahlen sein können — eigentlich sind, so wird man vielleicht im ersten Augenblick, verleitet durch ihre lebhaften Fluoreszenz- und chemischen Wirkungen, an ultraviolettes Licht denken. Indessen stößt man doch sofort auf schwerwiegende Bedenken. Wenn nämlich die X-Strahlen ultraviolettes Licht sein sollten, so müßte dieses Licht die Eigenschaft haben:

        verleitet *misled*

        schwerwiegende *serious*

161

(a) daß es beim Übergang aus Luft in Wasser, Schwefelkohlenstoff, Aluminium, Steinsalz, Zink, etc. keine merkliche Brechung erleiden kann;

(b) daß es von den genannten Körpern nicht merklich regelmäßig reflektiert werden kann; 5

(c) daß es somit durch die sonst gebräuchlichen Mittel nicht polarisiert° werden kann;

(d) daß die Absorption desselben von keiner anderen Eigenschaft der Körper so beeinflußt wird als von ihrer Dichte. 1

Das heißt, man müßte annehmen, daß sich diese ultravioletten Strahlen ganz anders verhalten, als die bisher bekannten ultraroten, sichtbaren und ultravioletten Strahlen.

Dazu habe ich mich nicht entschließen können und 1 nach einer anderen Erklärung gesucht.

Eine Art von Verwandtschaft zwischen den neuen Strahlen und den Lichtstrahlen scheint zu bestehen, wenigstens deutet die Schattenbildung, die Fluoreszenz und die chemische Wirkung, welche bei beiden Strah- 2 lenarten vorkommen, darauf hin. Nun weiß man schon seit langer Zeit, daß außer den transversalen Lichtschwingungen auch longitudinale Schwingungen im Äther° vorkommen können und nach Ansicht verschiedener Physiker° vorkommen müssen. Freilich ist ihre Existenz bis jetzt noch 2 nicht evident nachgewiesen, und sind deshalb ihre Eigenschaften noch nicht experimentell untersucht.

Sollten nun die neuen Strahlen nicht longitudinalen Schwingungen im Äther zuzuschreiben sein?

Ich muß bekennen, daß ich mich im Laufe der Unter- 3 suchung immer mehr mit diesem Gedanken vertraut gemacht habe und gestatte mir dann auch diese Vermutung hier auszusprechen, wiewohl ich mir sehr wohl bewußt bin, daß die gegebene Erklärung einer weiteren Begründung noch bedarf. 3

Würzburg, Physikalisches Institut der Universität, Dez. 1895.

162

(Marginalia:)
Steinsalz *rock salt*
Brechung *refraction*
Lichtschwingungen *light vibrations*
evident *with certainty*
wiewohl *although*

Heinrich Hertz

    Among the discoveries of Heinrich Hertz (1857–1894) was the phenomenon that led to the photo-electric effect, used today in door opening mechanisms and photo-electric light meters for photography, and of major importance in the development of quantum theory. Between 1887 and 1890, Hertz published a series of major papers, which established the existence of electromagnetic waves in space. These waves, often called "Hertzian waves", are today the medium for the transmission of radio, television, and radar. The following brief extract is the introduction to one of the papers in this sequence. Hertz begins by referring to his previous success in proving that electric oscillations may spread out as waves in space, and explains his program of using shorter wave lengths in order to make the action of the waves discernible at greater distances. It was from these experiments, undertaken under Helmholtz's (see ch. 4) sponsorship, showing that electromagnetic waves may be reflected from surfaces, that the first idea of a radar was born.

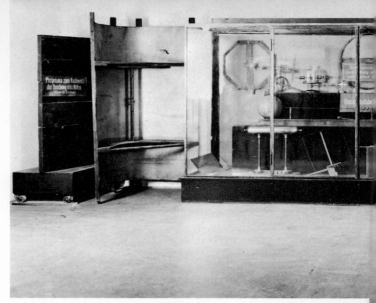

**Apparate, mit denen Hertz die Eigenschaft der elektro-
magnetischen Wellen studierte**

Über Strahlen elektrischer Kraft

Sitzungsberichte *proceedings*

Brennlinie *parabola, focal line*

Aus: *Sitzungsberichte der Berliner Akademie der Wissenschaften*, 13. Dez., 1888

Unmittelbar nachdem es mir geglückt war zu erweisen, daß sich die Wirkung einer elektrischen Schwingung
als Welle in den Raum ausbreitet, habe ich Versuche
angestellt, diese Wirkung dadurch zusammenzuhalten und
auf größere Entfernungen bemerkbar zu machen, daß ich
den erregenden Leiter in der Brennlinie eines größeren
parabolischen° Hohlspiegels aufstellte. Diese Versuche
führten nicht zum Ziel und ich konnte mir auch klar
machen, daß der Mißerfolg notwendig bedingt war durch
das Mißverhältnis, welches zwischen der Länge der
benutzten Wellen, 4-5 m, und den Dimensionen bestand,
welche ich dem Hohlspiegel im besten Falle zu geben
imstande war. Neuerdings habe ich nun bemerkt, daß sich
die von mir beschriebenen Versuche noch ganz wohl mit
Schwingungen anstellen lassen, welche mehr als zehnmal
schneller, und mit Wellen, welche mehr als zehnmal kürzer
sind, als die zuerst aufgefundenen. Ich bin deshalb auf die

Benutzung von Hohlspiegeln zurückgekommen und habe
nunmehr besseren Erfolg gehabt, als ich zu hoffen wagte.   nunmehr *now*
Es gelang mir, deutliche Strahlen elektrischer Kraft zu
erzeugen und mit denselben die elementaren° Versuche
5 anzustellen, welche man mit dem Lichte und der strahlen-
den Wärme auszuführen gewohnt ist. Über diese Versuche
soll in folgendem berichtet werden.

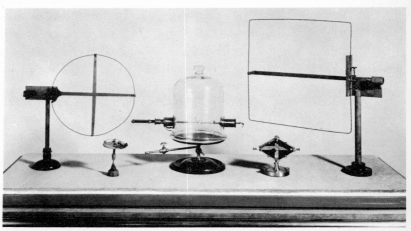

Versuchsapparate von Hertz. Sie sind auch auf der obigen Photo-
graphie zu sehen

165

Max von Laue

Max von Laue (1879–1960) was awarded the Nobel prize in physics in 1914 for his work on the diffraction of X-rays in crystals. In the following excerpt from his Nobel prize address, he explains his idea of using a crystal to act as a "grating" for the diffraction of X-rays, in order to determine the nature of the rays. According to an earlier theory, accepted by Laue, the atoms in a crystal are not closely packed, but are arranged in an open lattice. If X-rays were indeed electromagnetic waves, differing from others only in their small wave lengths or high frequency as Laue thought, he reasoned that they should show interference effects when passed through a crystal, and that a diffraction pattern would be formed on a photographic plate placed at the proper angle. "Laue diagrams" provide a means both of measuring the wave-length of X-rays and of determining the separation between atoms or ions in crystals.

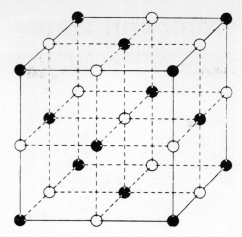

Raumgitter eines Natriumchloridkristalls

Bei den Röntgenstrahlen hat schon ihr Entdecker nach Interferenz°- oder Beugungserscheinungen gesucht, um die Frage zu entscheiden, ob man in ihnen einen Wellenvorgang oder die Ausschleuderung irgend welcher kleinen Teilchen vor sich habe. In diesem Punkte aber war seine sonst so ertragreiche Untersuchung erfolglos.

Als ich 1909 nach München kam, wurde ich einmal durch Röntgens Wirken an dieser Universität, sodann durch Sommerfelds lebhaftes, in mehreren Arbeiten auch öffentlich bekundetes Interesse an Röntgen- und Gammastrahlen immer wieder auf die Frage nach deren Natur hingewiesen. . .

Aber mir kam . . . der Gedanke, einmal nach dem Verhalten von Wellen zu fragen, welche gegen die Gitterkonstanten des Raumgitters kurz sind. Und hier sagte mir mein optisches° Gefühl sogleich: dann müssen Gitterspektren auftreten. Daß die Gitterkonstante bei den Kristallen° von der Größenordnung 10⁻⁸ cm ist, war aus der Analogie mit sonstigen Atomabständen in festen und flüssigen Körpern hinlänglich bekannt, und überdies aus der Dichte, dem Molekulargewicht und der damals gerade besonders gut ermittelten Masse° des Wasserstoffatoms leicht zu begründen. 10⁻⁹ cm war die von Wien und Sommerfeld geschätzte Größenordnung der Wellenlänge

Beugungserscheinungen *diffraction phenomena*

Ausschleuderung *emission, hurling forth*

ertragreiche *productive*

sodann *as well as*

Arnold Sommerfeld, German physicist (1868–1951)

Gitterkonstanten des Raumgitters *grating constant of the space-lattice*
Gitterspektren *diffraction spectra*

Größenordnung *order of magnitude*

hinlänglich *sufficiently*

Wilhelm Wien, German physicist (1864–1928), Nobel prize winner in 1911

167

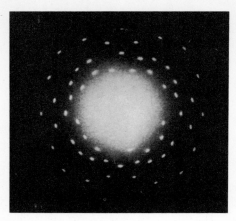

Interferenzerscheinungen von Röntgen-Strahlen, die durch einen Natriumchlorid-kristall hindurchfallen. Laue-Diagramm

der Röntgenstrahlen. Also war das Verhältnis von Wellen-länge und Gitterkonstanten außerordentlich günstig, wenn man Röntgenstrahlen durch einen Kristall sendete. Ich sprach sogleich . . . aus, daß ich dabei Interferenzerschei-nungen an Röntgenstrahlen erwartete.   5

Walter Friedrich, German physi-
   cist, (*1883–   *)
einschlägigen *pertinent*

Auch W. Friedrich erfuhr bald davon. Während er sich sogleich bereit erklärte, einen einschlägigen Versuch anzustellen, fand der Gedanke bei den anerkannten Meistern unserer Wissenschaft, denen ich ihn vorzutragen Gelegenheit hatte, zunächst gewisse Zweifel. Es war ein 10 wenig Diplomatie° erforderlich, damit Friedrich und Knipping den Versuch mit zunächst ganz einfachen Mitteln nach meinem Plan machen durften. Als Kristall diente Kupfersulfat, weil davon große und regelmäßige Stücke leicht zu erhalten sind. Die Durchstrahlungsrichtung über- 15 ließen wir dem Zufall. An der photographischen Platte° hinter dem Kristall zeigte sich gleich das erste Mal neben der Spur des primären, unmittelbar von der Antikathode kommenden Strahls eine große Zahl abgelenkter Strahlen, also die erwarteten Gitterspektren.   20

Paul Knipping, German physicist,
   (*1883–1935*)

Durchstrahlungsrichtung *di-*
rection of radiation

168

12

Emil Fischer

Emil Fischer (1852–1919) was awarded the Nobel prize in chemistry in 1902, when he was 50 years old, "for syntheses in the groups of sugars and purines." Fischer's career was devoted to research on the chemistry of life. He was particularly interested in the special substances (ferments) by means of which plants and animals produce chemical changes of sugars and of substances derived from sugars such as the glucosides. From his research on sugar and purine, Fischer went on to the systematic study of the chemistry of proteins. In the course of this work he developed powerful new methods of synthesis and—above all—analysis, which are still in use today. His method was to determine the basic constituents of proteins, and then to attempt a step-by-step synthesis. In this way he built larger and larger molecules of substances resembling proteins, although he was never successful in synthesizing proteins within the laboratory.

In the extract given below, taken from his Nobel prize address, Fischer describes his work on a group of natural substances, the purine derivatives. Among them are caffein and uric acid. The latter, discovered in 1776 by the Swedish chemist Scheele, was studied by Liebig (see ch. 3) and Wöhler (see p. 181), but the constitution of the uric acid molecule remained a mystery until it was solved by Fischer in 1897. In the address he prophesies that a substitute for coffee may be prepared from uric acid. The paper is in a style rare for him, more informal than the usually "uncompromisingly ascetic" tone of his writings.

Emil Fischer in seinem Laboratorium. Photographie

Synthesen in der Purin- und Zuckergruppe

Unter dem Namen „Purinkörper" faßt man heute eine größere Klasse° von stickstoffhaltigen organischen Verbindungen zusammen, von denen einige Auswurfsstoffe des Tierleibes und andere die wirksamen Bestandteile wichtiger Genußmittel sind.

Auswurfsstoffe *waste products*

Genußmittel *stimulants*

Der älteste Repräsentant° der Klasse führt den wenig schönen Namen Harnsäure und wurde vor 126 Jahren in diesem Lande gleichzeitig von Scheele und seinem berühmten Freunde Torbern Bergman als Bestandteil der Blasensteine und des Harnes entdeckt. Dem Arzte ist sie wohl bekannt als die Ursache schmerzhafter Krankheiten, z. B. der Gicht. Den Zoologen interessiert sie als hauptsächliches Exkrement der Schlangen und als Reservestoff der Insekten. Der gebildete Landwirt endlich weiß, daß sie ein wertvoller Bestandteil des Guanos° ist.

C. W. Scheele, *Swedish chemist* (1742–1786)
T. Bergman, *Swedish chemist* (1735–1784)
Blasensteine *gallstones*

Gicht *gout*
Reservestoff *reserve material*

Der Harnsäure in Zusammensetzung und äußeren Eigenschaften ziemlich nahe verwandt sind vier weitere Stoffe des Tierleibes, das Xanthin°, Hypoxanthin°, Adenin° und Guanin°, von denen die drei ersten im Muskelfleisch und das letzte im Guano entdeckt wurden. Dank den Fortschritten der physiologischen Chemie° wissen wir jetzt, daß diese vier Substanzen° wichtige Bestandteile des Zellkernes sind und deshalb eine große biologische Bedeutung haben.

Zellkernes *nucleus*

Den bisher genannten Produkten des Tierleibes reihen sich drei Stoffe des Pflanzenreiches an, das Kaffein, Theobromin und Theophyllin. Das erste ist, wie schon der Name sagt, im Kaffee enthalten, findet sich aber auch und sogar in noch größerer Menge im Tee und bildet das angenehm anregende Prinzip dieser beiden wichtigen Genußmittel. Die gleiche Rolle spielt das Theobromin im Kakao°. Beide Stoffe sind auch wertvolle Heilmittel, weil sie die Herztätigkeit und die Diurese befördern. Sie werden deshalb in nicht unbedeutender Menge durch Auslagen von Tee und Kakao fabrikmäßig hergestellt.

Diurese *diuresis*
Auslagen *extraction*

Daß alle diese Stoffe untereinander und mit der Harnsäure chemisch verwandt seien, hat man lange vermutet, aber den Beweis dafür zu liefern, wurde erst möglich

171

durch die systematische, d. h. synthetische Bearbeitung der ganzen Gruppe, die wir jetzt betrachten wollen.

Zu dem Zwecke bitte ich Sie, einen Blick auf die beistehende Reihe von Formeln, sogenannte Struktur-

Erläuterung   explanation

formeln, zu werfen, zu deren Erläuterung folgendes dienen 5 mag:

basieren   are based

Alle theoretischen Betrachtungen der Chemie basieren heutzutage auf der Annahme von Atomen, die sich zu kleineren oder größeren Komplexen, den sogenannten Molekülen, zusammenlagern. Letztere denken wir uns 10 nach Art eines Bauwerkes gebildet, in welchem die Atome

fungieren   function

als Bausteine fungieren. Diesen Aufbau des Moleküls nennt man seine Struktur und bringt sie im Einzelfalle durch solche Formeln zum Ausdruck. In denselben sind die Atome durch die Buchstaben C für Kohlenstoff, H für 15 Wasserstoff, N für Stickstoff und O für Sauerstoff bezeichnet. Die dazwischen befindlichen Striche sollen angeben, in welcher Art diese Atome untereinander zum einheitlichen Molekül verbunden sind.

Harnsäure   Purin

Xanthin   Guanin

Hypoxanthin   Adenin

172

CH₃ · N——CO
                    CH₃
CO   C——N
            ‖   >CH
CH₃ · N——C——N

Kaffein

CH₃ · N——CO
CO   C——NH
            ‖   >CH
CH₃ · N——C——N

Theophyllin

HN——CO
                    CH₃
CO   C——N
            ‖   >CH
CH₃ · N——C——N

Theobromin

N══C · Cl
Cl · C   C——NH
                    >C · Cl
N——C——N

Trichlorpurin

Beim Vergleich der hier angeführten Formeln erkennt man nun leicht, daß sie eine gemeinsame Atomgruppe, einen sogenannten Kern enthalten, den ich den Purinkern genannt habe. Er besteht aus fünf Kohlenstoff- und vier Stickstoffatomen, die so angeordnet sind, daß zwei ringförmige Gruppen mit zwei gemeinsamen Gliedern entstehen, wie folgendes Schema anzeigt:

Schema diagram

N——C
C   C——N
            >C
N——C——N

Die einfachste Kombination dieses Skeletts ist die Wasserstoffverbindung, das sogenannte Purin. Sie gilt deshalb als die Grundform der Klasse und ist gleichsam der Stammvater, von dem alle übrigen Glieder abgeleitet werden können.

Skeletts skeleton

gleichsam as it were
Stammvater progenitor

Um die Struktur des Moleküls festzustellen, verfährt der Chemiker in ähnlicher Art wie der Anatom°. Durch chemische Eingriffe zergliedert er das System und setzt diese Teilung so lange fort, bis Stücke von bekannter Form zum Vorschein kommen. Ist diese Zergliederung in verschiedenen Richtungen durchgeführt, so läßt sich aus den Spaltprodukten ein Rückschluß auf den Bau des ursprünglichen Systems ziehen. Definitiv° wird aber gewöhnlich

Eingriffe operations
zergliedert analyzes, degrades

Zergliederung degradation analysis
Spaltprodukten products of degradation
Rückschluß conclusion

173

die Strukturfrage erst gelöst durch die umgekehrte Methode, durch den Aufbau des Moleküls aus den Spaltprodukten oder ähnlichen Stoffen, durch die sogenannte Synthese. Analyse° und Synthese sind bei den Gliedern der Puringruppe in mannigfaltigster Weise durchgeführt. Infolgedessen bestehen zwischen allen diesen Verbindungen zahlreiche Übergänge, und insbesondere ist es möglich geworden, sie alle aus der billigen Harnsäure künstlich herzustellen.

Im Mittelpunkte dieser Synthesen steht das Trichlorpurin°. Es entsteht aus der Harnsäure durch die Wirkung von Chlorphosphor, welcher die drei Sauerstoffatome mit drei Wasserstoffatomen ablöst und durch Chlor ersetzt. In ihm sind nun die drei Chloratome sehr leicht beweglich und können deshalb in der mannigfaltigsten Weise durch Wasserstoff, Sauerstoff, stickstoffhaltige oder schwefelhaltige Gruppen ersetzt werden, und so resultieren° dann nicht allein die hier angeführten natürlichen Verbindungen, sondern eine noch viel größere Anzahl verwandter, künstlicher Stoffe. Denn das ist das Vorrecht der organischen Synthese; gelingt es ihr, in ein solches Gebiet einzudringen, so ist sie der an enge Grenzen gebundenen Natur weit überlegen. Die Puringruppe gibt dafür ein treffliches Beispiel. Natürliche Glieder derselben kennt man bis jetzt 12, und vielleicht wird sich diese Zahl durch die fortschreitende Untersuchung der pflanzlichen und tierischen Materien° noch erhöhen. Aber daß man jemals mehr als das Doppelte in der Natur finden wird, ist sehr unwahrscheinlich. Im Gegensatz dazu hat die Synthese bisher nicht weniger als 146 Glieder dieser Gruppe erzeugt, und die dazu benutzten Methoden würden ausreichen, um mit Leichtigkeit die doppelte oder dreifache Menge hervorzubringen.

Aber solche bloße Vermehrung der Formen könnte augenblicklich nur ein untergeordnetes Interesse darbieten. Lohnender ist es jedenfalls, die bisherigen Resultate° für andere, höhere Zwecke nutzbar zu machen.

Unter den Purinkörpern befinden sich zwei geschätzte Medikamente°, das Kaffein und das Theobromin, die bisher aus Tee und Kakao durch Extraktion bereitet werden mußten. Die Fabrikation° ist nicht ganz unbedeutend, denn man darf ihren Wert auf mehr als 1 Million

Chlorphosphor *phosphorous chloride*

ablöst *exchanges*

schwefelhaltige *sulfur-containing*

174

Mark jährlich schätzen. Jetzt, wo es möglich ist, diese
Stoffe künstlich aus der billigen Harnsäure herzustellen,
liegt der Gedanke nahe, die Synthesen industriell° auszunutzen, und es ist kein Geheimnis, daß sich in Deutschland
5 mehrere Fabriken ernstlich mit dem Problem beschäftigen.
Schon ist künstliches Theophyllin° auf dem Markte° erschienen, und ich zweifle nicht daran, daß synthetisches
Theobromin und Kaffein in nicht allzu langer Frist folgen
werden. Aber es wäre kaum der Mühe wert, darüber länger
10 zu reden, wenn es sich nur um die Verbilligung von einigen
Heilmitteln handelte. Ganz anders steht die Sache, wenn
man bedenkt, daß Kaffein der wirksamste Bestandteil der
beiden verbreitetsten Genußmittel, des Kaffees und des
Tees, ist. Bekanntlich bemüht man sich schon lange, jene
15 immerhin noch ziemlich kostspieligen Materialien durch
billigere zu ersetzen. Der beste Beweis dafür ist die große
Zahl von Kaffeesurrogaten, die im Handel erscheinen. Aber
allen diesen Ersatzmitteln fehlt das beste vom Kaffee und
Tee, d. h. die angenehme belebende Wirkung, die von dem
20 Kaffeingehalte herrührt. Dieser Fehler ließe sich nun leicht
durch Zusatz des künstlichen Kaffeins, sobald es billig
genug geworden ist, beseitigen, und wenn man einmal
diesen Schritt getan, so wird man es auch an der Verbesserung des Geschmackes und Geruches jener Surrogate nicht
25 fehlen lassen. Ja, es ist die Möglichkeit nicht ausgeschlossen,
das wahre Aroma des Kaffees oder Tees ebenfalls auf
künstlichem Wege durch Synthese zu erzeugen, und mit
etwas Phantasie läßt sich deshalb die Zeit voraussehen, wo
zur Bereitung eines guten Kaffees keine Bohne mehr nötig
30 ist, sondern wo ein kleines Pulver aus einer chemischen
Fabrik genügt, um mit Wasser zusammen ein wohl-
schmeckendes, erfrischendes Getränk zu erstaunlich billigem
Preise zu erhalten. Der Laie pflegt solchen Prophezeiungen°
des Chemikers mit Mißtrauen zu begegnen, und dasselbe
wird in diesem speziellen Falle nicht vermindert durch die
Kunde, daß zur Bereitung des künstlichen Getränkes ein
Bestandteil des Guanos als Material dienen soll.
Aber derartige Vorurteile des Publikums° pflegen in
unserer Zeit doch nicht von allzu langem Bestande zu sein.
Wer denkt heute noch daran, daß die prächtigen Farben,
mit denen unsere Kleider und Möbelstoffe geschmückt sind,

kostspieligen   *expensive*

Kaffeesurrogaten   *coffee substitutes*
im Handel erscheinen   *are
sold*
herrührt   *originates*
Zusatz   *addition*

Surrogate   *substitutes*

Phantasie   *imagination*

Laie   *layman*

175

Steinkohlenteer *coal tar*

anhaftet *adheres*

sich abspielen *take place*
Dünger *fertilizer*
duftende *smelling*
sich ... umsetzt *is transformed*

mithin *consequently*

zu harnsaurer Diathese neigen
are subject to uric diathesis

Haushalt *functioning*

Kohlenhydrate *carbohydrates*

dem häßlichen Steinkohlenteer entstammen, oder daß das süß schmeckende Saccharin aus dem gleichen Material bereitet wird? Chemische Verwandlungen sind eben so gründlicher Art, daß dem Endprodukt° von den Eigenschaften des ursprünglichen Stoffes nichts mehr anhaftet. Darum ist auch die Erzeugung von Kaffein aus Harnsäure nichts Schlimmeres als die Prozesse, welche sich abspielen, wenn der zur Ernährung der Pflanzen verwendete Dünger sich in wohlschmeckende Früchte oder in herrlich duftende Blumen umsetzt.

Rascher als die Industrie° hat die Physiologie Nutzen aus der chemischen Aufklärung der Puringruppe ziehen können. Xanthin, Hypoxanthin, Adenin und Guanin sind, wie früher erwähnt, Bestandteile des Zellkernes, der zweifellos morphologisch° der wichtigste Teil der lebenden Zelle ist. Sie gehören mithin zu denjenigen chemischen Stoffen, an welche die Lebensfunktionen direkt gebunden sind. Die Erkenntnis ihrer chemischen Konstitution und ihrer Verwandlung ineinander wird es der physiologischen Forschung erleichtern, ihre Entstehung und Verwertung in der Zelle zu verfolgen, und schon jetzt hat man experimentell den Beweis liefern können, daß sie eine wesentliche Quelle für die Entstehung der Harnsäure im Organismus sind. Damit ist aber auch bereits ein neuer Gesichtspunkt für die praktische Medizin gewonnen, denn wenn es sich darum handelt, bei Personen°, die zu harnsaurer Diathese neigen, durch zweckmäßige Diät° Heilung herbeizuführen, so wird man bei der Auswahl der Speisen die Stoffe, welche reich an Purinkörpern sind, in Zukunft vermeiden. Ähnliche Schlüsse lassen sich noch manche aus der chemischen Aufklärung der Purinkörper ziehen und werden aller Wahrscheinlichkeit nach der biologischen Forschung noch vielen Nutzen bringen.

Während die Purinkörper für den chemischen Haushalt der Zelle in qualitativer Beziehung ein sehr wertvolles Material sind, spielen sie quantitativ keine große Rolle°. In dieser Beziehung treten sie weit zurück gegen die zweite Klasse organischer Verbindungen, die ich heute behandeln will, gegen die Kohlenhydrate; denn sie sind nicht allein das erste organische Produkt, welches aus der Kohlensäure der Luft in den Pflanzen gebildet wird, sondern sie über-

treffen auch an Masse° alle Stoffe, die in der lebenden
Welt kursieren.

Wir unterscheiden bei den Kohlenhydraten besonders
zwei Klassen, die Monosaccharide und die Polysaccharide.
5 Als Repräsentant° der ersteren mag der Traubenzucker
dienen, der in den Weintrauben und anderen süßen
Früchten enthalten ist. Als Polysaccharide nenne ich das
Amylum, den Hauptbestandteil aller vegetabilischen Nahrung, und die Zellulose°, den Hauptbestandteil des Holzes
10 oder der anderen festen Gerüste der Pflanzen.

Sämtliche Polysaccharide können durch einen Prozeß,
den wir Hydrolose° nennen, in die einfacheren Monosaccharide verwandelt werden. Aus den beiden erwähnten
Stoffen entsteht dabei Traubenzucker. Das erfolgt z. B.
15 für das Amylum durch die Säfte des Magens und des
Darmes, wenn wir vegetabilische Nahrung genießen. Bei
der Zellulose erfordert die gleiche Verwandlung eine
kräftigere chemische Behandlung. Sie gelingt am besten
durch die Wirkung von starker Schwefelsäure, und es
20 entsteht dabei der berühmte Zucker aus Holz, von dem
man in populären° Vorträgen nicht selten behaupten hört,
daß er einstmals die Lösung der Brotfrage bringen werde.

Umgekehrt können Monosaccharide durch einen
Vorgang, den man Wasserabspaltung nennt, in die kompli-
25 zierteren° Polyverbindungen übergehen.

Monosaccharide sind heutzutage etwa 50 bekannt,
darunter 10 natürliche Stoffe. Die anderen wurden, wie
Sie gleich sehen werden, künstlich gewonnen, und die dafür
benutzten Methoden° würden ausreichen, um noch Hun-
derte von ähnlichen Stoffen zu erzeugen. Da nun alle diese
Produkte in bunter Abwechslung und verschiedenartigem
Zahlenverhältnis zu Polysacchariden zusammentreten können, so ist die Mannigfaltigkeit der Formen, die sich hier
der Beobachtung darbieten, leicht begreiflich.

Bevor sich die Synthese dieses Gebietes bemächtigt
hatte, waren im Tier- und Pflanzenreiche 6 Monosaccharide, die man gewöhnlich Zucker nennt, gefunden worden,
und auch ihre Struktur war durch Abbau des Moleküls mit
einem genügenden Grade von Sicherheit aufgeklärt. An
ihrer Spitze steht sowohl in praktischer Bedeutung wie in
historischer Beziehung der schon erwähnte Traubenzucker,

kursieren	*circulate*
Amylum	*amylum, starch*
festen Gerüste	*skeletons, structures*
Darmes	*intestine*
Schwefelsäure	*sulfuric acid*
einstmals	*some time*
Wasserabspaltung	*dehydration*
bunter Abwechslung	*abundant variety*
sich . . . bemächtigt hatte	*had gained control*
Abbau	*degradation*

177

der den wissenschaftlichen Namen Glukose° führt. Aus

beistehender Strukturformel erkennt der Eingeweihte so-

$$
\begin{array}{l}
\text{CO H} \\
| \\
\text{CH} \cdot \text{OH} \\
| \\
\text{CH} \cdot \text{OH} \\
| \\
\text{CH} \cdot \text{OH} \\
| \\
\text{CH} \cdot \text{OH} \\
| \\
\text{CH}_2 \cdot \text{OH}
\end{array}
$$

Glukose oder Galaktose

fort, daß er außer einer Kette von 6 Kohlenstoffatomen fünfmal die Gruppe des Alkohols° und einmal die Aldehyd-gruppe enthält, daß er mithin der Aldehyd eines 6-wertigen Alkohols ist. Dieselbe Strukturformel gilt auffallenderweise auch für verschiedene andere Zucker, z. B. für die Galak-tose°. Wie das zu erklären ist, wird später erörtert werden. Während diese beiden wichtigen Zucker 6 Kohlenstoff-atome enthalten, finden sich in der Natur zwei andere mit nur 5 Kohlenstoff, die Arabinose° und Xylose°.

Ihre Struktur ist derjenigen des Traubenzuckers durchaus ähnlich, nur fehlt das letzte unten befindliche Kohlenstoffatom mit dem daran hängenden Wasserstoff und Sauerstoff.

An Versuchen, synthetisch in dieses Gebiet einzu-dringen, hat es in früherer Zeit, wie man bei der Wichtig-keit des Problems erwarten kann, nicht gefehlt. Aber der Erfolg war äußerst dürftig geblieben, denn von den mannig-fachen künstlichen Produkten der älteren chemischen Literatur, die man für zuckerartige Stoffe gehalten, hat nur ein einziges die kritische° Probe gegenüber den moder-nen Untersuchungsmethoden bestanden. Das ist der süße Sirup, den der russische Chemiker Butlerow vor 40 Jahren aus dem Formaldehyd°, den man heute in weiteren Kreisen als Desinfektionsmittel kennt, durch die Wirkung von Kalkwasser gewann. Aber auch dieses Produkt ist, wie das genauere Studium° ergeben hat, ein kompliziertes Gemisch und enthält nur in winziger Menge einen mit dem Trauben-zucker nahe verwandten Stoff, von dem gleich noch die

Rede sein wird. Der von Butlerow eingeschlagene Weg führte also zunächst nicht zum Ziele, der Erfolg mußte unter einfacheren Bedingungen gesucht werden, und diese habe ich in den Beziehungen des Traubenzuckers zum Glyzerin° gefunden. Äußerlich gibt sich die Ähnlichkeit schon durch den gemeinsamen süßen Geschmack zu erkennen. Chemisch ist die Verwandtschaft nicht ganz so groß, denn das Glyzerin hat nur 3 Kohlenstoffe, also halb so viel wie der Zucker. Es enthält auch keine Aldehydgruppe, dagegen ist es ein mehrwertiger Alkohol. Infolgedessen konnte man aus Gründen der Analogie° erwarten, daß es durch gelinde Oxydation in einen Aldehyd übergehen werde, der in gewisser Beziehung den natürlichen Zuckern entsprechen müßte. Das Experiment hat diese Hoffnung bestätigt. Unter dem Einflusse von verdünnter Salpetersäure verwandelt sich das Glyzerin tatsächlich in ein Produkt, welches die typischen° Eigenschaften der Zucker zeigt. Um diese Ähnlichkeit und zugleich die Abstammung des Stoffes anzudeuten, wurde er Glyzerose° genannt.

Die Glyzerose weicht allerdings in ihrer Zusammensetzung von den natürlichen Zuckern noch stark ab, denn sie enthält nur die Hälfte des Kohlenstoffs, und mancher konservative Chemiker trug deshalb anfänglich Bedenken, sie der Zuckergruppe einzureihen. Aber diese Expatriierung hat nicht lange gedauert, denn die Glyzerose lieferte bald einen neuen und diesmal unanfechtbaren Beweis für ihre nahe Verwandtschaft mit den alten Zuckern. Unter dem Einfluß von verdünnter Lauge erfährt sie nämlich eine Veränderung, welche wir nach dem Vorschlage von Berzelius Polymerisation° nennen. Zwei Moleküle treten zusammen zu einem einzigen System, und das neue Produkt, welches den Namen Akrose° erhalten hat, ist nun ein Zucker mit sechs Kohlenstoffatomen, der mit den natürlichen Substanzen die allergrößte Ähnlichkeit hat. Nur fehlt ihm noch eine Eigenschaft der letzteren, nämlich die Fähigkeit, das polarisierte Licht zu drehen, aber eine kleine Veränderung genügte, um auch diese Qualität° zuzufügen und das künstliche Produkt nach Belieben in Traubenzucker oder die verwandten natürlichen Stoffe umzuwandeln.

Die totale Synthese der letzteren ist damit erreicht,

mehrwertiger   *polyvalent*

gelinde   *gentle*

Salpetersäure   *nitric acid*

Expatriierung   *expatriation*

unanfechtbaren   *indisputable*

Lauge   *lye*

J. J. Berzelius, *Swedish chemist (1779–1848)*

das polarisierte Licht zu drehen   *to rotate the plane of polarized light*
zuzufügen   *to add*

zunächst allerdings auf dem Umwege über das Glyzerin.

Abkürzung *shortening* Die Abkürzung des Verfahrens ließ jedoch nicht lange auf sich warten, denn die Akrose fand sich auch in dem oben erwähnten süßen Sirup, der aus dem Formaldehyd nach der Beobachtung von Butlerow entsteht, und nun ist man imstande, von den einfachsten Materialien der organischen Chemie, oder selbst von der anorganischen° Kohlensäure ·durch leicht verständliche Operationen° bis zu den wichtigsten natürlichen Zuckern zu gelangen.

Friedrich Wöhler

Friedrich Wöhler (1800–1882), professor of chemistry at Göttingen, made one of the first assaults against the artificial barrier which had been erected between so-called natural or organic substances and inorganic substances—the idea that some "vital force" was necessary to create animal and vegetable products. Wöhler showed how to prepare urea from ammonium cyanate, a discovery which he proudly announced to his former teacher, the Swedish chemist J. J. Berzelius (1779–1848), in the letter from which this excerpt is taken.

181

O. Wallach, *Briefwechsel zwischen J. Berzelius und F. Wöhler*, Band I
Wöhler an Berzelius, Berlin, 22. Februar 1828

Harnstoff *urea*
Nieren *kidneys*
zyansaure Ammoniak *ammonium cyanate*

Zyansäure *cyanic acid*

Zyanverbindungen *cyanic compounds*

. . . (ich) muß Ihnen sagen, daß ich Harnstoff machen kann, ohne dazu Nieren oder überhaupt ein Tier, sei es Mensch oder Hund, nötig zu haben. Das zyansaure Ammoniak ist Harnstoff. . . .

Diese künstliche Bildung von Harnstoff, kann man sie als ein Beispiel von Bildung einer organischen Substanz aus anorganischen Stoffen betrachten? Es ist auffallend, daß man zur Hervorbringung von Zyansäure (und auch von Ammoniak) immer doch ursprünglich eine organische Substanz haben muß, und ein Naturphilosoph würde sagen, daß sowohl aus der tierischen Kohle, als auch aus den daraus gebildeten Zyanverbindungen, das Organische noch nicht verschwunden, und daher immer noch ein organischer Körper daraus wieder hervorzubringen ist.

Albert Einstein 13

The following selections are taken from a book which Einstein wrote as "a popular exposition" of the theory of relativity. Certainly one of the most outstanding figures in science of the twentieth century, Albert Einstein (1879–1955) was an associate of the Kaiser Wilhelm Institut in Berlin until 1933, when he fled from Germany and came to America to become a member of the Institute for Advanced Study at Princeton.

A major consequence of the subject treated in these selections —the special theory of relativity, announced by Einstein in 1905— was the statement of the equivalence of mass and energy, symbolized by the famous equation

$$E = mc^2.$$

But the heart of the theory was Einstein's analysis of the "relativity of simultaneity," to which the third section below is devoted. Here he uses the example of a lightning discharge seen in relation to a moving train and an observer in the train. Almost every popular exposition of relativity theory, and almost every elementary textbook on modern physics, uses the example first introduced by Einstein himself, because it so beautifully demonstrates the main point.

The second portion, dealing with "The idea of time and physics," supplements the opening section on "The apparent incompatibility of the law of propagation of light with the principle of relativity." The principle is stated by Einstein thus: Let there be two coordinate systems, K and K': "If, relative to K, K' is a uniformly moving coordinate system devoid of rotation, then natural phenomena run their course with respect to K' according to exactly the same general laws as with respect to K." A consequence of the principle is that it is impossible to make a meaningful statement as to whether one such system is in motion in an absolute sense or at rest in an absolute sense; all that one can say is that the two systems are moving or at rest relative to one another.

Der 26jährige Einstein, als er den ersten Vortrag über die Relativitätstheorie hielt

184

Über die spezielle und die allgemeine Relativitätstheorie (Gemeinverständlich)

(1917)

Die scheinbare Unvereinbarkeit des Ausbreitungsgesetzes des Lichtes mit dem Relativitätsprinzip

Es gibt kaum ein einfacheres Gesetz in der Physik° als dasjenige, gemäß welchem sich das Licht im leeren Raume fortpflanzt. Jedes Schulkind weiß oder glaubt zu wissen, daß diese Fortpflanzung geradlinig mit einer Ge-
5 schwindigkeit $c = 300\,000$ km/Sek. geschieht. Wir wissen jedenfalls mit großer Exaktheit°, daß diese Geschwindigkeit für alle Farben dieselbe ist.

Kurz, nehmen wir einmal an, das einfache Gesetz von der konstanten° Lichtgeschwindigkeit c (im Vakuum°)
10 werde von dem Schulkinde mit Recht geglaubt! Wer möchte denken, daß dieses simple Gesetz den gewissenhaft überlegenden Physiker° in die größten gedanklichen Schwierigkeiten gestürzt hat? Diese Schwierigkeiten ergeben sich wie folgt.

15 Natürlich müssen wir den Vorgang der Lichtaus-
breitung wie jeden anderen auf einen starren Bezugskörper (Koordinatensystem°) beziehen. Als solchen wählen wir wieder unseren Bahndamm. Die Luft über demselben wollen wir uns weggepumpt denken. Längs des Bahn-
20 dammes werde ein Lichtstrahl gesandt, dessen Scheitel sich nach dem vorigen mit der Geschwindigkeit c relativ zum Bahndamme fortpflanzt. Auf dem Geleise fahre wieder unser Eisenbahnwagen mit der Geschwindigkeit v, und zwar in derselben Richtung, in der sich der Lichtstrahl
25 fortpflanzt, aber natürlich viel langsamer. Wir fragen nach der Fortpflanzungsgeschwindigkeit des Lichtstrahles relativ zum Wagen. Es ist leicht ersichtlich, daß hier die Betrach-
tung des vorigen Paragraphen Anwendung finden kann; denn der relativ zum Eisenbahnwagen laufende Mann
30 spielt die Rolle° des Lichtstrahles. Statt dessen Geschwindig-
keit W gegen den Bahndamm tritt hier die Lichtgeschwin-
digkeit gegen diesen; w ist die gesuchte Geschwindigkeit des Lichtes gegen den Wagen, für welche also gilt:

$$w = c - v.$$

Bezugskörper *system of reference*

Bahndamm *railroad embankment (see ill. p. 193)*

Scheitel *tip*

Geleise *track*

des vorigen Paragraphen *of the preceding section (omitted here)*

gegen *relative to*

diesen *i.e., den Bahndamm*

185

Die Fortpflanzungsgeschwindigkeit des Lichtstrahles relativ zum Wagen ergibt sich also als kleiner als c.

Dies Ergebnis verstößt aber gegen das Relativitäts- prinzip°. Das Gesetz der Lichtausbreitung im Vakuum müßte nämlich nach dem Relativitätsprinzip wie jedes andere allgemeine Naturgesetz für den Eisenbahnwagen als Bezugskörper gleich lauten wie für das Geleise als Bezugs- körper. Das erscheint aber nach unserer Betrachtung unmöglich. Wenn sich jeder Lichtstrahl in Bezug auf den Damm mit der Geschwindigkeit c fortpflanzt, so scheint eben deshalb das Lichtausbreitungsgesetz in Bezug auf den Wagen ein anderes sein zu müssen — im Widerspruch mit dem Relativitätsprinzip.

Im Hinblick auf dies Dilemma erscheint es unerläß- lich, entweder das Relativitätsprinzip oder das einfache Gesetz der Fortpflanzung des Lichtes im Vakuum aufzu- geben. Gewiß wird der Leser, der den bisherigen Aus- führungen aufmerksam gefolgt ist, erwarten, daß das Prinzip der Relativität, das sich durch seine Natürlichkeit und Einfachheit dem Geiste als fast unabweislich empfiehlt,

aufrecht zu erhalten sei, daß aber das Gesetz der Lichtaus- breitung im Vakuum durch ein komplizierteres°, mit dem Relativitätsprinzip vereinbares Gesetz zu ersetzen sei. Die Entwicklung der theoretischen Physik zeigte aber, daß

dieser Weg nicht gangbar ist. Die bahnbrechenden theo- retischen Forschungen von H. A. Lorentz über die elektro- dynamischen und optischen Vorgänge in bewegten Körpern zeigten nämlich, daß die Erfahrungen in diesen Gebieten mit zwingender Notwendigkeit zu einer Theorie der elektromagnetischen Vorgänge führen, welche das Gesetz der Konstanz° der Lichtgeschwindigkeit im Vakuum zur

unabweisbaren Konsequenz° hat. Deshalb waren die führen- den Theoretiker° eher geneigt, das Relativitätsprinzip fallen

zu lassen, trotzdem sich keine einzige Erfahrungstatsache auffinden ließ, welche diesem Prinzip widersprochen hätte.

Hier setzte die Relativitätstheorie ein. Durch eine Analyse° der physikalischen Begriffe von Zeit und Raum zeigte sich, d a ß i n W a h r h e i t e i n e U n v e r e i n- b a r k e i t d e s R e l a t i v i t ä t s p r i n z i p s m i t d e m A u s b r e i t u n g s g e s e t z d e s L i c h t e s g a r n i c h t v o r h a n d e n s e i , daß man vielmehr

Dr. G. Van Biesbroek, Yerkes Sternwarte, und F. O. Westfall, National Bureau of Standards, in Bocayuva, Brasilien, 20. Mai 1947. Ihre Photographien der Sonnenfinsternis bestätigten Einsteins Theorie, dass Sternenlicht durch das Schwerkraftfeld der Sonne abgelenkt wird

durch systematisches Festhalten an diesen beiden Gesetzen zu einer logisch° einwandfreien Theorie gelange. Diese Theorie, welche wir zum Unterschiede von ihrer später zu besprechenden Erweiterung als „spezielle Relativitätstheorie" bezeichnen, soll im folgenden in ihren Grundgedanken dargestellt werden.

einwandfreien   *unobjectionable*

187

Astrophysikalisches Observatorium bei Potsdam. Einsteinturm

Über den Zeitbegriff in der Physik

An zwei weit voneinander entfernten Stellen *A* und *B* unseres Bahndammes hat der Blitz ins Geleise eingeschlagen. Ich füge die Behauptung hinzu, diese beiden Schläge seien g l e i c h z e i t i g erfolgt. Wenn ich dich nun frage, lieber Leser, ob diese Aussage einen Sinn habe, so wirst du mir mit einem überzeugten „Ja" antworten. Wenn ich aber jetzt in dich dringe mit der Bitte, mir den Sinn der Aussage genauer zu erklären, merkst du nach einiger Überlegung, daß die Antwort auf diese Frage nicht so einfach ist, wie es auf den ersten Blick scheint.

Nach einiger Zeit wird dir vielleicht folgende Antwort in den Sinn kommen: „Die Bedeutung der Aussage ist an und für sich klar und bedarf keiner weiteren Erläuterung; einiges Nachdenken müßte ich allerdings aufwenden, wenn ich den Auftrag erhielte, durch Beobachtungen zu ermitteln, ob im konkreten° Falle die beiden Ereignisse gleichzeitig stattfanden oder nicht." Mit dieser Antwort kann ich

Erläuterung *explanation*
aufwenden *exert, apply*
ermitteln *determine*

188

mich aber aus folgendem Grunde nicht zufrieden geben.
Gesetzt, ein geschickter Meteorologe° hätte durch scharfsinnige Überlegungen herausgefunden, daß es an den Orten
A und *B* immer gleichzeitig einschlagen müsse, dann entsteht die Aufgabe, nachzuprüfen, ob dieses theoretische
Resultat° der Wirklichkeit entspricht oder nicht. Analog°
ist es bei allen physikalischen Aussagen, bei denen der
Begriff „gleichzeitig" eine Rolle spielt. Der Begriff existiert°
für den Physiker erst dann, wenn die Möglichkeit gegeben
ist, im konkreten° Falle herauszufinden, ob der Begriff
zutrifft oder nicht. Es bedarf also einer solchen Definition
der Gleichzeitigkeit, daß diese Definition die Methode an
die Hand gibt, nach welcher im vorliegenden Falle aus
Experimenten entschieden werden kann, ob beide Blitzschläge gleichzeitig erfolgt sind oder nicht. Solange diese
Forderung nicht erfüllt ist, gebe ich mich als Physiker einer
Täuschung hin, wenn ich glaube, mit der Aussage der
Gleichzeitigkeit einen Sinn verbinden zu können. (Bevor
du mir dies mit Überzeugung zugegeben hast, lieber Leser,
lies nicht weiter.)

Nach einiger Zeit des Nachdenkens machst du nun
folgenden Vorschlag für das Konstatieren der Gleichzeitigkeit. Die Verbindungsstrecke *AB* werde dem Geleise nach
ausgemessen und in die Mitte *M* der Strecke ein Beobachter
gestellt, der mit einer Einrichtung versehen ist (etwa zwei
um 90° gegeneinander geneigte Spiegel), die ihm eine
gleichzeitige optische° Fixierung beider Orte *A* und *B*
erlaubt. Nimmt dieser die beiden Blitzschläge gleichzeitig
wahr, so sind sie gleichzeitig.

Ich bin mit diesem Vorschlag sehr zufrieden und halte
die Sache dennoch nicht für ganz geklärt, weil ich mich zu
folgendem Einwand gedrängt fühle: „Deine Definition
wäre unbedingt richtig, wenn ich schon wüßte, daß das
Licht, welches dem Beobachter in *M* die Wahrnehmung
der Blitzschläge vermittelt, sich mit der gleichen Geschwindigkeit auf der Strecke *A* → *M* wie auf der Strecke
B → *M* fortpflanze. Eine Prüfung dieser Voraussetzung
wäre aber nur dann möglich, wenn man über die Mittel
der Zeitmessung bereits verfügte. Man scheint sich also
hier in einem logischen Zirkel° zu bewegen."

Nach einiger weiterer Überlegung wirfst du mir aber

gesetzt   *let us suppose*
geschickter   *clever*
scharfsinnige   *ingenious*

nachprüfen (inf.)   *to test*

zutrifft   *applies*
an die Hand gibt   *furnishes*

konstatieren (inf.)   *to determine*
Verbindungsstrecke   *distance*
ausgemessen   *measured*

Fixierung   *determination*

vermittelt   *makes possible*

über . . . verfügte   *had at one's disposal*

1905.   *№* **10.**

ANNALEN
DER
PHYSIK.

BEGRÜNDET UND FORTGEFÜHRT DURCH

F. A. C. GREN, L. W. GILBERT, J. C. POGGENDORFF, G. UND E. WIEDEMANN.

VIERTE FOLGE.

BAND 17. HEFT 5.

DER GANZEN REIHE 322. BANDES 5. HEFT.

KURATORIUM:

F. KOHLRAUSCH, M. PLANCK, G. QUINCKE,
W. C. RÖNTGEN, E. WARBURG.

UNTER MITWIRKUNG

DER DEUTSCHEN PHYSIKALISCHEN GESELLSCHAFT

UND INSBESONDERE VON

M. PLANCK

HERAUSGEGEBEN VON

PAUL DRUDE.

MIT EINER TAFEL.

LEIPZIG, 1905.
VERLAG VON JOHANN AMBROSIUS BARTH.
ROSSPLATZ 17.

Bestellungen auf die „Annalen" werden von allen Buchhandlungen, von den
Postämtern und von der Verlagsbuchhandlung angenommen. Preis für den in
15 Heften (= 3 Bänden) ausgegebenen Jahrgang 45 ℳ.

(Ausgegeben am 26. September 1905.)

Titelseite der Annalen der Physik, *Jahrgang 1905, in denen Einsteins erste
Mitteilung über die Relativitätstheorie erschien*

3. *Zur Elektrodynamik bewegter Körper;*
von A. Einstein.

Daß die Elektrodynamik Maxwells — wie dieselbe gegenwärtig aufgefaßt zu werden pflegt — in ihrer Anwendung auf bewegte Körper zu Asymmetrien führt, welche den Phänomenen nicht anzuhaften scheinen, ist bekannt. Man denke z. B. an die elektrodynamische Wechselwirkung zwischen einem Magneten und einem Leiter. Das beobachtbare Phänomen hängt hier nur ab von der Relativbewegung von Leiter und Magnet, während nach der üblichen Auffassung die beiden Fälle, daß der eine oder der andere dieser Körper der bewegte sei, streng voneinander zu trennen sind. Bewegt sich nämlich der Magnet und ruht der Leiter, so entsteht in der Umgebung des Magneten ein elektrisches Feld von gewissem Energiewerte, welches an den Orten, wo sich Teile des Leiters befinden, einen Strom erzeugt. Ruht aber der Magnet und bewegt sich der Leiter, so entsteht in der Umgebung des Magneten kein elektrisches Feld, dagegen im Leiter eine elektromotorische Kraft, welcher an sich keine Energie entspricht, die aber — Gleichheit der Relativbewegung bei den beiden ins Auge gefaßten Fällen vorausgesetzt — zu elektrischen Strömen von derselben Größe und demselben Verlaufe Veranlassung gibt, wie im ersten Falle die elektrischen Kräfte.

Beispiele ähnlicher Art, sowie die mißlungenen Versuche, eine Bewegung der Erde relativ zum „Lichtmedium" zu konstatieren, führen zu der Vermutung, daß dem Begriffe der absoluten Ruhe nicht nur in der Mechanik, sondern auch in der Elektrodynamik keine Eigenschaften der Erscheinungen entsprechen, sondern daß vielmehr für alle Koordinatensysteme, für welche die mechanischen Gleichungen gelten, auch die gleichen elektrodynamischen und optischen Gesetze gelten, wie dies für die Größen erster Ordnung bereits erwiesen ist. Wir wollen diese Vermutung (deren Inhalt im folgenden „Prinzip der Relativität" genannt werden wird) zur Voraussetzung erheben und außerdem die mit ihm nur scheinbar unverträgliche

Erste Seite von Einsteins Mitteilung "Zur Elektrodynamik bewegter Körper" in den Annalen der Physik, 1905

zutreffen (inf.) *to be correct*
unbestreitbar *incontestable*

nach freiem Ermessen *arbitrarily*

beliebig vieler *as many as desired*
wie *no matter how*

von gleicher Beschaffenheit *identical, exactly equal*

Zeigerstellungen *positions of the hands*

Zeitangabe *reading (of the time)*

zugeordnet *associated*
prinzipiell *basically*

Gegengründe *opposing reasons*

mit Recht einen etwas verächtlichen Blick zu und erklärst mir: „Ich halte meine Definition von vorhin trotzdem aufrecht, da sie in Wahrheit gar nichts über das Licht voraussetzt. An die Definition der Gleichzeitigkeit ist nur die e i n e Forderung zu stellen, daß sie in jedem realen° Falle eine empirische° Entscheidung an die Hand gibt über das Zutreffen oder Nichtzutreffen des zu definierenden° Begriffs. Daß meine Definition dies leistet, ist unbestreitbar. Daß das Licht zum Durchlaufen des Weges $A \rightarrow M$ und zum Durchlaufen der Strecke $B \rightarrow M$ dieselbe Zeit brauche, ist in Wahrheit keine V o r a u s s e t z u n g o d e r H y p o t h e s e° über die physikalische Natur des Lichtes, sondern eine F e s t s e t z u n g, die ich nach freiem Ermessen treffen kann, um zu einer Definition der Gleichzeitigkeit zu gelangen."

Es ist klar, daß diese Definition benutzt werden kann, um der Aussage der Gleichzeitigkeit nicht nur z w e i e r Ereignisse, sondern beliebig vieler Ereignisse einen exakten° Sinn zu geben, wie die Ereignisorte relativ zum Bezugskörper (hier dem Bahndamm) gelagert sein mögen. Damit gelangt man auch zu einer Definition der „Zeit" in der Physik. Man denke sich nämlich in den Punkten A, B, C des Geleises (Koordinatensystems) Uhren von gleicher Beschaffenheit aufgestellt und derart gerichtet, daß deren Zeigerstellungen gleichzeitig (im obigen Sinne) dieselben sind. Dann versteht man unter der „Zeit" eines Ereignisses die Zeitangabe (Zeigerstellung) derjenigen dieser Uhren, welche dem Ereignis (räumlich) unmittelbar benachbart ist. Auf diese Weise wird jedem Ereignis ein Zeitwert zugeordnet, der sich prinzipiell beobachten läßt.

Diese Festsetzung enthält noch eine physikalische Hypothese, an deren Zutreffen man ohne empirische° Gegengründe kaum zweifeln wird. Es ist nämlich angenommen, daß alle diese Uhren „gleich rasch" gehen, wenn sie von gleicher Beschaffenheit sind. Exakt° formuliert°: Wenn zwei an verschiedenen Stellen des Bezugskörpers ruhend angeordnete Uhren so eingestellt werden, daß e i n e Zeigerstellung der einen mit d e r s e l b e n Zeigerstellung der anderen g l e i c h z e i t i g (im obigen Sinne) ist, so sind gleiche Zeigerstellungen überhaupt gleichzeitig (im Sinne obiger Definition).

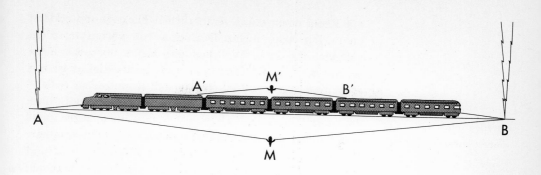

Die Relativität der Gleichzeitigkeit

Bisher haben wir unsere Betrachtung auf einen bestimmten Bezugskörper bezogen, den wir als „Bahndamm" bezeichnet haben. Es fahre nun auf dem Geleise ein sehr
5 langer Zug mit der konstanten Geschwindigkeit v in der in Fig. 1 angegebenen Richtung. Menschen, die in diesem Zuge fahren, werden mit Vorteil den Zug als starren Bezugskörper (Koordinatensystem) verwenden; sie beziehen alle Ereignisse auf den Zug. Jedes Ereignis, welches längs
10 des Geleises stattfindet, findet dann auch an einem bestimmten Punkte des Zuges statt. Auch die Definition der Gleichzeitigkeit läßt sich in Bezug auf den Zug in genau derselben Weise geben, wie in Bezug auf den Bahndamm. Es entsteht aber nun naturgemäß folgende Frage:
15 Sind zwei Ereignisse (z. B. die beiden Blitzschläge A und B), welche in Bezug auf den Bahndamm gleichzeitig sind, auch in Bezug auf den Zug gleichzeitig? Wir werden sogleich zeigen, daß die Antwort verneinend lauten muß.
20 Wenn wir sagen, daß die Blitzschläge A und B in Bezug auf den Bahndamm gleichzeitig sind, so bedeutet dies: die von den Blitzorten A und B ausgehenden Lichtstrahlen begegnen sich in dem Mittelpunkte M der Fahrdammstrecke $A - B$. Den Ereignissen A und B entsprechen
25 aber auch Stellen A und B auf dem Zuge. Es sei M' der Mittelpunkt der Strecke $A - B$ des fahrenden Zuges. Dieser Punkt M' fällt zwar im Augenblick der Blitzschläge

Fahrdammstrecke *section of line*

193

(vom Fahrdamm aus beurteilt!) mit dem Punkte M zusammen, bewegt sich aber in der Zeichnung mit der Geschwindigkeit v des Zuges nach rechts. Würde ein bei M' im Zuge sitzender Beobachter diese Geschwindigkeit nicht besitzen, so würde er dauernd in M bleiben, und es würden ihn dann die von den Blitzschlägen A und B ausgehenden Lichtstrahlen gleichzeitig erreichen, d. h., diese beiden Strahlen würden sich gerade bei ihm begegnen. In Wahrheit aber eilt er (vom Bahndamm aus beurteilt) dem von B herkommenden Lichtstrahl entgegen, während er dem von A herkommenden Lichtstrahl vorauseilt. Der Beobachter wird also den von B ausgehenden Lichtstrahl früher sehen, als den von A ausgehenden. Die Beobachter, welche den Eisenbahnzug als Bezugskörper benutzen, müssen also zu dem Ergebnis kommen, der Blitzschlag B habe früher stattgefunden als der Blitzschlag A. Wir kommen also zu dem wichtigen Ergebnis:

Ereignisse, welche in Bezug auf den Bahndamm gleichzeitig sind, sind in Bezug auf den Zug nicht gleichzeitig und umgekehrt (Relativität der Gleichzeitigkeit). Jeder Bezugskörper (Koordinatensystem) hat seine besondere Zeit; eine Zeitangabe hat nur dann einen Sinn, wenn der Bezugskörper angegeben ist, auf den sich die Zeitangabe bezieht.

Die Physik hat nun vor der Relativitätstheorie stets stillschweigend angenommen, daß die Bedeutung der Zeitangaben eine absolute, d. h. vom Bewegungszustande des Bezugskörpers unabhängige, sei. Daß diese Annahme aber mit der nächstliegenden Definition der Gleichzeitigkeit unvereinbar ist, haben wir soeben gesehen.

14

Max Planck

The following pair of selections is comprised of statements by Max Planck (1858–1947) and Werner Heisenberg (1901–   ), respectively the founder of the quantum theory and the man chiefly responsible for its modern form.

Born in Kiel, where his father was professor of constitutional law at the University, Planck studied physics at Berlin under Helmholtz (see ch. 4) and Kirchhoff (see pp. 42-43), and then took his doctorate at Munich in 1879. Eventually he became Kirchhoff's successor as professor of physics at the University of Berlin, rose to be one of the world's leading physicists, became Permanent Secretary to the Prussian Academy of Science, and in 1930 was elected President of the Kaiser Wilhelm Gesellschaft, one of the highest academic distinctions in Germany.

Heisenberg comments that Planck's major contribution was contained in his statement, published in 1900: "Radiant heat is not a continuous flow and indefinitely divisible. It must be defined as a discontinuous mass made up of units all of which are similar to one another." Heisenberg points out that Planck could hardly have foreseen that the next three decades would show that this apparently simple and harmless concept would flatly contradict many principles of physics then accepted, and would develop into "a doctrine of atomic structure which, for its scientific comprehensiveness and mathematical simplicity, is not a whit inferior to the classical scheme of theoretical physics."

At the beginning of the selection, Planck states that electrons and atoms cannot properly be explained as a miniature system of planets moving about a central body. He goes on to discuss the similarity in the nature of the reflection of electrons by a metal crystal to that of X-rays or Röntgen rays, the subject of study by Max von Laue (see p. 166), and then presents the results of modern quantum mechanics, e.g. that electrons must be considered as waves, as well as particles, which leads him to the discussion of "mass-points" in relation to electrons.

Aus der neuen Physik

Vortrag gehalten in der Kundgebung der Notgemeinschaft der deutschen Wissenschaft in Dresden, 2. Dezember 1928. (In Planck: *Physikalische Abhandlungen und Vorträge* III, 172ff.)

Notgemeinschaft *Emergency Society*

Bis vor kurzem noch war man vollauf zu der Annahme berechtigt, daß die Physik sich auf dem geraden Wege zu ihrem idealen° Endziele befinde, nämlich der befriedigenden Erklärung des gesetzlichen Ablaufs aller physikalischen Erscheinungen auf Grundlage der Mechanik° und der Elektrodynamik°. Das Jahrhunderte alte Rätsel der Gravitation war gelöst, die Gesetze der Strahlung von Licht und Wärme aufgedeckt, sogar die seltsamen radioaktiven Erscheinungen wenigstens grundsätzlich verständlich geworden, die Atomistik hatte unerhörte Erfolge zu verzeichnen, man schien dem Verständnis des Baues der Atome° und der feinsten Vorgänge in ihnen ganz nahegerückt. Und die Befriedigung über diese Erfolge wurde noch erhöht durch den Befund, daß sich im Mikrokosmos die nämlichen Gesetze gültig zeigten, mit denen man in den großen Dimensionen° des Himmelsraumes seit Jahrhunderten vertraut war. Wie die Planeten° um die Sonne, so sollten die negativen Elektronen um den positiven Atomkern kreisen. Was in dem einen Fall die Gravitation, das leistete in dem andern Fall die Anziehung der entgegengesetzten elektrischen Ladungen. Einige übrigbleibende grundsätzliche Unterschiede, wie z.B. der, daß die Elektronen immer nur auf ganz bestimmten, diskret voneinander verschiedenen Bahnen kreisen können, während bei den Planeten keine einzelne Bahn vor einer anderen von vornherein bevorzugt erscheint, hoffte man später einmal auf irgendeine Weise klären zu können.

Aber diese Hoffnung ging nicht in Erfüllung, man kam bei der weiteren Entwicklung der Theorie in der eingeschlagenen Richtung nicht um einen Schritt weiter vorwärts. Weder von der gegenseitigen Einwirkung der Elektronen, die doch wegen ihrer gleichnamigen Ladungen in einer starken Abstoßung hätte bestehen müssen, noch von der Periode° ihres Umlaufs um den Atomkern, noch von dem Ort, an dem sie sich jeweils befinden, war das geringste zu bemerken. Keine dieser Größen ließ sich direkt

vollauf *wholly*
berechtigt *justified*

Atomistik *theory of atoms*
unerhörte *unprecedented*
hatte . . . zu verzeichnen *manifested*

Befund *finding, discovery*

vertraut *familiar*

diskret *discretely*

bevorzugt *preferred*

jeweils *at a given time*

197

oder indirekt durch Messungen nachweisen. Im Gegenteil: was sich durch Beobachtung feststellen ließ, waren Dinge, die auf eine gänzlich neuartige Auffassung von der Natur der Elektronen hindeuteten.

So verhält sich ein mit bestimmter Geschwindigkeit sich bewegendes freies Elektron gar nicht wie ein einzelnes fliegendes Projektil, sondern viel eher wie eine über den ganzen unendlichen Raum gleichmäßig ausgebreitete Welle von bestimmter Periode. Das zeigt sich am direktesten bei der Reflexion eines Strahls von zahlreichen Elektronen an einem Metallkristall°, z.B. Nickel, welche nach ganz ähnlichen Gesetzen erfolgt wie die Reflexion eines Röntgenstrahls von ganz bestimmter Wellenlänge, indem auch hier die nämlichen Interferenz- und Beugungserscheinungen beobachtet werden. Dabei interferieren° aber nicht etwa die verschiedenen Elektronen miteinander, sondern jedes Elektron für sich bedingt das vollständige Beugungsbild, interferiert also gewissermaßen mit sich selbst. Aus der Wellennatur eines Elektrons ergibt sich auch unmittelbar ein Verständnis für den Umstand, daß die Elektronen eines Atoms nur in ganz bestimmten Bahnen um den Kern kreisen können. Denn da eine jede Bahn in sich zurückläuft, so ist klar, daß sie immer gerade eine ganze Anzahl von Wellenlängen unfassen muß, ebenso wie die Länge einer zu einem vollständigen Ring geschlossenen Kette niemals einer gebrochenen, sondern stets nur einer ganzen Zahl von Gliederlängen gleich sein kann. Aus dieser Bedingung ergeben sich gerade die bekannten Gesetze der sog. stationären° Elektronenbahnen. Darnach gleicht der Kreislauf eines Elektrons um den Atomkern weniger der Bewegung eines einzelnen Planeten um die Sonne, als vielmehr der Drehung eines allseitig symmetrischen° Ringes in sich selbst.

Aber wenn nun, so muß man fragen, ein einzelnes Elektron durch eine nach allen Richtungen des Raumes ausgebreitete Welle dargestellt werden soll, wo bleibt dann der physikalische Sinn des speziellen° Ortes, an dem sich das Elektron befindet? — Die Antwort auf diese Frage ist, so paradox sie klingt, charakteristisch für die neue Theorie. Sie lautet ganz einfach: ein Elektron, das eine bestimmte Geschwindigkeit besitzt, nimmt überhaupt keinen be-

---

Periode *frequency*

Beugungserscheinungen *phenomena of diffraction*

Beugungsbild *image of diffraction*

gebrochenen *fractional*

Gliederlängen *links*

Kreislauf *orbit*

so paradox sie klingt *paradoxical though it sounds*

stimmten Ort ein. Das kann man sich entweder so denken, daß die Ladung des Elektrons gewissermaßen verwischt und über seine ganze ringförmige Bahn hin ausgebreitet ist, oder noch radikaler, aber einstweilen wohl zweck- 5 mäßiger so, daß das Elektron zwar punktförmig ist, daß es aber prinzipiell kein Mittel gibt, seine Lage zu bestimmen.

In diesem Satze offenbart sich wie kaum in einem andern der schroffe Gegensatz der neuen zu der alten Physik. Es ist ein Gegensatz, der tief in unsere elementaren 10 Anschauungen hinabreicht und der die schwierige Aufgabe mit sich bringt, das Gebäude der physikalischen Theorie auf teilweise verändertem Grunde neu zu errichten.

Bisher galt es als Ausgangspunkt alles kausalen° physikalischen Denkens, daß, wenn in einem nach außen 15 abgeschlossenen physikalischen Gebilde die Lagen und die Geschwindigkeiten aller darin befindlichen Massenpunkte, einschließlich der Elektronen, und das sie umgebende elektromagnetische Feld zu irgendeiner Zeit bestimmte Werte besitzen, sämtliche innerhalb des Gebildes sich 20 abspielenden Vorgänge für alle folgenden Zeiten eindeutig bestimmt sind und sich aus einer hinreichend vollständig entwickelten Theorie berechnen lassen.

Diesen Satz gibt die neuere Physik preis und setzt ihm den folgenden entgegen: für die in einem nach außen 25 abgeschlossenen physikalischen Gebilde befindlichen Massenpunkte lassen sich, prinzipiell genommen, überhaupt keine bestimmten Lagen und Geschwindigkeiten zu einer bestimmten Zeit feststellen. Denn eine solche Feststellung könnte nur durch eine Messung erfolgen, und eine jede 30 Messung ist mit einem mehr oder minder groben äußeren Eingriff in den Zustand des Gebildes verbunden, so daß das Ergebnis der Messung stets auch etwas von der Art ihrer Ausführung abhängt. Solange das Gebilde wirklich nach außen abgeschlossen ist, fehlt jede Wechselwirkung mit 35 dem Beobachter, und wir können überhaupt keinerlei Kenntnis von seinen Eigenschaften erlangen. Daher ist es prinzipiell unmöglich, den Zustand eines physikalischen Gebildes im Sinne der bisherigen Theorie unabhängig von jedem Meßinstrument vollständig zu definieren°.

Man wird zunächst zugeben müssen, daß eine derartige Auffassung in gewissem Sinne ihre Berechtigung hat.

verwischt *blurred*

prinzipiell *in principle*

schroffe *sharp*
elementaren *basic*

Gebilde *system*
Massenpunkte *mass points, particles*

sich abspielenden *occurring*
eindeutig *uniquely, unambiguously*

gibt . . . preis *gives up*

Wechselwirkung *interaction*

Berechtigung *justification*

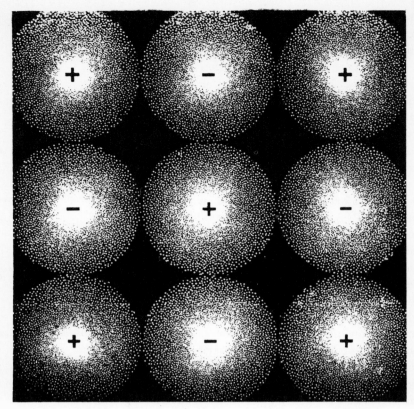

Atomstruktur eines Ionenkrystalls in der Quantenvorstellung

anhaftet   *is connected with*

Sie ist auch an sich gar nicht neu. Denn daß einer jeden Messung eine Ungenauigkeit anhaftet, ist von jeher bekannt, und auch der weitere Umstand, daß durch das angewendete spezielle° Meßverfahren eine Veränderung der zu messenden Vorgänge und dadurch möglicherweise eine Fälschung der Resultate° bewirkt wird. Man half sich aber dann bisher stets damit, daß man das zu messende Objekt möglichst behutsam anzufassen suchte, und gab sich im übrigen der Hoffnung hin, daß mit der unablässig fortschreitenden Verfeinerung, einerseits der Messungsmethoden, andererseits der von der Theorie gelehrten Korrekturen, die erzielten Resultate sich in steigendem Maße als unabhängig von der Art der Messung erweisen

möglichst behutsam   *as carefully as possible*
unablässig   *incessantly*

Korrekturen   *corrections*

würden. War man doch sogar in manchen Fällen schon in der Lage, eine physikalische Größe auf theoretischem Wege viel genauer zu berechnen, als sie überhaupt jemals gemessen werden kann. So ist z. B. bekannt, daß die Ver-
5 teilung der Elektrizität° auf der Oberfläche eines geladenen leitenden Ellipsoids° sich theoretisch mit einer Genauigkeit bestimmen läßt, welche von einer direkten Messung niemals erreicht werden wird.

Das Befremdende der neuen Theorie besteht nun
10 aber darin, daß nach ihr der Messungsgenauigkeit eines jeden physikalischen Zustandes eine ganz bestimmte p r i n z i p i e l l e Schranke gesetzt ist. Für einen Massenpunkt läßt sich dieselbe dahin formulieren, daß die Unsicherheit in der Messung seiner Lage im umgekehrten
15 Verhältnis steht zu der Unsicherheit in der Messung seiner Geschwindigkeit. Je genauer die Geschwindigkeit gemessen wird, desto ungenauer fällt die Messung der Lage aus, und wenn die Geschwindigkeit absolut° genau gemessen ist, so bleibt die Lage vollständig unbestimmt. Dies ist der Sinn
20 der oben von mir angeführten Behauptung bezüglich des unbestimmbaren Orts eines Elektrons, dessen Geschwindigkeit genau bekannt ist.

Umgekehrt wird die Messung der Geschwindigkeit um so unsicherer, je genauer die Lage bestimmt wird. Auch da-
25 für noch ein Beispiel. Die direkteste° und feinste Messung der Lage eines Massenpunktes geschieht auf optischem Wege, entweder durch direktes Anvisieren mit dem bloßen oder bewaffneten Auge oder durch eine photographische Aufnahme. Dazu muß man den Punkt beleuchten. Dann
30 wird die Abbildung um so schärfer, also die Messung um so genauer ausfallen, je kürzere Lichtwellen angewendet werden. Für gewöhnlich darf man die Einwirkung des Lichtes auf das beleuchtete Objekt vernachlässigen. Anders ist es aber, wenn man als Objekt ein einzelnes Elektron
35 wählt. Denn jeder Lichtstrahl, der das Elektron trifft und von ihm zurückgeworfen wird, erteilt demselben einen merklichen Stoß, und zwar um so heftiger, je kürzer die Lichtwelle ist. Daher wächst mit der Kürze der Lichtwelle zwar die Schärfe der Ortsbestimmung, aber auch in entsprechendem Verhältnis die Unschärfe der Geschwindigkeitsbestimmung.

201

das Befremdende *the surprising aspect*

prinzipielle Schranke *fundamental limit*
dieselbe *i.e.,* Schranke

angeführten *adduced*

auf optischem Wege *optically*
anvisieren (inf.) *to examine*
bewaffneten *aided*

vernachlässigen *ignore*

Quantenvorstellung eines Wasserstoffatoms

Gedankengänge *trains of thought*
Begriffsbestimmung *concept*

einleuchtenden Gedankenexperimente *obvious conceptual experiments*
unheimliche *alarming*

Fundamenten *foundations*

Es ist keine Frage, daß durch derartige Gedankengänge in manche bisher vollkommen klare Begriffsbestimmung der physikalischen Wissenschaft, ebenso wie in die Beweiskraft mancher bisher ohne weiteres einleuchtenden Gedankenexperimente eine unheimliche Verwirrung gebracht wird, ja daß damit auf den ersten Anblick der Aufbau der ganzen theoretischen Physik in seinen Fundamenten erschüttert erscheinen muß.

5

Werner Heisenberg

In the second part of this chapter, Werner Heisenberg (b.1901), one of the outstanding living physicists, co-founder of quantum mechanics with the Austrian Erwin Schrödinger, and formulator of the famous uncertainty principle, discusses the statistical character of quantum theory. In this selection he explains how the Rutherford-Bohr atomic model has led to the explanation of the phenomena of chemistry, physics, and even astrophysics. He then stresses the need of abandoning the older and too simple idea of pure determinism. The impossibility of simultaneously measuring accurately both the velocity and the position of atomic and sub-atomic particles is introduced modestly; for the exact statement that the product of the two uncertainties (in position and velocity) must always be greater than Planck's constant is in fact the great Principle of Indeterminacy, first formulated by Heisenberg himself. Some modern thinkers hold that Bohr's concept of complementarity, derived from the Heisenberg principle, is one of the most profound aspects of modern philosophy of science.

Das Naturbild der heutigen Physik

(1955)

Statistischer Charakter der Quantentheorie

Planck hatte zunächst in seiner Arbeit über die Strahlungstheorie nur ein Element von Unstetigkeit in den Strahlungserscheinungen gefunden. Er hatte gezeigt, daß ein strahlendes Atom seine Energie nicht kontinuierlich,
5 sondern unstetig, in Stößen, abgibt. Diese unstetige und stoßweise Energieabgabe führt wieder, wie die ganzen Vorstellungen der Atomtheorie°, zu der Annahme, daß die Aussendung von Strahlung ein statistisches° Phänomen° sei. Aber erst im Laufe von zweieinhalb Jahrzehnten hat
10 sich herausgestellt, d a ß   d i e   Q u a n t e n t h e o r i e t a t s ä c h l i c h   s o g a r   d a z u   z w i n g t,   d i e G e s e t z e   e b e n   a l s   s t a t i s t i s c h e   G e s e t z e z u   f o r m u l i e r e n° und vom Determinismus auch grundsätzlich abzugehen. Die Plancksche Theorie hatte
15 sich seit den Arbeiten von Einstein, Bohr und Sommerfeld als der Schlüssel erwiesen, mit dem man das Tor zu dem Gesamtgebiet der Atomphysik° öffnen kann. Mit Hilfe der Rutherford-Bohrschen Atommodells° hat man die chemischen Vorgänge erklären können, und seit dieser Zeit
20 sind Chemie, Physik und Astrophysik zu einer Einheit verschmolzen. Bei der mathematischen Formulierung der quantentheoretischen Gesetze hat man sich aber gezwungen gesehen, vom reinen Determinismus abzugehen. Da ich von diesen mathematischen Ansätzen hier nicht sprechen
25 kann, will ich nur verschiedene Formulierungen angeben, in denen man die merkwürdige Situation ausgedrückt hat, vor die der Physiker° sich in der Atomphysik gestellt sah. Einmal kann man die Abweichung von der früheren Physik in den sogenannten Unbestimmtheitsrelationen ausdrücken.
30 Man stellte fest, daß es nicht möglich ist, den Ort und die Geschwindigkeit eines atomaren Teilchens gleichzeitig mit beliebiger Genauigkeit anzugeben. Man kann entweder den Ort sehr genau messen, dann verwischt sich dabei durch den Eingriff des Beobachtungsinstruments die Kennt-
35 nis der Geschwindigkeit bis zu einem gewissen Grade; umgekehrt verwischt sich die Ortskenntnis durch eine

genaue Geschwindigkeitsmessung, so daß für das Produkt der beiden Ungenauigkeiten durch die Plancksche Konstante° eine untere Grenze gegeben wird. Diese Formulierung macht jedenfalls klar, daß man mit den Begriffen der Newtonschen Mechanik° nicht sehr viel weiter kommen kann; denn für die Berechnung eines mechanischen Ablaufs muß man gerade Ort und Geschwindigkeit zu einem bestimmten Zeitpunkt gleichzeitig genau kennen; aber eben dies soll nach der Quantentheorie unmöglich sein. Eine andere Formulierung ist von Niels Bohr geprägt worden, der den Begriff von Komplementarität eingeführt hat. Er meint damit, daß verschiedene anschauliche Bilder, mit denen wir atomare Systeme beschreiben, zwar für bestimmte Experimente durchaus angemessen sind, aber sich doch gegenseitig ausschließen. So kann man z. B. das Bohrsche Atom als ein Planetensystem° im Kleinen beschreiben: in der Mitte ein Atomkern und außen Elektronen, die diesen Kern umkreisen. Für andere Experimente aber mag es zweckmäßig sein, sich vorzustellen, daß der Atomkern von einem System stehender Wellen umgeben ist, wobei die Frequenz° der Wellen maßgebend ist für die vom Atom ausgesandte Strahlung. Schließlich kann man das Atom auch ansehen als einen Gegenstand der Chemie, man kann seine Reaktionswärmen beim Zusammenschluß mit anderen Atomen berechnen, aber dann nicht gleichzeitig etwas über die Bewegung der Elektronen aussagen. Diese verschiedenen Bilder sind also richtig, wenn man sie an der richtigen Stelle verwendet, aber sie widersprechen einander, und man bezeichnet sie daher als komplementär° zueinander. Die Unbestimmtheit, mit der jedes einzelne dieser Bilder behaftet ist und die durch die Unbestimmtheitsrelation ausgedrückt wird, genügt eben, um logische° Widersprüche zwischen den verschiedenen Bildern zu vermeiden. Es ist aus diesen Andeutungen wohl auch ohne Eingehen auf die Mathematik der Quantentheorie verständlich, daß die unvollständige Kenntnis eines Systems ein wesentlicher Bestandteil jeder Formulierung der Quantentheorie sein muß. Die quantentheoretischen Gesetze müssen statistischer Art sein. Um ein Beispiel zu nennen: Wir wissen, daß ein Radiumatom α-Strahlen aussenden kann. Die Quantentheorie kann angeben, mit welcher Wahrscheinlichkeit pro Zeiteinheit das α-Teilchen den Kern verläßt; aber den genauen Zeitpunkt kann sie nicht vorhersagen, der ist prinzipiell unbestimmt. Man kann auch nicht etwa annehmen, daß später noch einmal neue Gesetzmäßigkeiten gefunden werden, die uns dann erlauben, diesen genauen Zeitpunkt zu bestimmen; denn wenn das der Fall wäre, so könnte man nicht verstehen, wieso das α-Teilchen auch noch aufgefaßt werden kann als eine Welle, die den Atomkern verläßt; es kann ja auch als solche experimentell nachgewiesen werden. Die verschiedenen Experimente, die sowohl die Wellennatur als auch die Teilchennatur der atomaren Materie° beweisen, zwingen uns durch ihre Paradoxie zur Formulierung von statistischen Gesetzmäßigkeiten. Bei Vorgängen im Großen spielt dieses statistische Element der Atomphysik im allgemeinen keine Rolle°, weil aus den statistischen Gesetzen für den Vorgang im Großen eine so große Wahrscheinlichkeit folgt, daß man sagen kann, praktisch sei der Vorgang determiniert°. Es gibt allerdings auch immer wieder Fälle, in denen das Geschehen im Großen abhängt vom Verhalten eines oder einiger weniger Atome; dann kann man auch den Vorgang im Großen nur statistisch vorhersagen. Ich möchte das an einem bekannten, aber unerfreulichen Beispiel erläutern, nämlich am Beispiel der Atombombe. Bei einer gewöhnlichen Bombe kann aus dem Gewicht des Explosionsstoffes und seiner chemischen Zusammensetzung die Stärke der Explosion vorherberechnet werden. Bei der Atombombe kann man zwar auch noch eine obere und eine untere Grenze für die Stärke der Explosion angeben, aber eine genaue Vorausberechnung dieser Stärke ist prinzipiell unmöglich, da sie von dem Verhalten einiger weniger Atome beim Zündungsvorgang abhängt. In ähnlicher Weise gibt es wahrscheinlich auch in der Biologie — worauf Jordan besonders hingewiesen hat — Vorgänge, bei denen Entwicklungen im Großen durch Prozesse an einzelnen Atomen gesteuert werden; insbesondere scheint dies bei den Mutationen° der Gene im Vererbungsvorgang der Fall zu sein. Diese beiden Beispiele sollten die praktischen Konsequenzen des statistischen Charakters der Quanten-

α-Strahlen   *alpha rays*
pro   *per*

prinzipiell   *in principle*

Gesetzmäßigkeiten   *laws, relations*

aufgefaßt   *interpreted*

Paradoxie   *paradoxical character*

erläutern   *illustrate*

vorherberechnet   *calculated in advance*

Zündungsvorgang   *process of firing*

Pascual Jordan, German physicist (1902–   )

gesteuert   *controlled*
Gene   *genes*
Vererbungsvorgang   *heredity*

theorie erläutern; auch diese Entwicklung ist seit über zwei Jahrzehnten abgeschlossen, und man wird nicht annehmen können, daß sich in Zukunft an dieser Stelle noch grundsätzlich etwas ändern kann.

Otto Hahn

Otto Hahn ∮ Fritz Strassmann

One of the most famous statements of the present age was made by Otto Hahn (b. 1879) and Fritz Strassmann (b. 1902) in 1938, in reporting experiments on the bombardment of uranium with neutrons. So strange were the results that although the logic of all chemical concepts required the admission that such substances as barium had been formed—which would imply that the heavy nucleus of uranium had been split in two—Hahn and Strassmann nevertheless stated their inability as "nuclear chemists" to go so contrary to the whole experience of nuclear physics. This is the first statement of nuclear fission.

Fritz Strassmann

Über den Nachweis und das Verhalten der bei der Bestrahlung des Urans mittels Neutronen entstehenden Erdalkalimetalle

Bestrahlung *bombardment*
Erdalkalimetalle *alkaline earth metals*
kurz dargelegten *briefly set forth*
Schema *diagram*
umbenennen *rename*
Kernchemiker *nuclear chemists*
vorgetäuscht *simulated*

Als Chemiker müßten wir aus den kurz dargelegten Versuchen das oben gebrachte Schema eigentlich umbenennen und statt Ra, Ac, Th die Symbole Ba, La, Ce einsetzen. Als der Physik in gewisser Weise nahestehende „Kernchemiker" können wir uns zu diesem, allen bisherigen Erfahrungen der Kernphysik widersprechenden, Sprung noch nicht entschließen. Es könnten doch noch vielleicht eine Reihe seltsamer Zufälle unsere Ergebnisse vorgetäuscht haben.

Otto Hahn und Lise Meitner, Entdecker der Kernspaltung, im Laboratorium, 1913

210

15

Sigmund Freud

Sigmund Freud mit der Handschrift seines Abriss der Psychoanalyse, **1938**

Sigmund Freud (1856–1939), founder of psychoanalysis, made several general expositions of his theories for the non-specialist. His *Vorlesungen zur Einführung in die Psychoanalyse* (1917), a famous series of introductory lectures to medical students, is widely read today. The following selection is taken from an unfinished essay written toward the end of his life and published in 1940, the year

introd.

after his death. A model of clarity and precision, written in a style few if any other scientists are capable of, it was intended not only to be a general presentation of the principles of psychoanalysis, but evidently also to take cognizance of the most recent developments in the field. Here you will find the originals of many Freudian expressions commonly used in English today, and you will be surprised particularly by Freud's terms for the central concepts of his theory of personality, for which we use in English the Latin words *ego*, *super-ego* and *id*.

A Viennese by birth, Freud became professor of neuropathology in Vienna in 1902, where he founded one of the most influential schools of the twentieth century. An exile from Austria after the Nazi occupation, he spent the remaining years of his life in London, where the essay from which the following selections were taken was written.

Although Freud's concepts are widely discussed in non-scientific contexts, such as literature, sociology, history and philosophy, Freud himself came out of a medical tradition, however much he may have revolted against the orthodoxy of medical practice. Thus his theories and concepts were founded upon clinical observations and on the case histories which provide the experimental data for the practicing psychiatrist.

Abriss der Psychoanalyse

Abriß   *outline*

ERSTER TEIL — *Die Natur des Psychischen*

ERSTES KAPITEL — *Der psychische Apparat°*

Die Psychoanalyse macht eine Grundvoraussetzung, deren Rechtfertigung in ihren Resultaten° liegt. Von dem, was wir unsere Psyche° (Seelenleben) nennen, ist uns zweierlei bekannt, erstens das körperliche Organ und 5 Schauplatz desselben, das Gehirn (Nervensystem), anderseits unsere Bewußtseinsakte, die unmittelbar gegeben sind und uns durch keinerlei Beschreibung näher gebracht werden können. Alles dazwischen ist uns unbekannt, eine direkte Beziehung zwischen beiden Endpunkten unseres 10 Wissens ist nicht gegeben.

Zur Kenntnis dieses psychischen Apparates sind wir durch das Studium der individuellen Entwicklung des menschlichen Wesens gekommen. Die älteste dieser psychischen Provinzen° oder Instanzen nennen wir das 15 Es; sein Inhalt ist alles, was ererbt, bei Geburt mitgebracht, konstitutionell festgelegt ist, vor allem also die aus der Körperorganisation stammenden Triebe, die hier einen ersten uns in seinen Formen unbekannten psychischen Ausdruck finden.[1]

20 Unter dem Einfluß der uns umgebenden realen° Außenwelt hat ein Teil des Es eine besondere Entwicklung erfahren. Eine besondere Organisation hat sich hergestellt, die von nun an zwischen Es und Außenwelt vermittelt. Diesem Bezirk unseres Seelenlebens lassen wir den 25 Namen des I c h s.

Die hauptsächlichen Charaktere des Ichs
Infolge der vorgebildeten Beziehung zwischen Sinneswahrnehmung und Muskelaktion° hat das Ich die Verfügung über die willkürlichen Bewegungen. Es hat die

[1] Dieser älteste Teil des psychischen Apparates bleibt durchs ganze Leben der wichtigste. An ihm hat auch die Forschungsarbeit der Psychoanalyse eingesetzt.

Seelenleben   *mental life*

Instanzen   *agencies*

festgelegt   *fixed*

Bezirk   *region, area*

vorgebildet   *already established*
Verfügung   *control*

213

Freuds Konsultationszimmer in London

Selbstbehauptung *self-preservation*

aufspeichern (inf.) *to store up*

avoid - flight
moderate - deal with
adjustment - suitable
advantage - in respect to
control - instinct demand
satisfaction - favorable
shift - excitation -
suppress

Niederschlag *outcome, precipitate*

sondern (inf.) *to distinguish*

Es = id

Aufgabe der Selbstbehauptung, erfüllt sie, indem es nach außen die Reize kennen lernt, Erfahrungen über sie aufspeichert (im Gedächtnis), überstarke Reize vermeidet (durch Flucht), mäßigen Reizen begegnet (durch Anpassung) und endlich lernt, die Außenwelt in zweckmäßiger Weise zu seinem Vorteil zu verändern (Aktivität); nach innen gegen das Es, indem es die Herrschaft über die Triebansprüche gewinnt, entscheidet, ob sie zur Befriedigung zugelassen werden sollen, diese Befriedigung auf die in der Außenwelt günstigen Zeiten und Umstände verschiebt oder ihre Erregungen überhaupt unterdrückt.

Als Niederschlag der langen Kindheitsperiode, während der der werdende Mensch in Abhängigkeit von seinen Eltern lebt, bildet sich in seinem Ich eine besondere Instanz heraus, in der sich dieser elterliche Einfluß fortsetzt. Sie hat den Namen des Ü b e r i c h s erhalten. Insoweit dieses Überich sich vom Ich sondert oder sich ihm ent-

214

gegenstellt, ist es eine dritte Macht, der das Ich Rechnung tragen muß.

Eine Handlung des Ichs ist dann korrekt, wenn sie gleichzeitig den Anforderungen des Es, des Überichs und der Realität genügt, also deren Ansprüche miteinander zu versöhnen weiß. Die Einzelheiten der Beziehung zwischen Ich und Überich werden durchwegs aus der Zurückführung auf das Verhältnis des Kindes zu seinen Eltern verständlich. Im Elterneinfluß wirkt natürlich nicht nur das persönliche Wesen der Eltern, sondern auch der durch sie fortgepflanzte Einfluß von Familien-, Rassen- und Volkstradition° sowie die von ihnen vertretenen Anforderungen des jeweiligen sozialen Milieus°. Ebenso nimmt das Überich im Laufe der individuellen Entwicklung Beiträge von Seiten späterer Fortsetzer und Ersatzpersonen der Eltern auf, wie Erzieher, öffentlicher Vorbilder, in der Gesellschaft verehrter Ideale. Man sieht, daß Es und Überich bei all ihrer fundamentalen Verschiedenheit die eine Übereinstimmung zeigen, daß sie die Einflüsse der Vergangenheit repräsentieren, das Es den der ererbten, das Überich im wesentlichen den der von anderen übernommenen, während das Ich hauptsächlich durch das selbst Erlebte, also Akzidentelle° und Aktuelle bestimmt wird.

Zweites Kapitel—*Trieblehre*

Die Macht des Es drückt die eigentliche Lebensabsicht des Einzelwesens aus. Sie besteht darin, seine mitgebrachten Bedürfnisse zu befriedigen. Eine Absicht, sich am Leben zu erhalten und sich durch die Angst vor Gefahren zu schützen, kann dem Es nicht zugeschrieben werden. Dies ist die Aufgabe des Ichs, das auch die günstigste und gefahrloseste Art der Befriedigung mit Rücksicht auf die Außenwelt herauszufinden hat. Das Überich mag neue Bedürfnisse geltend machen, seine Hauptleistung bleibt aber die Einschränkung der Befriedigungen.

Die Kräfte, die wir hinter den Bedürfnissen des Es annehmen, heißen wir T r i e b e. Sie repräsentieren die körperlichen Anforderungen an das Seelenleben. Nach langem Zögern und Schwanken haben wir uns entschlossen, nur zwei Grundtriebe anzunehmen, den E r o s ° und

215

Rechnung tragen *take into account*

durchwegs *completely*

jeweiligen *given*

Ersatzpersonen *substitutes*

aktuell *current*

Einschränkung *limitation*

den Destruktionstrieb. Das Ziel des ersten ist, immer größere Einheiten herzustellen und so zu erhalten, also Bindung, das Ziel des Anderen im Gegenteil, Zusammenhänge aufzulösen und so die Dinge zu zerstören.

In den biologischen Funktionen wirken die beiden Grundtriebe gegeneinander oder kombinieren sich miteinander. So ist der Akt des Essens eine Zerstörung des Objekts mit dem Endziel der Einverleibung, der Sexualakt eine Aggression mit der Absicht der innigsten Vereinigung. Dieses Mit- und Gegeneinanderwirken der beiden Grundtriebe ergibt die ganze Buntheit der Lebenserscheinungen.

Veränderungen im Mischungsverhältnis der Triebe haben die greifbarsten Folgen. Ein stärkerer Zusatz zur sexuellen Aggression führt vom Liebhaber zum Lustmörder, eine starke Herabsetzung des aggressiven Faktors macht ihn scheu oder impotent. Die gesamte verfügbare Energie des Eros, die wir von nun an L i b i d o ° heißen werden, dient dazu, die gleichzeitig vorhandenen Destruktionsneigungen zu neutralisieren°. (Für die Energie des Destruktionstriebes fehlt uns ein der Libido analoger Terminus.)

Es ist schwer, etwas über das Verhalten der Libido im Es und im Überich auszusagen. Alles, was wir darüber wissen, bezieht sich auf das Ich, in dem anfänglich der ganze verfügbare Betrag von Libido aufgespeichert ist. Wir nennen diesen Zustand den absoluten primären° N a r z i ß m u s . Er hält solange an, bis das Ich beginnt, die Vorstellungen von Objekten mit Libido zu besetzen, narzißtische Libido in O b j e k t l i b i d o ° umzusetzen. Über das ganze Leben bleibt das Ich das große Reservoir, aus dem Libidobesetzungen an Objekte ausgeschickt und in das sie auch wieder zurückgezogen werden, wie ein Protoplasmakörper mit seinen Pseudopodien° verfährt. Nur im Zustand einer vollen Verliebtheit wird der Hauptbetrag der Libido auf das Objekt übertragen, setzt sich das Objekt gewissermaßen an die Stelle des Ichs.

FÜNFTES KAPITEL — *Erläuterung an der Traumdeutung*

Die Untersuchung normaler, stabiler° Zustände, in denen die Grenzen des Ichs gegen das Es durch Widerstände (Gegenbesetzungen) gesichert, unverrückt geblieben

216

Einverleibung *incorporation*

Zusatz *addition*
Lustmörder *sexual murderer*

verfügbare *available*

Terminus *term*

aufgespeichert *stored up*

Narzißmus *narcissism*

mit Libido zu besetzen *invest with libido, cathect*

umzusetzen *to transform*
Libidobesetzungen *libido cathexes*

Erläuterung *illustration*

Gegenbesetzungen *anti-cathexes*
unverrückt *firm*

sind und das Überich nicht vom Ich unterschieden wird, weil beide einträchtig arbeiten, eine solche Untersuchung würde uns wenig Aufklärung bringen. Was uns fördern kann, sind allein Zustände von Konflikt und Aufruhr, wenn der Inhalt des unbewußten Es Aussicht hat, ins Ich und zum Bewußtsein einzudringen und das Ich sich gegen diesen Einbruch neuerlich zur Wehr setzt. Nur unter diesen Bedingungen können wir die Beobachtungen machen, die unsere Angaben über beide Partner bestätigen oder berichtigen. Ein solcher Zustand ist aber der nächtliche Schlaf, und darum ist auch die psychische Tätigkeit im Schlaf, die wir als Traum wahrnehmen, unser günstigstes Studienobjekt°. Wir vermeiden dabei auch den oft gehörten Vorwurf, daß wir das normale Seelenleben nach pathologischen Befunden konstruieren°, denn der Traum ist ein regelmäßiges Vorkommnis im Leben normaler Menschen, soweit sich auch seine Charaktere von den Produktionen unseres Wachlebens unterscheiden mögen. Der Traum kann, wie allgemein bekannt, verworren, unverständlich, geradezu unsinnig sein, seine Angaben mögen all unserem Wissen von der Realität widersprechen, und wir benehmen uns wie Geisteskranke, indem wir, solange wir träumen, den Inhalten des Traumes objektive Realität zusprechen.

Es gibt zweierlei Anlässe zur Traumbildung. Entweder hat während des Schlafes eine sonst unterdrückte Triebregung (ein unbewußter Wunsch) die Stärke gefunden, sich im Ich geltend zu machen, oder es hat eine vom Wachleben erübrigte Strebung, ein vorbewußter Gedankengang mit allen ihm anhängenden Konfliktregungen im Schlaf eine Verstärkung durch ein unbewußtes Element gefunden. Also Träume vom Es her oder vom Ich her. Der Mechanismus der Traumbildung ist für beide Fälle der gleiche, auch die dynamische Bedingung ist dieselbe. Das Ich beweist seine spätere Entstehung aus dem Es dadurch, daß es zeitweise seine Funktionen einstellt und die Rückkehr zu einem früheren Zustand gestattet. Dies geschieht korrekter° Weise, indem es seine Beziehungen mit der Außenwelt abbricht, seine Besetzungen von den Sinnesorganen zurückzieht. Man kann mit Recht sagen, mit der Geburt ist ein Trieb entstanden, zum aufgegebenen Intrauterinleben° zurückzukehren, ein Schlaftrieb. Der

217

---

einträchtig *harmoniously*

Aufruhr *rebellion*

zur Wehr setzen (inf.) *to arm*

Befunden *findings*

Geisteskranke *insane persons*

Anlässe *occasions, causes*

erübrigte *left over*
Strebung *desire*
vorbewußter *pre-conscious*

is not distinguished
Enlightenment
help
content – subconscious
prospect – conscious
penetrate – invasion
anew
assertion – confirm
correct
activity
favorable – avoid
change

waking life
confuse, incomprehensible
downright senseless
view – behave
attribute to

otherwise – suppressed
instinctual impulse – assert
chain of thought
adhere – reinforcement
condition
origin – occasionally
cease – permit
Relation
cathexes – withdraw
abandon – return

cathexis — concentration of the psychic energy on some particular person, thing, or idea.

Mutterleib *womb*
Motilität *power of movement*
diminution

Hemmungen *inhibitions*
auferlegt *imposed on*
Einziehung *withdrawal*

part – proofs –
abundant – convincing
dream memory –
comprehensive
inaccessible – linguistic

uneingeschränkten *unlimited*

confirm –
frequent – impression
certainty – assert

Verdrängung *repression*

treatment – beyond this
bring to light
mature – compel
inheritance

Ahnen *ancestors*
Gegenstücke *counterparts*

survive – despise
prehistory

erübrigt *remains*

fortunately

begriffene *in the process of*

raise – demand
satisfaction
solution

Schlaf ist eine solche Rückkehr in den Mutterleib. Da das wache Ich die Motilität beherrscht, wird diese Funktion im Schlafzustand gelähmt, und damit wird ein guter Teil der Hemmungen, die dem unbewußten Es auferlegt waren, überflüssig. Die Einziehung oder Herabsetzung dieser „Gegenbesetzungen" erlaubt nun dem Es ein jetzt unschädliches Maß von Freiheit. Die Beweise für den Anteil des unbewußten Es an der Traumbildung sind reichlich und von zwingender Natur. a) Das Traumgedächtnis ist weit umfassender als das Gedächtnis im Wachzustand. Der Traum bringt Erinnerungen, die der Träumer vergessen hat, die ihm im Wachen unzugänglich waren. b) Der Traum macht einen uneingeschränkten Gebrauch von sprachlichen Symbolen°, deren Bedeutung der Träumer meist nicht kennt. Wir können aber ihren Sinn durch unsere Erfahrung bestätigen. Sie stammen wahrscheinlich aus früheren Phasen° der Sprachentwicklung. c) Das Traumgedächtnis reproduziert° sehr häufig Eindrücke aus der frühen Kindheit des Träumers, von denen wir mit Bestimmtheit behaupten können, nicht nur, daß sie vergessen, sondern daß sie durch Verdrängung unbewußt geworden waren. Darauf beruht die meist unentbehrliche Hilfe des Traumes bei der Rekonstruktion der Frühzeit des Träumers, die wir in der analytischen Behandlung der Neurosen° versuchen. d) Darüber hinaus bringt der Traum Inhalte zum Vorschein, die weder aus dem reifen Leben noch aus der vergessenen Kindheit des Träumers stammen können. Wir sind genötigt, sie als Teil der archaischen° Erbschaft anzusehen, die das Kind, durch das Erleben der Ahnen beeinflußt, vor jeder eigenen Erfahrung mit sich auf die Welt bringt. Die Gegenstücke zu diesem phylogenetischen° Material finden wir dann in den ältesten Sagen der Menschheit und in ihren überlebenden Gebräuchen. Der Traum wird so eine nicht zu verachtende Quelle der menschlichen Vorgeschichte.

Es erübrigt uns noch die dynamische Aufklärung zu geben, warum das schlafende Ich überhaupt die Aufgabe der Traumarbeit auf sich nimmt. Sie ist zum Glück leicht zu finden. Jeder in Bildung begriffene Traum erhebt mit Hilfe des Unbewußten einen Anspruch an das Ich auf Befriedigung eines Triebes, wenn er vom Es, — auf Lösung

if from id –   satisfaction of drive
if from ????? –   solution of conflict, etc.

eines Konfliktes, Aufhebung eines Zweifels, Herstellung eines Vorsatzes, wenn er von einem Rest der vorbewußten Tätigkeit im Wachleben ausgeht. Das schlafende Ich ist aber auf den Wunsch den Schlaf festzuhalten eingestellt, empfindet diesen Anspruch als eine Störung und sucht diese Störung zu beseitigen. Dies gelingt dem Ich durch einen Akt scheinbarer Nachgiebigkeit, indem es dem Anspruch eine unter diesen Umständen harmlose W u n s c h e r f ü l l u n g entgegensetzt und ihn so aufhebt. Diese Ersetzung des Anspruches durch Wunscherfüllung bleibt die wesentliche Leistung der Traumarbeit. Vielleicht ist es nicht überflüssig, dies an zwei einfachen Beispielen zu erläutern, einem Hungertraum, und einem Bequemlichkeitstraum. Beim Träumer meldet sich im Schlaf ein Bedürfnis nach Nahrung, er träumt von einer herrlichen Mahlzeit und schläft weiter. Er hatte natürlich die Wahl aufzuwachen, um zu essen, oder den Schlaf fortzusetzen. Er hat sich für letzteres entschieden und den Hunger durch den Traum befriedigt. Wenigstens für eine Weile; hält der Hunger an, so wird er doch erwachen müssen. Der andere Fall: der Schläfer soll erwachen, um zu bestimmter Zeit auf der Klinik zu sein. Er schläft aber weiter und träumt, daß er sich schon auf der Klinik befindet, als Patient allerdings, der sein Bett nicht verlassen braucht.

Natürlich liegen nicht alle Fälle so einfach; besonders in den Träumen, die von unerledigten Tagesresten ausgehen und sich im Schlafzustand nur eine unbewußte Verstärkung geholt haben, ist es oft nicht leicht, die unbewußte Triebkraft aufzudecken und deren Wunscherfüllung nachzuweisen, aber man darf annehmen, daß sie immer vorhanden ist. Der Satz, daß der Traum Wunscherfüllung ist, wird leicht auf Unglauben stoßen, wenn man sich erinnert, wieviel Träume einen direkt peinlichen Inhalt haben oder selbst unter Angst zum Erwachen führen, ganz abgesehen von den so häufigen Träumen ohne bestimmten Gefühlston. Aber der Einwand des Angsttraumes hält der Analyse nicht stand. Man darf nicht vergessen, daß der Traum in allen Fällen das Ergebnis eines Konfliktes, eine Art von Kompromißbildung ist. Was für das unbewußte Es eine Befriedigung ist, kann eben darum für das Ich ein Anlaß zur Angst sein.

219

Vorsatzes *decision*

Nachgiebigkeit *compliance*

erläutern *illustrate*

unerledigten Tagesresten
residues of the preceding day

Triebkraft *motive force*

abgesehen von *apart from*
Gefühlston *emotional tone*
standhalten (inf.) *to withstand*

Anlaß *occasion*

SECHSTES KAPITEL — *Die psychoanalytische Technik*

Ungereimtheiten *absurdities*
Wahnbildungen *delusions*

~~sense deceptions~~

betraut *entrusted*

~~consent - introduce~~
~~end~~

~~give place to~~

rückgängig *cancelled*

~~bold - illnesses - subject~~
~~cure control~~

~~some~~

~~maintain - stability~~
~~maintain~~
~~demand~~

Der Traum ist also eine Psychose°, mit allen Ungereimtheiten, Wahnbildungen, Sinnestäuschungen einer solchen. Eine Psychose zwar von kurzer Dauer, harmlos, selbst mit einer nützlichen Funktion betraut, von der Zustimmung der Person eingeleitet, durch einen Willensakt von ihr beendet. Aber doch eine Psychose und wir lernen an ihr, daß selbst eine so tief gehende Veränderung des Seelenlebens rückgängig werden, der normalen Funktion Raum geben kann. Ist es dann kühn zu hoffen, daß es möglich sein müßte, auch die gefürchteten spontanen° Erkrankungen des Seelenlebens unserem Einfluß zu unterwerfen und sie zur Heilung zu bringen?

Wir wissen schon manches zur Vorbereitung für diese Unternehmung. Nach unserer Voraussetzung hat das Ich die Aufgabe, den Ansprüchen seiner drei Abhängigkeiten von der Realität, dem Es und dem Überich zu genügen und dabei doch seine Organisation aufrecht zu halten, seine Selbständigkeit zu behaupten. Die Bedingung der in Rede stehenden Krankheitszustände kann nur eine relative oder absolute Schwächung des Ichs sein, die ihm die Erfüllung seiner Aufgaben unmöglich macht. Die schwerste Anforderung an das Ich ist wahrscheinlich die

Niederhaltung *suppression*
Aufwände an Gegenbesetzungen *expenditures of anti-cathexes*

unterhalten *maintain*
unerbittlich *remorseless*

~~confront - suspect~~
~~in common - cause~~
~~maintenance~~

bedrängte *hard-pressed*
Norm *normal state*
sich anklammern (inf.) *to cling (to)*
auflockern (inf.) *to loosen*

~~disturb - remove~~
~~separate - fall~~

Niederhaltung der Triebansprüche des Es, wofür es große Aufwände an Gegenbesetzungen zu unterhalten hat. Es kann aber auch der Anspruch des Überichs so stark und so unerbittlich werden, daß das Ich seinen anderen Aufgaben wie gelähmt gegenüber steht. Wir ahnen, in den Konflikten, die sich hier ergeben, machen Es und Überich oft gemeinsame Sache gegen das bedrängte Ich, das sich zur Erhaltung seiner Norm an die Realität anklammern will. Werden die beiden ersteren zu stark, so gelingt es ihnen, die Organisation des Ichs aufzulockern und zu verändern, so daß seine richtige Beziehung zur Realität gestört oder selbst aufgehoben wird. Wir haben es am Traum gesehen; wenn sich das Ich von der Realität der Außenwelt ablöst, verfällt es unter dem Einfluß der Innenwelt in die Psychose.

220

~~But still a psychosis and we learn of it, that even such a deep-occurring change of the mental life can be cancelled: can give way to the normal function~~

Auf diese Einsichten gründen wir unseren Heilungsplan. Das Ich ist durch den inneren Konflikt geschwächt,
wir müssen ihm zur Hilfe kommen. Es ist wie in einem
Bürgerkrieg, der durch den Beistand eines Bundesgenossen
5 von außen entschieden werden soll. Der analytische Arzt
und das geschwächte Ich des Kranken sollen, an die reale
Außenwelt angelehnt, eine Partei bilden gegen die Feinde,
die Triebansprüche des Überichs. Wir schließen einen
Vertrag miteinander. Das kranke Ich verspricht uns vollste
10 Aufrichtigkeit, d.h. die Verfügung über allen Stoff, den
ihm seine Selbstwahrnehmung liefert, wir sichern ihm
strengste Diskretion zu und stellen unsere Erfahrung in der
Deutung des vom Unbewußten beeinflußten Materials in
seinen Dienst. Unser Wissen soll sein Unwissen gutmachen,
15 soll seinem Ich die Herrschaft über verlorene Bezirke des
Seelenlebens wiedergeben. In diesem Vertrag besteht die
analytische Situation.

Schon nach diesem Schritt erwartet uns die erste
Enttäuschung, die erste Mahnung zur Bescheidenheit. Soll
20 das Ich des Kranken ein wertvoller Bundesgenosse bei
unserer gemeinsamen Arbeit sein, so muß es sich trotz aller
Bedrängnis durch die ihm feindlichen Mächte ein gewisses
Maß von Zusammenhalt, ein Stück Einsicht für die
Anforderungen der Wirklichkeit bewahrt haben. Aber das
25 ist vom Ich des Psychotikers° nicht zu erwarten, dieses kann
einen solchen Vertrag nicht einhalten, ja kaum ihn ein-
gehen. Es wird sehr bald unsere Person und die Hilfe, die
wir ihm anbieten, zu den Anteilen der Außenwelt geworfen
haben, die ihm nichts mehr bedeuten. Somit erkennen wir,
30 daß wir darauf verzichten müssen, unseren Heilungsplan
beim Psychotiker zu versuchen. Vielleicht für immer verzichten, vielleicht nur zeitweilig, bis wir einen anderen, für
ihn tauglicheren Plan gefunden haben.

Es gibt aber eine andere Klasse von psychisch
35 Kranken, die den Psychotikern offenbar sehr nahe stehen,
die ungeheure Anzahl der schwer leidenden Neurotiker°.
Die Krankheitsbedingungen wie die pathogenen Mechanis-
men° müssen bei ihnen dieselben sein oder wenigstens sehr
ähnlich. Aber ihr Ich hat sich widerstandsfähiger gezeigt,
40 ist weniger desorganisiert° worden. Viele von ihnen konnten
sich trotz all ihrer Beschwerden und der von ihnen verur-

221

Bundesgenossen *ally*

angelehnt *basing themselves*
eine Partei bilden *unite*

Verfügung *disposal*

Bezirke *areas, regions*

Bedrängnis *pressure*
Zusammenhalt *coherence*

einhalten *keep*

pathogenen *pathogenic*

Beschwerden *troubles*

Unzulänglichkeiten *inadequacies*

Beichtvaters *father-confessor*

Beichte *confession*

Anweisung *injunction*
ausschalten (inf.) *to put out of action*

Abkömmlinge *derivatives*

verdrängte *repressed*

Selbsterkenntnis *self-knowledge*

Einbuße *loss*

eingeengt *confined*

sachten Unzulänglichkeiten noch im realen Leben behaupten. Diese Neurotiker mögen sich bereit zeigen, unsere Hilfe anzunehmen. Wir wollen unser Interesse auf sie beschränken und versuchen, wie weit und auf welchen Wegen wir sie „heilen" können.

Mit Neurotikern schließen wir also den Vertrag: volle Aufrichtigkeit gegen strenge Diskretion. Das macht den Eindruck, als strebten wir nur die Stellung eines weltlichen Beichtvaters an. Aber der Unterschied ist groß, denn wir wollen von ihm nicht nur hören, was er weiß und vor anderen verbirgt, sondern er soll uns auch erzählen, was er nicht weiß. In dieser Absicht geben wir ihm eine nähere Bestimmung dessen, was wir unter Aufrichtigkeit verstehen. Wir verpflichten ihn auf die analytische G r u n d r e g e l , die künftighin sein Verhalten gegen uns beherrschen soll. Er soll uns nicht nur mitteilen, was er absichtlich und gern sagt, was ihm wie in einer Beichte Erleichterung bringt, sondern auch alles andere, was ihm seine Selbstbeobachtung liefert, alles was ihm in den Sinn kommt, auch wenn es ihm u n a n g e n e h m zu sagen ist, auch wenn es ihm u n w i c h t i g oder sogar u n s i n n i g erscheint. Gelingt es ihm, nach dieser Anweisung seine Selbstkritik° auszuschalten, so liefert er uns eine Fülle von Material, Gedanken, Einfällen, Erinnerungen, die bereits unter dem Einfluß des Unbewußten stehen, oft direkte Abkömmlinge desselben sind und die uns also in den Stand setzen, das bei ihm verdrängte Unbewußte zu erraten und durch unsere Mitteilung die Kenntnis seines Ichs von seinem Unbewußten zu erweitern.

Unser Weg, das geschwächte Ich zu stärken, geht von der Erweiterung seiner Selbsterkenntnis aus. Wir wissen, dies ist nicht alles, aber es ist der erste Schritt. Der Verlust an solcher Kenntnis bedeutet für das Ich Einbuße an Macht und Einfluß, er ist das nächste greifbare Anzeichen dafür, daß es von den Anforderungen des Es und des Überichs eingeengt und behindert ist. Somit ist das erste Stück unserer Hilfeleistung eine intellektuelle Arbeit von unserer Seite und eine Aufforderung zur Mitarbeit daran für den Patienten. Wir wissen, diese erste Tätigkeit soll uns den Weg bahnen zu einer anderen, schwierigeren Aufgabe. Wir werden den dynamischen Anteil derselben

222

Sigmund Freud mit anderen Psychoanalytikern an der Clark University, Worcester,
Mass., Sept. 1909. Hintere Reihe: *A. A. Brill, Ernest Jones, S. Ferenszi.* Vordere Reihe:
S. Freud, G. S. Hall, Präsident der Clark University, C. G. Jung

auch während der Einleitung nicht aus den Augen verlieren. Den Stoff für unsere Arbeit gewinnen wir aus verschiedenen Quellen, aus dem, was uns seine Mitteilungen
und freien Assoziationen andeuten, was er uns in seinen
5 Übertragungen zeigt, was wir aus der Deutung seiner
Träume entnehmen, was er durch seine F e h l l e i -
s t u n g e n verrät. All das Material verhilft uns zu
Konstruktionen° über das, was jetzt in ihm vorgeht, ohne
daß er es versteht. Wir versäumen dabei aber nie, unser
10 Wissen und sein Wissen strenge auseinander zu halten. Wir
vermeiden es, ihm, was wir oft sehr frühzeitig erraten haben,
sofort mitzuteilen oder ihm alles mitzuteilen, was wir
glauben erraten zu haben. Wir überlegen uns sorgfältig,

Übertragungen *transferences*
Fehlleistungen *slips*

223

confidante – await
suitable
as a rule
delay

proceed-interpretation
shock – outbreak
resistance
continuation
immediately-confirm
Event – detail
agreement

wann wir ihn zum Mitwisser einer unserer Konstruktionen machen sollen, warten einen Moment ab, der uns der Geeignete zu sein scheint, was nicht immer leicht zu entscheiden ist. In der Regel verzögern wir die Mitteilung einer Konstruktion, die Aufklärung, bis er sich selbst derselben so weit genähert hat, daß ihm nur ein Schritt, allerdings die entscheidende Synthese°, zu tun übrig bleibt. Würden wir anders verfahren, ihn mit unseren Deutungen überfallen, ehe er für sie vorbereitet ist, so bliebe die Mitteilung entweder erfolglos oder sie würde einen heftigen Ausbruch von W i d e r s t a n d hervorrufen, der die Fortsetzung der Arbeit erschweren oder selbst in Frage stellen könnte. Haben wir aber alles richtig vorbereitet, so erreichen wir oft, daß der Patient unsere Konstruktion unmittelbar bestätigt und den vergessenen inneren oder äußeren Vorgang selbst erinnert. Je genauer sich die Konstruktion mit den Einzelheiten des Vergessenen deckt, desto leichter wird ihm seine Zustimmung. Unser Wissen in diesem Stück ist dann auch sein Wissen geworden.

16

Carl Friedrich von Weizsäcker

Carl Friedrich von Weizsäcker, nuclear physicist and philosopher, was born in 1912 in Kiel, studied under Heisenberg (see ch. 14) and Bohr, and worked at the Kaiser Wilhelm Institut in Berlin under Otto Hahn (see p. 209) and Lise Meitner. Professor of physics at Strassburg, he has been at the Max Planck Institute for Physics since 1946, and professor at Göttingen, and since 1957 also professor of philosophy at Hamburg University.

Von Weizsäcker is known to the world of science principally for his theory, proposed also by H. A. Bethe, of how the sun and other stars maintain themselves as energy sources by means of nuclear reactions at high temperatures. In these reactions, a series of steps results in the combination of four protons to form a helium nucleus; the mass of the helium nucleus is less than the component protons, and this difference appears as energy according to Einstein's famous equation $E = mc^2$.

In recent years, von Weizsäcker has established himself as one of the leading writers on the principles of modern physics, which he has always interpreted with a strong philosophic slant. The present selections come from a series of general lectures on atomic physics and atomic energy. In the second of these lectures, von Weiszäcker undertakes to show the relationship of the world we perceive with our senses to the abstract world of atomic structure. In doing so, he proceeds in a series of steps which begin with the senses and move steadily in the direction of the atom. Our selection begins with the fifth step, atomic structure, and presents the traditional view of what physicists have come to call the world of microphysics. This is the stage of the Rutherford atom model (see ill. p. 228). Weizsäcker then proceeds to the sixth step, the quantum theory, and shows that the little planetary model has had to be abandoned in favor of the duality of wave and particle pictures. The seventh step is the stage of elementary particles, those subdivisions of what was long thought indivisible, as indeed the word atom implies, and the search for a possible primitive substance underlying all of these.

In his third lecture, von Weizsäcker deals with the structure of atomic nuclei, the nature of isotopes, the meaning of natural and artificial radioactivity, and finally the significance of nuclear reactions.

Atomenergie und Atomzeitalter

Zwölf Vorlesungen, 1957

ZWEITE VORLESUNG — *Das Atom im Aufbau der Natur*

Die fünfte Stufe ist die Stufe der Atomstruktur. Wir
haben im 20. Jahrhundert gelernt, daß die Gebilde, die
die Chemiker° Atome genannt haben, selbst noch teilbar
5 sind. Sie bestehen aus einem Kern und einer Hülle. Wir
kennen nun auch die räumliche Größe der Atome. Das
einzelne Atom hat einen Durchmesser von etwa 1/10 000 000
mm. Um uns klarzumachen, was das bedeutet, denken wir
uns etwa einen Kubikmillimeter, also beispielsweise einen
10 Stecknadelkopf, in lauter kleine Säulen zerschnitten, von
denen jede nur den Querschnitt eines einzigen Atoms hat.
Das werden sehr viele Säulen sein, denn der Querschnitt
eines Atoms ist ja sehr klein. Wir können physikalisch
sagen: Es werden etwa 10^{14} Säulen sein. Diese Säulen
15 können wir nun alle aufeinandersetzen, — jede ist nur
einen Millimeter hoch und hat den Querschnitt eines
Atoms. Setzt man sie alle zusammen, so bekommt man eine
Höhe von 10^{14} mm oder 100 000 000 km, das ist $\frac{2}{3}$ der
Entfernung von der Erde bis zur Sonne. Mit anderen
20 Worten: wenn man einen Stecknadelkopf auswalzen
könnte, bis sein Querschnitt nur der Querschnitt eines
Atoms wäre, so bekäme er eine Länge, die von der Erde
fast bis zur Sonne reichen würde.

Das Atom ist aber nach heutiger Kenntnis nicht ein
25 kleines, den Raum gleichmäßig erfüllendes Klümpchen,
sondern es hat eine innere Struktur. Es besteht aus einem
Kern und einer Hülle. Der Kern ist noch einmal, dem
Durchmesser nach, 10 000mal kleiner als das Atom im
ganzen. Fast der ganze Raum des Atoms wird eingenommen
30 von der Hülle. Diese jedoch darf man sich nicht kompakt°
vorstellen. Sie besteht ihrerseits aus einer Anzahl von
Teilchen, den sogenannten Elektronen. Sofern man dem
Elektron überhaupt einen Durchmesser zuschreiben kann,
ist er ebenfalls von der Größe des Atomkerns, also 10 000mal
35 kleiner als der Durchmesser des Atoms im ganzen. Soweit

Gebilde *structures*

Stecknadelkopf *pinhead*
Säulen *columns*
Querschnitt *cross section*

physikalisch *in terms of physics*

auswalzen *roll out*

Klümpchen *particle*
(*see ill. p. 228*)

227

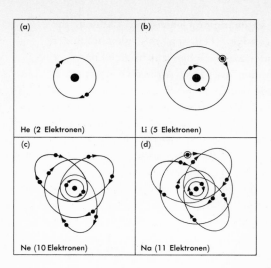

He (2 Elektronen) Li (5 Elektronen)

Ne (10 Elektronen) Na (11 Elektronen)

anschaulich vergegenwärtigen
picture clearly

move in their orbits

praktisch *to all intents*
durchschwirrt von den Elektronen *occupied by the whirling electrons*

cause

ständig *constantly*

(*see ill. p. 230*)

transmitted

that

recognize
... regular

man sich das Atom anschaulich vergegenwärtigen kann, muß man sich also vorstellen, daß die kleinen Elektronen um den ebenfalls kleinen Atomkern in weitem Abstand ihre Bahnen ziehen. Der Raum, den wir das Innere des Atoms nennen, ist also praktisch leer, er wird nur durchschwirrt von den Elektronen der Hülle. Dies weiß man, seit es zu Anfang unseres Jahrhunderts gelungen ist, mit raschen Teilchen praktisch ungehindert durch die Atome hindurchzuschießen.

Man darf fragen, was denn eigentlich die Elektronen veranlaßt, ständig um den Kern zu kreisen, und warum sie nicht einfach das Atom verlassen, um in die Welt hinauszufliegen. Die Antwort hierauf ist, daß zwischen dem Kern und den Elektronen eine elektrische Anziehungskraft besteht. Diese Kraft wird vermittelt durch das elektromagnetische Feld. Auch in der heutigen Atomphysik bleiben also die sogenannten materiellen Teilchen, zu denen die Atomkerne und die Elektronen gehören, scharf unterschieden von jener anderen Wirklichkeit, die man das elektromagnetische Feld nennt. Die empirisch bekannten Gesetzmäßigkeiten der Elektrizität lassen sich, für unseren Fall hinreichend, zusammenfassen in folgende Sätze: Materielle Teilchen können aufeinander elektrische Kräfte ausüben.

228

Es gibt zwei Sorten sogenannter elektrischer Ladung, die positive und die negative. Teilchen mit gleichnamiger Ladung stoßen einander ab. Teilchen mit ungleichnamiger Ladung ziehen einander an. Der Atomkern ist positiv
5 elektrisch geladen, die Elektronen sind negativ geladen. Daher stoßen zwei Elektronen einander ab, ein Atomkern zieht aber ein Elektron an. Ein Atomkern trägt im Gleichgewicht gerade so viele positive Ladungen wie die Anzahl der negativen Ladungen angibt, die ihn umgeben. ⌐Anders
10 ausgedrückt: Er kann ebenso viele Elektronen an sich binden, wie die Anzahl der Ladungseinheiten positiven Vorzeichens, die in ihm sitzen, beträgt.⌐ Man malt die Atome vielfach wie kleine Planetensysteme, wobei der Kern der Sonne entspricht, die um ihn laufenden Elektronen
15 jedoch den Planeten. Solche Bilder haben Sie gewiß schon oft, etwa auf Titelblättern von Büchern über Atomenergie, gesehen. Als Gleichnisse sind diese Bilder wohl zu gebrauchen, nur muß man sich klarmachen, daß sie die Wahrheit nicht genau wiedergeben.
20 Ein Molekül kommt dadurch zustande, daß einige Elektronen, die in den getrennten Atomen jeweils nur einen Atomkern umkreisen, nun mehreren Atomen gemeinsam werden, diese Atome also gemeinsam umkreisen. Diese gemeinsamen Elektronen stellen gewissermaßen das
25 Band dar, das die Atome im Molekül zusammenhält. Die Undurchdringlichkeit der Materie, die bisher als eine Grundeigenschaft erschien, erweist sich jetzt als ein Vordergrundaspekt. Mit hinreichend raschen atomaren° Geschossen kann man durch ein Atom hindurchschießen.
30 Nur wenn zwei Atome, die etwa im normalen Zustand sind, aufeinandertreffen, so vermögen sie einander nicht zu durchdringen. Dies hängt einerseits mit der elektrischen Abstoßung zusammen, die die Elektronen aufeinander ausüben, es hängt aber auch zusammen mit gewissen
35 Eigenschaften der Materie, die nur auf Grund der Quantentheorie° zu verstehen sind.
Die sechste Stufe ist die Stufe der Quantentheorie. Denkt man sich die Atome genau wie kleine Planetensysteme und nimmt damit das Gleichnis des Planetensystems
40 wörtlich, wie es Rutherford in seinem Atommodell 1911 zunächst getan hat, so stößt man auf unüberwindliche

229

Vorzeichens *sign*
Gleichnisse *illustrations*
jeweils *in each case*
ein Vordergrundaspekt *here: only apparent*
Geschossen *projectiles*
Ernest Rutherford, British physicist (1871–1937)
unüberwindliche *insurmountable*

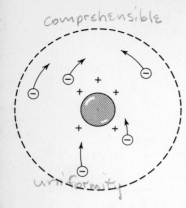

Niels Bohr, Danish physicist (1885–   )

Planck (see ch. 14)
Quantenvorstellung *quantum concept*

Heisenberg (see ch. 14)
Louis Victor de Broglie, French physicist (1892–   )
Erwin Schrödinger, Austrian physicist (1887–   )

zumindest *at least*

'anschauliches *clear*

Wellenbildes *wave picture*
Elementarteilchen *elementary particles*
Notlösung *emergency solution, expedient*

griechischen *Greek*

Schwierigkeiten. Es ist dann nicht begreiflich, warum zum Beispiel in allen Wasserstoffatomen das eine Elektron, das im Wasserstoffatom vorkommt, stets im gleichen Abstand den Kern umkreist; warum nicht in einem Atom das Elektron dem Kern nahe ist, im andern ferner usw. Die Gleichheit aller Atome desselben Elements, ihre Stabilität, ihre Undurchdringlichkeit erweisen sich alle von diesem Atommodell her als unverständlich. Dies hat Niels Bohr schon sehr früh, nämlich 1912, klar erkannt. Er sah, daß das Rutherfordsche Atommodell mit der Gültigkeit der klassischen Physik im Inneren des Atoms unvereinbar ist. Während andere, weniger kühne Geister daraus wohl gefolgert hätten, das Rutherfordsche Atommodell sei falsch, zog er die umgekehrte Folgerung. Er wußte, wie gut dieses Modell durch die Erfahrung begründet war, und folgerte, die klassische Physik sei für das Innere der Atome falsch. Er wandte die schon 1900 von Planck aufgestellte Quantenvorstellung auf das Atom an, in einer Weise, die hier nicht näher geschildert werden soll. Die Weiterentwicklung dieser Bohrschen Vorstellungen führte in den Händen von Heisenberg, de Broglie, Schrödinger und anderen in den Jahren 1924-27 zur heutigen sogenannten Quantenmechanik.° Diese Theorie vermag den Bau der Atome mit größter mathematischer Präzision zu beschreiben und in vielen Fällen Effekte so genau vorherzusagen, wie man sie überhaupt zu messen vermag. Wir können heute nicht daran zweifeln, daß sie die richtige Theorie zumindest für die Atomhülle, aber auch für viele Eigenschaften des Atomkerns ist. Sie verzichtet aber überhaupt darauf, das Innere des Atoms durch ein anschauliches Bild zu beschreiben. Sie betrachtet die anschaulichen Bilder nur als Gleichnisse. Charakteristisch für sie ist der Dualismus zweier Bilder, einerseits des Wellenbildes, andererseits des Teilchenbildes.

Die siebente Stufe ist die Stufe der Elementarteilchen. Die Benennung Elementarteilchen ist eine Notlösung. Man möchte damit etwas bezeichnen, was eigentlich den alten griechischen Namen Atom verdient hätte. Da aber die Chemiker° diesen Namen für die von ihnen Atom genannten Teilchen bereits verbraucht haben, muß man für die Teile der Atome nun einen neuen Namen finden und wählt eben den Namen Elementarteilchen dafür.

Uns ist heute eine große Anzahl von Elementarteilchen bekannt. Soeben genannt wurde das Elektron. Im Inneren des Atomkerns gibt es zwei weitere Elementarteilchen, das Proton und das Neutron. Ferner gibt es Elementarteilchen, die nicht stabil sind, sondern zwar im Laboratorium erzeugt werden können, aber dann rasch wieder zugrunde gehen. Zu ihnen gehört zum Beispiel das sogenannte Positron°, ein Teilchen, das sich vom Elektron nur dadurch unterscheidet, daß es das umgekehrte Ladungsvorzeichen hat. Zu ihnen gehören ferner viele Sorten von sogenannten Mesonen° und Hyperonen°, die im Lauf der letzten Jahre entdeckt worden sind.

Die Griechen° kannten vier Elemente. Die neuzeitliche Chemie° hat die Anzahl der Elemente außerordentlich erweitert. Heute kennt man über hundert sogenannte chemische Elemente. Schon in der Mitte des 19. Jahrhunderts erkannte man aber, daß die chemischen Elemente untereinander gewisse Verwandtschaftsbeziehungen haben, von denen die von Prout hervorgehobene Ganzzahligkeit der Atomgewichte eine ist. Nach ihren chemischen Verwandtschaften hat man die Elemente dann im sogenannten „Periodischen System der Elemente" angeordnet. Bohr vermochte mit seiner Theorie des Atombaus das periodische System zu erklären. Die chemischen Eigenschaften der Elemente hängen einfach ab von der Anzahl der Elektronen in ihrer Hülle, und so sind schließlich die über hundert Elemente, die wir heute kennen, zurückgeführt auf Atomkerne und Elektronen, an denen im Wesen von Element zu Element nichts verschieden ist, sondern nur die Anzahl, in der gewisse Elementarteilchen vorkommen. Hatte man ursprünglich gehofft, mit zwei oder drei Elementarteilchen, Proton, Elektron und dann Neutron, auszukommen, so ist heute eine ähnliche Inflation in der Anzahl der Elementarteilchen eingetreten, wie sich seit dem späten 18. Jahrhundert eine Inflation in der Anzahl der chemischen Elemente gezeigt hatte. Es liegt sehr nahe, anzunehmen, daß auch diese Elementarteilchen noch nicht im vollen

Ladungsvorzeichen *charge*

William Prout, *English chemist and physician* (1785–1850)
Ganzzahligkeit *whole number rule*

indeed

frequently

Ursubstanz *fundamental substance*

finally

jeweils | *in each case*

compose

conceive

(1ˢᵗ lines) foremost

lecture

composition

turn to

Sinn des Wortes elementar seien. In der Tat hat sich gezeigt, daß Elementarteilchen in physikalischen° Prozessen ineinander verwandelt werden können. Daher nimmt man heute vielfach an, daß es letzten Endes nur eine Ursubstanz gebe, aus der die verschiedenen Elementarteilchen auf jeweils verschiedene Weise zusammengesetzt sind. Diese Substanz kann man wegen der Dualität von Teilchen- und Wellenbild, von der in der sechsten Stufe kurz die Rede war, sowohl als Ur-Teilchen wie als Ur-Feld auffassen. Diese Fragestellung ist wohl von der ganzen heutigen Physik anerkannt. Die richtige Antwort ist aber bis heute nicht gefunden. Wir befinden uns hier in der vordersten Front der heutigen Forschung.

DRITTE VORLESUNG. *Bausteine und Umwandlungen der Atome*

(*see ill. p. 233*)

Bisher war die Rede davon, daß ein Atom aus Kern und Hülle besteht und die Hülle aus Elektronen. Wir müssen uns jetzt der Zusammensetzung des Kerns zuwenden. Ich habe schon gesagt, daß der Kern aus Protonen und Neutronen zusammengesetzt ist. Ein Proton ist ein Elementarteilchen, das etwa 1840mal schwerer ist als ein Elektron. Ein Neutron hat ungefähr dasselbe Gewicht wie ein Proton. Der Atomkern vereinigt also fast die ganze Masse des Atoms in sich. Der Unterschied zwischen Proton und Neutron liegt darin, daß das Proton positive elektrische Ladung trägt, das Neutron hingegen elektrisch neutral ist. Die Protonen des Atomkerns sind es, die die positive Ladung des Atomkerns ausmachen und daher die Elektronen durch die elektrische Anziehung an den Atomkern binden. Die Anzahl von Protonen im Kern ist gleich der Anzahl von Elektronen, die das Atom im normalen, das heißt elektrisch neutralen Zustand an sich gebunden hat. Diese Zahl kennt der Chemiker als die sogenannte Ordnungszahl des betreffenden chemischen Elements. Sie hat den Wert 1 für Wasserstoff, 2 für Helium, 6 für Kohlenstoff, 8 für Sauerstoff, 26 für Eisen, 92 für Uran°. Sie bestimmt das chemische Verhalten des Atoms, genauer gesagt, seinen Ort im periodischen System der Elemente.

constitute

Ordnungszahl *atomic number*

in question

behavior

repel

Die Protonen eines Kerns stoßen einander ab, und zwar stoßen sie einander sehr heftig ab, da sie im Kern

232

more exactly

sehr dicht aneinandergepackt sind. Daß der Kern nicht sofort explodiert und auseinanderfliegt, ist nur eine Folge der Anwesenheit der Neutronen. Die Neutronen sind elek-

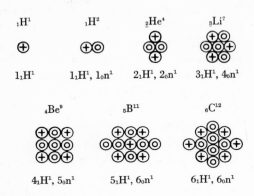

$_1H^1$ $_1H^2$ $_2He^4$ $_3Li^7$

1_1H^1 $1_1H^1, 1_0n^1$ $2_1H^1, 2_0n^1$ $3_1H^1, 4_0n^1$

$_4Be^9$ $_5B^{11}$ $_6C^{12}$

$4_1H^1, 5_0n^1$ $5_1H^1, 6_0n^1$ $6_1H^1, 6_0n^1$

trisch neutral, üben daher keine elektrische Kraft aus. Es
5 gibt aber eine andere, nichtelektrische Kraft, die zwischen einem Proton und einem Neutron wirkt, wenn die beiden einander sehr nahe kommen. Durch diese Kraft, die im allgemeinen anziehend ist, können Protonen und Neutronen aneinander gebunden werden, und diese Kraft überwiegt
10 die elektrische Abstoßung der Protonen. So kann man die Neutronen als einen Kitt bezeichnen, der die Protonen im Atomkern aneinanderhält. Im Durchschnitt darf man sagen, daß bei leichteren Elementen ein Atomkern etwa ebenso viele Neutronen enthält wie Protonen. Bei schwere-
15 ren Elementen überwiegt die Anzahl der Neutronen. Das läßt sich so deuten: Bei schwereren Elementen, bei denen also viele Protonen im Kern vorkommen, wird die Ab- stoßung der Protonen gegeneinander so groß, daß man eine unverhältnismäßig große Menge von Kitt braucht, um sie
20 aneinander festzuhalten. Die allerschwersten Elemente, wie etwa Uran, sind auch hierdurch nicht auf die Dauer zu- sammenzuhalten, sondern sie zeigen ein Phänomen, das man als radioaktiven Zerfall kennt.

Auf der Anwesenheit der Neutronen im Kern beruht
25 auch das Phänomen der Isotopie. Wir wählen als Beispiel

233

überwiegt *surpasses*

Kitt *cement*

Isotopie *isotopy*

das einfachste Element, Wasserstoff. Der Wasserstoff kommt in der Natur in zwei verschiedenen Formen vor, und eine dritte kann man künstlich herstellen. Das weitaus häufigste Wasserstoffatom hat als Kern ein einfaches Proton. Es gibt aber auch ein Wasserstoffatom, dessen Kern aus einem 5 Proton und einem Neutron besteht. Man nennt diesen Kern dann das Deuteron°, und man nennt Wasserstoff, der ausschließlich aus solchen Wasserstoffatomen besteht, Deuterium° oder schweren Wasserstoff. Wasser, in dem der Wasserstoff schwerer Wasserstoff ist, nennt man 10 schweres Wasser. Schließlich ist es möglich, im Laboratorium noch ein weiteres Neutron an das Deuteron anzulagern, so daß nun ein Kern entsteht, der weiterhin nur ein Proton enthält, also ein Elektron binden kann, also zum chemischen Element Wasserstoff gehört, der aber zwei 15 Neutronen hat und damit die Gesamtmasse 3 besitzt. Diesen Kern nennt man das Triton° und den „noch schwereren Wasserstoff", der aus ihm besteht, das Tritium°.

anzulagern   *to attach*

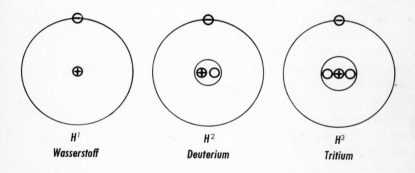

| H^1 | H^2 | H^3 |
| Wasserstoff | Deuterium | Tritium |

Diese drei verschiedenen Sorten von Wasserstoff heißen die drei Isotope° des Elements Wasserstoff. Man sieht jetzt 20 auch, inwiefern die Hypothese von Prout im Grunde richtig war. Die Masse eines Atoms ist gegeben durch die Anzahl von Protonen und Neutronen in seinem Atomkern, und da die beiden Teilchen, Proton und Neutron, fast 2 dasselbe Gewicht haben, so ist die Gesamtmasse immer

234

nahezu ein ganzzahliges Vielfaches einer Grundmasse, nämlich der Masse des Protons.

Es sei noch ein Wort über die Nomenklatur° der Atomphysik gesagt. Wir bezeichnen ein chemisches Element
5 im allgemeinen mit einem Symbol, das aus einem oder zwei Buchstaben besteht, etwa H (Hydrogenium) für Wasserstoff, O (Oxygenium) für Sauerstoff, U (Uranium) für Uran, Fe (Ferrum) für Eisen. Will man den Kern näher bezeichnen, so schreibt man die Anzahl von Protonen, die
10 er enthält, die also zugleich die Ordnungszahl des betreffenden chemischen Elements ist, als unteren Index° an, die Gesamtanzahl von Teilchen, also Protonen plus Neutronen, die er enthält, als oberen Index. So wird man z.B. den gewöhnlichen Wasserstoff, dessen Kern ein einziges
15 Proton ist, in folgender Form schreiben: H_1^1. Uran hat zwei Isotope, die für uns im folgenden besonders wichtig sein werden: U_{92}^{235} und U_{92}^{238}. Das erste von beiden hat zu seinen 92 Protonen noch 143 Neutronen, das andere noch 146 Neutronen. Die Summe der Zahlen 92 und 143 ist
20 dann 235; und analog für das andere Isotop. An sich ist es überflüssig, zum chemischen Element auch noch die Protonenzahl anzugeben, da diese durch den Namen des Elements für den Kenner schon eindeutig bezeichnet ist. Deshalb spricht man meist einfach von U 235 bzw. U 238.
25 Nun müssen wir uns für die Umwandlungen der Atome ineinander interessieren. Dabei soll nur die Rede sein von solchen Umwandlungen, bei denen sich die Zusammensetzung des Atomkerns ändert. Bleibt nämlich der Atomkern ungeändert und werden also nur der Hülle einige
30 Elektronen entrissen oder hinzugefügt, so handelt es sich hier um eine Änderung, die meist sehr leicht rückgängig gemacht werden kann. Das Atom behält grundsätzlich seine chemische Natur, und da im Raum meist einige Elektronen frei herumschwirren, kann es im allgemeinen
35 einen Verlust einiger Elektronen leicht wieder ersetzen. Eigentliche Elementumwandlungen sind diejenigen, bei denen dem Atomkern etwas hinzugefügt oder entrissen wird. Eine solche Änderung ist nicht leicht wieder rückgängig zu machen, da der Atomkern durch sehr starke
40 Kräfte zusammengehalten ist, so daß ein ihm hinzugefügtes Teilchen ihm nur schwer entrissen werden kann, und da

235

ganzzahliges Vielfaches *multiple*

analog *analogously*

eindeutig *clearly*

rückgängig gemacht *reversed*

herumschwirren *whir around*

andererseits die Abstoßung der Protonen im Kern auf jedes herannahende Proton diesem ein Eindringen in den Kern sehr schwer macht.

Die Umwandlungen des Atomkerns, die am längsten bekannt sind, tragen den Namen „Radioaktivität". Sie sind nicht vom Menschen ausgelöst, sondern finden von selbst statt. Bei der Radioaktivität verläßt eine Strahlung den Kern, und der Kern bleibt verwandelt zurück. Man unterscheidet traditionell zwischen drei Sorten radioaktiver Strahlung, der Alpha-Strahlung, Beta-Strahlung und Gamma-Strahlung. Wir besprechen diese einzeln.

Bei der Alpha-Strahlung verläßt ein kompletter° Heliumkern, bestehend aus zwei Protonen und zwei Neutronen, einen schweren Atomkern. Beispielsweise „zerfällt", wie man sagt, Uran 238 unter Aussendung von Helium 4 in ein Thorium°-Isotop der Masse 234. Dieser Vorgang beruht auf der großen Abstoßung, die die Protonen des Kerns aufeinander ausüben. Der Urankern ist sozusagen überzüchtet. Er ist nicht mehr stabil, sondern nach Ablauf einiger Zeit verlassen ihn zwei Protonen, und zwar, indem sie zwei Neutronen mitnehmen, denn das Gebilde, das aus zwei Protonen und zwei Neutronen besteht, der Heliumkern oder das Alpha-Teilchen, ist ein besonders stabiles Gebilde.

Der Beta-Zerfall greift noch tiefer in die Struktur des Atomkerns ein. Er ist eine Umwandlung eines Elementarteilchens in ein anderes. Der normale klassische Beta-Zerfall beruht auf der Umwandlung eines Neutrons in ein Proton. Dabei entsteht zugleich ein Elektron. Es gilt ein allgemeiner Satz, daß die Gesamtladung in einem abgeschlossenen System stets dieselbe bleiben muß. Nun ist das Neutron ungeladen, das entstehende Proton hat eine positive Ladung, diese muß kompensiert werden durch die negative Ladung des entstehenden Elektrons. Das Elektron verläßt den Atomkern und ist der sichtbare sogenannte Beta-Strahl. Wie man heute weiß, entsteht dabei gleichzeitig noch ein ungeladenes, sehr leichtes Teilchen, das sogenannte Neutrino,° das aber nicht direkt wahrgenommen werden kann, da es alle Materie° praktisch ungehindert durchdringt. Als Beispiel betrachten wir die beiden Beta-Zerfälle, welche auf den vorhin geschilderten Alpha-Zerfall von Uran folgen. Zu bemerken ist, daß das Wort Zerfall bei der Beta-

ausgelöst   *caused*

überzüchtet   *over-developed*

Gebilde   *formation, structure*

236

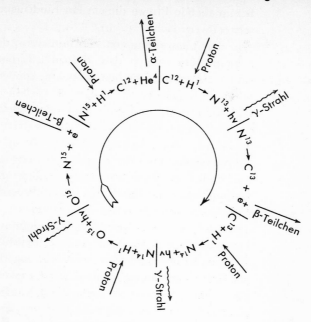

Umwandlung nicht besonders treffend ist, da der Atomkern die gleiche Anzahl von Elementarteilchen beibehält wie zuvor. Es hat sich aber einmal eingebürgert, und so halten wir an ihm fest. Aus Uran 238 war Thorium$^{234}_{90}$ entstanden.
5 In diesem nun verwandelt sich ein Neutron in ein Proton. Dadurch entsteht Pa$^{234}_{91}$ (Protactinium). Dessen Atomkern hat eine ebenso große Gesamtzahl von Protonen und Neutronen wie der vorangegangene, aber er hat ein Proton mehr und folglich ein Neutron weniger. Derselbe Prozeß
10 wiederholt sich noch einmal und es entsteht U$^{234}_{92}$, ein neues Isotop des Urans. Dieses ist seinerseits wieder alpha-aktiv. Es sendet einen neuen Heliumkern aus und wandelt sich dadurch wieder in ein Isotop von Thorium. Durch eine Kette weiterer Alpha- und Beta-Zerfälle wird der Kern so
15 schließlich übergeführt in ein Isotop von Blei, das stabil ist.

Die Gamma-Strahlung ist nicht mit einer eigentlichen Umwandlung des Atomkerns verbunden. Sie ist eine elektromagnetische Strahlung wie Licht oder Röntgenstrahlung, aber von sehr kurzer Wellenlänge, und sie wird ausgesandt
20 bei inneren Umlagerungen im Atomkern.

sich eingebürgert *come into general use*

Umlagerungen *rearrangements*

IN ADDITION

 Zu diesen schon aus der Natur bekannten Arten der Radioaktivität kommen nun viele Atomkernumwandlungen, die man im Laboratorium künstlich erzeugen kann. Die erste von ihnen wurde von Rutherford und Chadwick 1919 durchgeführt. Rutherford und Chadwick beschossen Stickstoff mit den Alpha-Teilchen eines natürlichen Strahlers. Dabei fand eine Reaktion statt, die sich in der folgenden Gleichung schreiben läßt:

$$N_7^{14} + He_2^4 = O_8^{17} + H_1^1.$$

In Worten lesen wir das so: Stickstoff mit sieben Protonen und sieben Neutronen vereinigt sich vorübergehend mit Helium, welches zwei Protonen und zwei Neutronen enthält. Von diesen Teilchen wird ein Proton alsbald wieder ausgesandt, der Rest bleibt zurück als Sauerstoff mit acht Protonen und neun Neutronen. Durch die sehr durchdringenden Protonen, die dabei ausgesandt werden, läßt sich der Prozeß im Laboratorium nachweisen.

Später hat man dann gelernt, auch mit künstlich beschleunigten Teilchen, zum Beispiel künstlich beschleunigten Protonen, Elemente umzuwandeln. Dabei lernt man auch, Neutronen aus den Elementen herauszuschlagen, ja, durch Kernumwandlungsprozesse sind die Neutronen überhaupt zuerst entdeckt worden. Man kann dann auch die herausgeschlagenen Neutronen ihrerseits wieder auf Atome auffallen lassen, und sie können in den Atomkernen Prozesse neuer Art auslösen. Ein Prozeß, der durch Neutronen ausgelöst ist, ist die Uranspaltung.

Vocabulary

LIST OF ABBREVIATIONS

Abb., Abbildung *illustration*
Bd., Band *volume*
bzw., beziehungsweise *respectively*, *or*
C., Celsius *Celsius*
ca., circa *approximately*
ccm, Kubikzentimeter *cubic centi-meter*
cm, Zentimeter *centimeter*
d.h., das heißt *that is, i.e.*
d.i., das ist *that is*
Fig., Figur *figure*
g, Gramm *gram*
kg, Kilogramm *kilogram*
km, Kilometer *kilometer*
m, Meter *meter*
mm, Millimeter *millimeter*

Nr., Nummer *number*
p.c., Prozent *percent*
Pfd., Pfund *pound*
s., siehe *see*
S., Seite *page*
Sek., Sekunde *second*
sog., sogenannt *so-called*
u.a., unter anderem *among other things*
u.ff., und folgende *and following (pages)*
usw., und so weiter *etc.*
vgl., vergleiche *compare, cf.*
z.B., zum Beispiel *for instance, e.g.*
′ Fuß, Minute *foot, minute*
° Grad *degree*

bergen (er birgt)	barg	geborgen
biegen	bog	gebogen
bieten	bot	geboten
binden	band	gebunden
bitten	bat	gebeten
bleiben	blieb	geblieben
brechen (er bricht)	brach	gebrochen
brennen	brannte	gebrannt
bringen	brachte	gebracht
denken	dachte	gedacht
dringen	drang	gedrungen
dürfen (er darf)	durfte	gedurft
empfehlen (er empfiehlt)	empfahl	empfohlen
essen (er ißt)	aß	gegessen
fahren (er fährt)	fuhr	gefahren
fallen (er fällt)	fiel	gefallen
fangen (er fängt)	fing	gefangen
finden	fand	gefunden
fliegen	flog	geflogen
geben (er gibt)	gab	gegeben
gehen	ging	gegangen
gelingen	gelang	gelungen
gelten (er gilt)	galt	gegolten
genießen	genoß	genossen
geschehen (es geschieht)	geschah	geschehen
gewinnen	gewann	gewonnen
gießen	goß	gegossen
gleichen	glich	geglichen
gleiten	glitt	geglitten
greifen	griff	gegriffen
halten (er hält)	hielt	gehalten
hangen (er hängt) *or* hängen	hing	gehangen
heben	hob	gehoben
heißen	hieß	geheißen
helfen (er hilft)	half	geholfen
kennen	kannte	gekannt
kommen	kam	gekommen
können (er kann)	konnte	gekonnt
laden (er lädt *or* ladet)	lud	geladen

lassen (er läßt)	ließ	gelassen
laufen (er läuft)	lief	gelaufen
leiden	litt	gelitten
lesen (er liest)	las	gelesen
liegen	lag	gelegen
meiden	mied	gemieden
messen (er mißt)	maß	gemessen
mögen (er mag)	mochte	gemocht
müssen (er muß)	mußte	gemußt
nehmen (er nimmt)	nahm	genommen
nennen	nannte	genannt
raten (er rät)	riet	geraten
reiben	rieb	gerieben
reißen	riß	gerissen
riechen	roch	gerochen
rufen	rief	gerufen
saugen	sog	gesogen
schaffen	schuf	geschaffen
scheiden	schied	geschieden
scheinen	schien	geschienen
schieben	schob	geschoben
schießen	schoß	geschossen
schlagen (er schlägt)	schlug	geschlagen
schließen	schloß	geschlossen
schneiden	schnitt	geschnitten
schrecken (er schrickt)	schrak	geschrocken
schreiben	schrieb	geschrieben
schreiten	schritt	geschritten
schweigen	schwieg	geschwiegen
schwinden	schwand	geschwunden
sehen (er sieht)	sah	gesehen
sein (er ist)	war	gewesen
senden	sandte	gesandt
	or sendete	*or* gesendet
sieden	sott	gesotten
sinken	sank	gesunken
sitzen	saß	gesessen
sprechen (er spricht)	sprach	gesprochen
springen	sprang	gesprungen
stehen	stand	gestanden
steigen	stieg	gestiegen

sterben (er stirbt)	starb	gestorben
stoßen (er stößt)	stieß	gestoßen
streichen	strich	gestrichen
streiten	stritt	gestritten
tragen (er trägt)	trug	getragen
treffen (er trifft)	traf	getroffen
treiben	trieb	getrieben
treten (er tritt)	trat	getreten
trügen	trog	getrogen
tun	tat	getan
vergessen (er vergißt)	vergaß	vergessen
verlieren	verlor	verloren
wachsen (er wächst)	wuchs	gewachsen
wägen	wog	gewogen
weichen	wich	gewichen
weisen	wies	gewiesen
wenden	wandte	gewandt
	or wendete	*or* gewendet
werden (er wird)	wurde	geworden
werfen (er wirft)	warf	geworfen
wiegen	wog	gewogen
wissen (er weiß)	wußte	gewußt
ziehen	zog	gezogen
zwingen	zwang	gezwungen

NOTE ON VOCABULARY

The vocabulary is complete, except for words glossed with the text, articles, pronouns, pronominal adjectives, numerals, days of the week, and months; and compounds whose meaning is readily derivable from the meanings of the components. Identical and obvious cognates, so frequent in scientific texts, are not included, and cognates not obvious at first glance are indicated by a superior circle in the text (*thus*, Chemie°).

Verbs appear in the vocabulary only in their infinitive form. In the case of any irregular form from which the student is unable to derive the infinitive, he should consult the List of Basic Verbs with Irregular Principal Parts. A dagger (†) following an infinitive listed in the vocabulary indicates that the principal parts of its root verb appear in this list.

For a statement of the pedagogical principles on which the vocabulary was constructed, please see the Preface.

A

ab off, away

die **Abänderung -en** alteration, variation, difference

die **Abbildung -en** image, illustration

ab-brechen† to break off

der **Abend -s -e** evening

ab-geben† to give off

ab-gehen (ist)† to depart from

der **Abhang -es ⸚e** slope

ab-hangen† or **ab-hängen†** to depend; die **Abhängigkeit -en** dependence

der **Ablauf -es** course, expiration

ab-lehnen to reject

ab-leiten to derive, deduce

ablenkbar deflectable; die **Ablenkbarkeit** deflectability; **ab-lenken** to deflect; die **Ablenkung** deflection

ab-lösen to separate, detach

die **Abnahme** reduction, decrease, removal; **ab-nehmen†** to decrease, diminish

ab-schätzen to estimate

ab-scheiden† to separate, liberate, eliminate

ab-schicken to send off

ab-schließen† to conclude, close off; der **Abschluß -sses ⸚sse** exclusion, conclusion

ab-schneiden† to cut off; der **Abschnitt -s -e** section, period

ab-sehen† to perceive, conceive, imagine; disregard

sich **ab-setzen** to form, deposit

die **Absicht -en** intention, purpose; **absichtlich** intentional

ab-sperren to close off, confine, block off

die **Abstammung** derivation, descent, origin

der **Abstand -es ⸚e** distance

ab-sterben (ist)† to die (out), decay, wither

ab-stoßen† to repel; die **Abstoßung** repulsion

sich **ab-trennen** to separate; die **Abtrennung** separation

ab-warten to await

abwärts downwards; der **Abwärtsgang -es ⸚e** descent

ab-wechseln to alternate

ab-weichen (ist)† to deviate, differ; **abweichend** divergent; die **Abweichung -en** deviation

ab-wenden† to turn away

die **Abwesenheit -en** absence

ab-ziehen† to deduct, subtract

die **Acht** attention, care; **außer Acht lassen** to disregard

ahnen to suspect, anticipate

ähnlich similar; die **Ähnlichkeit -en** similarity

allbekannt generally known

allein alone; but

allerdings to be sure, of course

allerlei all sorts of (things)

allerschwerst heaviest of all

allerwenigst least of all

allgemein general, universal; in general

allmählich gradual

allseitig general, universal; on all sides

allzuweit too wide

als when, then, as, as if

das **Alter -s** age

an on, at, to, in, with

an-bieten† to offer

der **Anblick -s -e** glance, sight

an-bringen† to place, locate

andauernd lasting

ander other, different, next; **andererseits** on the other hand; **anders** otherwise, differently; **anderseits** on the other hand, secondly; **anderswo** elsewhere

ändern to change, alter; die **Änderung -en** variation, change

an-deuten to indicate

an-drücken to press against

sich **an-eignen** to acquire, take on, appropriate

aneinander together; **aneinander-knüpfen** to connect, link

an-erkennen† to acknowledge, recognize

der **Anfang -s ⁔e** beginning; **den Anfang nehmen** to begin; **anfangen**† to begin; **anfänglich** initially, at first; **anfangs** in the beginning

an-fassen to take hold of, seize

die **Anforderung -en** demand, requirement

an-führen to adduce, give, mention

die **Angabe -n** assertion, account, view, estimate

an-geben† to indicate, give

an-gehören to belong to, pertain to; der **Angehörige -n -n** member

angenähert approximately

angenehm pleasant

angestrengt energetic

die **Angst ⁔e** anxiety

an-halten† to last, continue, persist; stop

der **Anhang -s ⁔e** appendix; **an-hangen (ist)**† to adhere to, cling to

an-häufen to heap up, accumulate; die **Anhäufung -en** accumulation

an-kommen (ist)† to arrive

sich **an-legen** to be deposited, form

an-liegen† to fit

die **Anmerkung -en** note, footnote

annähernd approximately; die **Annäherung** approach, drawing near

die **Annahme -n** assumption; **annehmen**† to assume

an-ordnen to arrange; die **Anordnung -en** arrangement, formation

an-passen to adapt; die **Anpassung -en** adjustment, adaptation

an-regen to stimulate; die **Anregung -en** impulse, occasion

sich **an-reihen** to follow, form in a row

an-saugen† to suck in

die **Anschauung -en** view, opinion

der **Anschein -s -e** appearance; **es hat den Anschein ...** it looks ...

an-schreiben† to write down

an-sehen† to regard; das **Ansehen -s** appearance

an-setzen to put on, fix

die **Ansicht -en** view, conclusion

der **Anspruch -s ⁔e** demand

anstatt instead of

an-steigen (ist)† to rise, mount

an-stellen to make, carry out, undertake

an-streben to strive for, aim at

an-streichen† to paint, coat

die **Anstrengung -en** exertion, effort

der **Anstrich -s** (coat of) paint

der **Anteil -s -e** part, share

an-treffen† to encounter

die **Antwort -en** answer; **antworten** to answer

an-wenden† to apply; die **Anwendung -en** application, use

anwesend present; die **Anwesenheit -en** presence

die **Anzahl** number

das **Anzeichen -s -** sign

die **Anzeige -n** notice, announcement

an-ziehen† to attract; **anziehend** attractive; die **Anziehung** attraction; die **Anziehungskraft** power of attraction, attractive power

die **Arbeit -en** task, work; research paper; **arbeiten** to work, function; das **Arbeitsverfahren -s** manner of performance

arm poor, deficient

die **Art -en** type, kind, sort, nature, species

der **Arzt -es ⁔e** physician

die **Atmung** breathing, respiration

auch also, too, even

auf at, in, on, for, to, by, with regard to

der **Aufbau -s** construction, formation, structure

auf-bewahren to reserve, preserve

auf-decken to detect, discover

aufeinander one on top of the other; **aufeinander-folgen (ist)** to succeed, follow; **aufeinander-treffen**† to strike one another

auf-fallen (ist)† to strike, surprise; **auffallenderweise** surprisingly

auf-falten to fold up

auf-fassen to conceive, regard; die **Auffassung -en** conception, interpretation

auf-finden† to detect, find, discover; die **Auffindung** discovery

die **Aufforderung -en** challenge, encouragement

die **Aufgabe -n** task, object, problem; **auf-geben**† to give up, abandon

sich **auf-halten**† to linger, dwell, be (located)

auf-heben† to remove; die **Aufhebung -en** removal

auf-hören to cease, stop

auf-klären to explain, clarify; die **Aufklärung -en** explanation, enlightenment, clarification

auf-leuchten to light up

(sich) **auf-lösen** to resolve itself, break up, dissolve; die **Auflösung -en** solution

aufmerksam careful, attentive; die **Aufmerksamkeit** attention

die **Aufnahme -n** absorption; picture, (photographic) exposure; acceptance; **auf-nehmen**† to pick up, select, take, absorb, record (photographically)

aufrecht upright; **aufrecht (er)-halten**† to maintain; die **Aufrichtigkeit** honesty, candor

die **Aufsaugung** absorption

die **Aufspaltung -en** splitting up

auf-steigen (ist)† to rise, climb

auf-stellen to formulate, set up

auf-suchen to hunt for, look for

der **Auftrag -s ⁻e** commission, instruction

auf-treten (ist)† to occur

auf-wachen (ist) to wake up

aufwärts upwards

auf-weisen† to show

auf-zeichnen to sketch, draw

das **Auge -s -n** eye; **in die Augen springend** striking

der **Augenblick -es -e** moment; **augenblicklich** momentary, for the moment

aus from, out of, of

aus-arbeiten to work out

aus-atmen to exhale, expire

aus-bilden to develop; die **Ausbildung -en** development

aus-breiten to spread (out), radiate; die **Ausbreitung** propagation, spreading, expansion

der **Ausbruch -es ⁻e** outbreak

aus-dehnen to extend, stretch; die **Ausdehnung** extent, extension; **ausgedehnt** extensive

der **Ausdruck -s ⁻e** expression; **zum Ausdruck bringen**† to express; **aus-drücken** to express

auseinander apart, separate; **auseinander-gehen (ist)**† to diverge

aus-fallen (ist)† to turn out

aus-führen to carry out, set forth; **ausführlich** extensive; die **Ausführung -en** discussion, observation, execution

die **Ausgabe -n** edition

der **Ausgang -s ⁻e** termination, end; der **Ausgangspunkt -es -e** point of departure; **aus-gehen (ist)**† to emanate, start (from)

ausgeschlossen out of the question

ausgewachsen fully grown

ausgezeichnet excellent; distinct

aus-gleichen† to balance

aus-hauchen to emit; die **Aushauchung -en** exhalation, emission

aus-heben† to lift out, remove

aus-kommen (ist)† to manage

aus-kühlen to cool off

der **Ausländer -s -** foreigner
aus-laufen (ist)† to run out
aus-machen to be, equal, constitute
die **Ausnahme -n** exception; **ausnahmslos** without exception
aus-nutzen to make use of; die **Ausnutzung** utilization
aus-probieren to test
aus-reichen to suffice
die **Aussage -n** assertion; **aus-sagen** to say, assert
aus-schicken to send out
aus-schließen† to exclude; **ausschließlich** exclusive
aus-sehen† to look, appear
außen (on the) outside
aus-senden† to emit; die **Aussendung -en** emission
außer besides
äußer - external, outer; **im äußern** externally
außerhalb outside of
äußerlich external
außerordentlich extraordinary
äußerst extremely
die **Äußerung -en** assertion, utterance, expression
aus-setzen to expose
die **Aussicht -en** prospect
aus-sprechen† to express
aus-steigen (ist)† to descend, get off
aus-üben to exert, cause, carry out
die **Auswahl** selection; **aus-wählen** to select
auswendig by heart

B

das **Bad -es ⁻er** bath
die **Bahn -en** track, course, path, orbit; **bahnbrechend** pioneering, epoch-making; **bahnen** to pave (the way)
bald soon; **bald ... bald** now ... now
der **Band -es ⁻e** volume
das **Band -es ⁻er** bond
der **Bau -es -e** or **-ten** structure, form; **bauen** to build, construct; der

Baustein -es -e building stone, structural element; das **Bauwerk -es -e** structure
beachten to consider, regard, note
beanspruchen to claim, demand
beantworten to answer
die **Bearbeitung -en** treatment
der **Bedarf -s** need, wants
bedecken to cover; die **Bedekkung -en** covering
bedenken† to consider; das **Bedenken -s** doubt, objection, consideration; **Bedenken tragen**† to have misgivings; **bedenklich** serious, doubtful
bedeuten to mean; **bedeutend** significant, considerable; distinctly, markedly; die **Bedeutung -en** meaning, significance; **bedeutungslos** meaningless; die **Bedeutungslosigkeit** unimportance
bedienen to serve, care for; sich **bedienen** to use
bedingen to condition, determine; die **Bedingung -en** condition
bedürfen† to need; das **Bedürfnis -sses -sse** need
sich **beeilen** to hasten
beeinflussen to influence
beenden to end
beengen to limit
befahren† to travel
die **Befeuchtung -en** moistening
sich **befinden**† to be; **befindlich** located
befördern to foster, promote, transport
befriedigen to satisfy; die **Befriedigung -en** satisfaction
befruchten to fertilize; die **Befruchtung** fertilization
der **Befund -s** findings
sich **begeben**† to go
begegnen (ist) to meet, deal with
begleiten to accompany
begreifen† to comprehend; **begreiflich** comprehensible; der **Begriff -s -e** concept

begründen to confirm, substantiate, establish; die **Begründung -en** proof, confirmation

begünstigen to favor

behalten† to retain

behandeln to treat; die **Behandlung -en** treatment

behaupten to maintain, assert; die **Behauptung -en** assertion

beherrschen to control, govern

bei with, in the case of, on, in

bei-behalten† to retain, preserve

beiderseitig mutual, reciprocal

die **Beihilfe** aid, assistance

bei-mischen to mix (with), add

beiseite aside

das **Beispiel -s -e** example; **zum Beispiel** for example; **beispiellos** unexampled, unprecedented; **beispielsweise** for example

der **Beistand -s** aid, assistance; **beistehen†** to accompany

der **Beitrag -s ⁻e** contribution

bekannt familiar, known, well-known; der **Bekannte -n -n** acquaintance; **bekanntlich** as is well known; die **Bekanntmachung -en** publication, announcement; die **Bekanntschaft -en** acquaintance; **bekennen†** to acknowledge, confess

bekommen† to obtain, receive, get

bekunden to announce, manifest

beleben to invigorate

belegen to coat

beleuchten to illuminate, examine closely; die **Beleuchtung** illumination

Belieben: nach Belieben at will; **beliebig** as desired; **beliebig viele** as many as desired

bemerkbar noticeable, perceptible; **bemerken** to notice, remark; **bemerkenswert** noticeable, appreciable, noteworthy; die **Bemerkung -en** remark, observation

sich **bemühen** to strive; die **Bemühung -en** effort

benachbart adjoining, neighboring

sich **benehmen†** to behave

benennen† to designate; die **Benennung -en** designation, naming, term

benutzen to use; die **Benutzung** use; **unter Benutzung** with the use (of)

beobachten to observe; der **Beobachter -s -** observer; die **Beobachtung -en** observation

bequem convenient, comfortable; der **Bequemlichkeitstraum -es ⁻e** dream of comfort (convenience)

berechnen to calculate; die **Berechnung -en** calculation

berechtigen to justify; die **Berechtigung -en** justification

bereiten to prepare; **bereits** already; die **Bereitung -en** preparation

der **Bericht -es -e** report; **berichten** to report

berichtigen to correct

berücksichtigen to consider

berufen† to summon, call, destine

beruhen to rest, depend, be based

berühmt famous, celebrated

berühren to touch (on); die **Berührung** contact

beschäftigen to occupy

die **Bescheidenheit** modesty

beschießen† to bombard

beschleunigen to accelerate

beschließen† to resolve

beschränken to limit, confine

beschreiben† to describe; die **Beschreibung -en** description

beseitigen to remove, get rid of

besetzen to set, occupy, fill

der **Besitz -es -e** possession; **besitzen†** to possess

besonder special, particular; **besonders** especially

besorgen to be concerned, take care of; die **Besorgnis -sse** concern besprechen† to discuss; die Besprechung -en discussion

der Bestand -es duration; der Bestandteil -es -e component part

bestätigen to confirm; die Bestätigung -en confirmation, verification

bestehen† to exist; consist; insist; pass (examination)

bestens very much, in the best manner

bestimmen to determine, define, set; bestimmt certain, definite; die Bestimmtheit certainty; die Bestimmung -en determination, definition, destination

bestreiten† to combat, dispute

besuchen to visit

sich beteiligen to take part, participate

der Betracht -s respect, consideration; betrachten to regard, consider; beträchtlich considerable; die Betrachtung -en observation

der Betrag -es ⸚e amount; betragen† to amount to, total

betreffen† to concern, be in question; betreffend in question; was die Vorschläge betrifft as far as the suggestions are concerned

betreten† to enter

betrügen† to deceive

beurteilen to judge, determine; die Beurteilung -en judgment, determination

bevor before, until

bewahren to retain

sich bewähren to stand the test, remain constant

bewegen to move; bewegt in motion; beweglich mobile; die Bewegung -en motion, movement

der Beweis -es -e proof, evidence; beweisen† to prove; die Beweiskraft conclusiveness

bewirken to effect, cause

bewölkt cloudy

bewundernswürdig remarkable

bewußt conscious; ich bin mir bewußt I am aware; das Bewußtsein -s consciousness; zum Bewußtsein kommen† to be perceived

bezeichnen to designate, regard; bezeichnend characteristic

beziehen† to relate, refer; die Beziehung -en relation, respect, regard

der Bezug -s ⸚e reference; in Bezug auf with reference to; bezüglich concerning

bezwecken to aim at, intend

biegen† to bend

bieten† to offer, provide

das Bild -es -er picture, image; bilden to form, constitute, train; die Bildung -en formation, development

billig cheap, inexpensive

binden† to bind, hold fast, fix; die Bindung -en binding together

bis until, up to; bis auf except for; up to; bisher hitherto; bisherig previous

die Bitte -n request; bitten† to ask, request

blaß pale

das Blatt -es ⸚er leaf, sheet, (news)paper

blau blue

das Blei -es lead

bleiben (ist)† to remain

der Blick -es -e glance

der Blitz -es -e lightning

bloß mere

die Blume -n flower; der Blumenkranz -es ⸚e festoon

das Blut -es blood

die Blüte -n blossom, flower, bloom; die Blütezeit -en flowering period

der Boden -s ⸚ soil, ground, bottom

die Bohne -n bean

brauchbar usable; brauchen to need

brausen to roar

brechen† to break, refract, upset

breit broad; die **Breite -n** breadth, latitude

brennbar combustible; **brennen**† to burn; der **Brenner -s -** burner; das **Brennmaterial -s** fuel; der **Brennstoff -s -e** fuel

das **Brett -es -er** board

der **Briefwechsel -s -** correspondence

bringen† to bring, produce, bear, present

die **Brotfrage** problem of feeding mankind

der **Bruchteil -s -e** fraction

die **Brücke -n** bridge

der **Brunnen -s -** spring, well

der **Buchstabe -n -n** letter

die **Buntheit** variety

der **Bürgerkrieg -es -e** civil war

D

da there; since

dabei in this case, in this connection, at the same time

dadurch through it, that, them; by it, etc.; because of that

dagegen on the other hand

daher therefore

damalig at that time; **damals** at that time

damit with it (them), thereby; so that

der **Dampf -es ⁻e** steam, vapor; die **Dampfbildung** formation (production) of steam; die **Dampfmaschine -n** steam engine

dank thanks (to); der **Dank -es -e** gratitude; **danken** to thank; **dankend** grateful

dann then

darauf on it (them), to it (them)

daraus from it (them), from this

dar-bieten† to offer, provide, present

darnach according to this

dar-stellen to represent, present, produce, prepare; **die Darstellung -en** representation, preparation

darüber about it (this, them); **darüber hinaus** beyond this

darum therefore

darunter under it (them), among them

das **Dasein -s** existence

die **Dauer** duration; **auf die Dauer** permanently; **dauern** to last, endure; **dauernd** permanent

davon of it (them), from it (them)

dazu for it (this, them), to it (this); in addition

dazwischen between these, among these (them)

decken to cover; **sich decken** to coincide

dementsprechend accordingly

denkbar conceivable; **denken**† to think; **sich denken**† to imagine

dennoch nevertheless

derart so, thus, in such a manner, to such an extent; **derartig** of this kind

deshalb therefore

desto: desto größer so much the greater (etc.)

deuten to interpret; **deutlich** clear, distinct; die **Deutung -en** interpretation

dicht close; die **Dichte** density

dick thick; die **Dicke** thickness

dienen to serve; der **Dienst -es -e** service

das **Ding -es -e** thing

doch nevertheless, yet, still

doppelt double

dort there

drängen to constrain; **sich drängen** to force a way (through)

drehen to turn; die **Drehung -en** turning, rotation

dreifach threefold

dringen† to press; **in dich dringen**† to press you

der **Druck -es** pressure; printing; **drucken** to print

drücken to press

dunkel dark; das **Dunkel -s** darkness; die **Dunkelheit** darkness

dünn thin

durch through, by; **durchaus** entirely, thoroughly; **durchaus nicht** by no means

durchdringen† to pervade, permeate, penetrate

durchführbar feasible, practicable; **durch-führen** to carry out; die **Durchführung** carrying out, execution

der **Durchgang -s** ⁼e passage

durch-lassen† to let through, transmit; **durchlässig** transparent; die **Durchlässigkeit** transparency

durchlaufen (ist)† to traverse

der **Durchmesser -s -** diameter

durchscheinend transparent, translucent

die **Durchschneidung** cutting through; der **Durchschnitt -s -e** average; **im Durchschnitt** on the average

durchsetzen to go through, traverse

durchsichtig clear, transparent

durchstrahlen to irradiate

durchtränken to saturate

dürfen† may, to be permitted, need

dürftig scanty

durstig thirsty

E

eben just, precisely; level; die **Ebene -n** plane, plain; **ebenfalls** likewise; **ebenso** just as, likewise; **ebensoviel** as much (as); **ebensowenig** just as little

ehe before; **ehemalig** former; **eher** rather

das **Ei -es -er** egg; **eiförmig** egg-shaped

die **Eiche -n** oak

eigen own; die **Eigenschaft -en** property

eigentlich real, actual

eigentümlich peculiar, individual, characteristic; die **Eigentümlichkeit -en** peculiarity, characteristic

eignen to suit, be suitable

ein-atmen to inhale

ein-betten to embed

sich **ein-bilden** to imagine; **eingebildet** imaginary; die **Einbildung** imagination

ein-brechen† to break in, (ist) fall in; der **Einbruch -es** ⁼e invasion

ein-dringen (ist)† to penetrate, invade

der **Eindruck -s** ⁼e impression

› **einerseits** on the one hand

einfach simple, single; die **Einfachheit** simplicity

die **Einfahrt -en** entrance

ein-fallen (ist)† to fall in, enter, be introduced; der **Einfall -s** ⁼e idea

der **Einfluß -sses** ⁼sse influence

ein-führen to introduce; die **Einführung -en** introduction

ein-gehen (ist)† to go into, enter; **einen Vertrag eingehen**† to conclude a treaty

ein-greifen† to penetrate; der **Eingriff -es -e** penetration, interference, operation

die **Einheit -en** unity, unit; **einheitlich** unified

ein-hüllen to envelope, wrap up

einige some, several

ein-leiten to introduce; **einleitend** introductory; die **Einleitung** introduction

einmal once, in the first place; **nicht einmal** not even

ein-nehmen† to occupy

ein-reihen to arrange, insert

ein-richten to arrange, adapt; die **Einrichtung -en** apparatus, equipment, structure

ein-saugen† to absorb, take in; die **Einsaugung** absorption

ein-schlagen† to strike, enter on

ein-schließen† to enclose, include; **einschließlich** including, inclusive

ein-sehen† to understand, comprehend, perceive

ein-setzen to enter, begin, put

die **Einsicht -en** insight

ein-stellen to set, cease, focus; sich
ein-stellen to appear, arise, begin

einstig former, one-time

einstweilig eventual, for the present

ein-tauchen to immerse, dip, plunge

die Einteilung -en division

ein-treten (ist)† to occur, enter, appear

der Einwand -s ⁓e objection

ein-wirken to act (upon); die Einwirkung influence, effect

ein-wurzeln (ist) to take root

die Einzelheit -en detail; einzeln single, individual, separate; einzig only, unique

das Eisen -s iron; die Eisenbahn -en railroad; der Eisenbahnzug -es ⁓e railroad train; eisern iron

eitel vain

das Eiweiß -es albumen, egg white

elterlich parental; die Eltern parents

empfangen† to receive; empfänglich receptive; die Empfänglichkeit receptivity, sensitivity

empfehlen† to recommend, commend

empfinden† to feel; empfindlich sensitive; die Empfindlichkeit sensitivity; die Empfindung -en sensation, feeling

endlich final; endlos endless; das Endziel -s -e final goal

eng close, narrow, tight

entdecken to discover; der Entdecker -s - discoverer; die Entdeckung -en discovery

entfernen to remove; entfernt distant, away; remotely; die Entfernung -en distance

entgegen-eilen (ist) to hurry toward

entgegen-setzen to oppose

entgegen-stellen to oppose

entgegen-treten (ist)† to confront, step toward

entgegen-wachsen (ist)† to grow toward

enthalten† to contain

die Entladung -en discharge

entlang along

entnehmen† to conclude, derive (from), draw, withdraw (from)

entreißen† to tear away, snatch from

entscheiden† to decide; entscheidend decisive; die Entscheidung -en decision; entschieden definite, decided

sich entschließen† to decide, make up one's mind

entsprechen† to correspond (to), be suitable (for)

entstammen (ist) to be derived from

entstehen (ist)† to arise, be produced; die Entstehung origin, origination

die Enttäuschung -en disappointment

entweder either

entwickeln to develop; die Entwicklung -en development; der Entwicklungsgang -s ⁓e course of development

entziehen† to remove (from); sich entziehen† to shun, evade

entzündlich inflammable; die Entzündung -en inflammation

erbringen† to furnish, provide

die Erbschaft -en inheritance

der Erdball -s globe; das Erdbeben -s - earthquake; die Erde earth; die Erdkarte -n map of the earth; der Erdkörper -s earth; die Erdoberfläche surface of the earth

sich ereignen to occur; das Ereignis -sses -sse event

ererben to inherit

erfahren† to learn, experience, undergo, make; die Erfahrung -en experience

der Erfolg -s -e success, result; erfolgen (ist) to ensue, result, occur; erfolglos unsuccessful; erfolgreich successful

erforderlich necessary; erfordern to demand, require

die **Erforschung -en** investigation

erfrischen to refresh

erfüllbar fulfillable, reasonable; **erfüllen** to fulfill, satisfy; die **Erfüllung -en** fulfillment; **in Erfüllung gehen**† to be fulfilled

ergeben† to result, yield, give rise to; **sich ergeben**† to be deduced, prove to be, result; das **Ergebnis -sses -sse** result

ergreifen† to seize, grasp

erhaben noble, sublime, exalted

erhalten† to receive, obtain, keep, maintain; die **Erhaltung** maintenance

erheben† to raise; **erheblich** considerable; die **Erhebung -en** elevation, raising; uprising; (*math.*) involution

erhitzen to heat

erhöhen to raise, heighten, increase

sich **erholen** to recover

sich **erinnern** to recall, remember; die **Erinnerung -en** recollection, memory

erkennbar recognizable; **erkennen**† to recognize; **sich zu erkennen geben**† to make itself known; die **Erkenntnis -sse** understanding, recognition

erklären to explain, declare; die **Erklärung -en** explanation

erkranken (ist) to become ill; die **Erkrankung -en** illness

erlangen to acquire, obtain

erlauben to allow, permit

erleben to experience

erledigen to settle

erleichtern to make easy, lighten; die **Erleichterung -en** relief

erleiden† to suffer, undergo

erleuchten to illuminate

ermitteln to ascertain

ermöglichen to make possible

ernähren to nourish; die **Ernährung** nourishment, nutrition

ernennen† to appoint, nominate, designate

erneuern to renew; die **Erneuerung -en** renewal

der **Ernst -es** seriousness; **im Ernste** seriously; **ernstlich** serious

eröffnen to open; die **Eröffnung -en** opening

erörtern to discuss

erraten† to guess, conjecture

erregen to stimulate, excite; der **Erreger -s -** cause, producer; die **Erregung -en** excitement, excitation, stimulation

erreichen to reach, attain; die **Erreichung** attainment

errichten to build, construct

die **Errungenschaft -en** achievement

der **Ersatz -es** substitute; das **Ersatzmittel -s -** substitute

erscheinen (ist)† to seem, appear; die **Erscheinung -en** phenomenon, appearance; **zur Erscheinung bringen**† to make evident

erschrecken to frighten, startle; **erschrecken (ist)**† to become frightened

erschüttern to disturb, shake, shatter

erschweren to make difficult

ersehen† to perceive

ersehnen to long for

ersetzen to replace; die **Ersetzung -en** replacement

ersichtlich clear, evident

erst first; only

das **Erstaunen -s** astonishment; **erstaunlich** astonishing

erstens first(ly)

erteilen to impart

erwachen (ist) to awaken

erwägen† to consider, ponder

erwähnen to mention; die **Erwähnung -en** mention

die **Erwärmung** heat, heating

erwarten to expect, await

erwecken to awaken

erweisen† to prove, show; **sich erweisen**† **als** to prove to be

erweitern to widen; die **Erweiterung -en** extension

erwidern to reply

erzählen to tell
erzeugen to produce, generate; die **Erzeugung -en** production, generation
erziehen† to raise, educate; der **Erzieher -s -** educator, teacher
erzielen to obtain
die **Erzitterung** trembling, shivering
essen† to eat
etwa approximately, for example, perhaps; **etwaig** possible
etwas something; somewhat

F

die **Fabrik -en** factory; **fabrikmäßig** industrially
der **Faden -s ≈** thread
fähig capable; die **Fähigkeit -en** ability, capability
fahren (ist)† to travel, go, run
der **Fall -es ≈e** case; **im besten Falle** at best
fällen to fell, precipitate
falsch false, wrong; die **Fälschung -en** falsification, error
die **Faltung -en** folding
die **Farbe -n** color; **färben** to color, stain; **farbig** colored; der **Farbstoff -es -e** pigment, coloring matter; die **Färbung** color, coloration, stain(ing)
fassen to conceive, seize
fast almost
fehlen to be lacking; der **Fehler -s -** error, defect
fein fine, delicate, refined
der **Feind -es -e** foe, enemy; **feindlich** hostile
das **Feld -es -er** field
felsig rocky
fern far, distant; die **Ferne** distance
fertig complete, finished
fesseln to fascinate; chain
fest solid, firm; **fest-halten**† to hold fast; das **Festland -es ≈er** continent; die **Festsetzung** determination, stipulation; **fest-stellen** to determine; die **Feststellung -en** determination

das **Fett -s** fat
feucht moist; die **Feuchtigkeit** moisture
finden† to find; **sich finden**† to be, exist
flach flat, low, shallow; die **Fläche -n** surface
die **Flasche -n** flask, bottle
der **Fleck -es -e** spot
fliegen (ist)† to fly; die **Flucht** flight; **flüchtig** fleeting; volatile
der **Flügel -s -** wing
flüssig liquid; die **Flüssigkeit -en** liquid, humor
die **Folge -n** result; **folgen (ist)** to follow; **folgern** to conclude, deduct; die **Folgerung -en** conclusion; die **Folgezeit** time to come; **in der Folgezeit** subsequently; **folglich** consequently
fordern to require, demand
fördern to help, promote
die **Forderung -en** demand, requirement
die **Formel -n** formula
forschen to investigate, do research; der **Forscher -s -** researcher, investigator; die **Forschung -en** research, investigation
fort-dauern to continue; **fortdauernd** continually
fort-fahren (ist)† to continue
fort-gehen (ist)† to progress, continue, proceed
fort-lassen† to omit
fort-laufen (ist)† to continue
fort-pflanzen to propagate, hand on; die **Fortpflanzung** propagation, reproduction
fort-schreiten (ist)† to progress, advance, increase; **fortschreitend** progressive; der **Fortschritt -s -e** progress, advance
fort-setzen to continue; der **Fortsetzer -s -** continuer, successor; die **Fortsetzung -en** continuation
die **Frage -n** question; **fragen** to ask; die **Fragestellung -en** for-

mulation of a question; **fraglich** questionable, in question

frei free, open; die **Freiheit -en** liberty

freilich to be sure, of course

fremd foreign, strange; **fremd-artig** foreign

sich **freuen** to be happy

der **Freund -es -e** friend

frisch fresh

die **Frist** time, period

fromm pious

die **Frucht ⸚e** fruit; **fruchtbar** fertile; die **Fruchtbarkeit** fertility

früh early; der **Frühling -s -e** spring; **frühzeitig** early

führen to lead, bear, carry, make

die **Fülle** abundance; **füllen** to fill

der **Fund -es -e** find

der **Funke -ns -n** spark, radio, wireless

für for, to

fürchten to fear

G

gabeln to fork, branch off

der **Gang -es ⸚e** course, way, operation, progress

ganz entire, whole; **im ganzen** altogether, entire; **ganz und gar** entirely; **gänzlich** entire

gar very, even; **gar nicht** not at all

das **Gebäude -s -** building, structure

geben† to give

das **Gebiet -es -e** sphere, realm, area, region

das **Gebirge -s -** mountain range

der **Gebrauch -s ⸚e** use, custom; **gebrauchen** to use

die **Geburt -en** birth

das **Gedächtnis -sses -sse** memory

der **Gedanke -ns -n** thought; der **Gedankengang -es ⸚e** chain of thought; **gedanklich** intellectual

die **Gefahr -en** danger; **gefährden** to endanger; **gefahrlos** safe, without risk

das **Gefühl -s -e** feeling

gegen against, toward, to, in comparison with, with respect to

die **Gegend -en** vicinity, area, region

der **Gegensatz -es ⸚e** contrast; **gegensätzlich** opposing, contradictory

gegenseitig mutual, reciprocal

der **Gegenstand -s ⸚e** subject, object

das **Gegenteil -s -e** opposite; **im Gegenteil** on the other hand

gegenüber opposite, in relation to

gegenüber-liegen† to be opposite

gegenüber-stehen† to confront, face

die **Gegenwart** presence, present; **gegenwärtig** at present; present

der **Gehalt -es -e** content(s)

das **Geheimnis -ses -se** secret; **geheimnisvoll** mysterious

das **Gehirn -s -e** brain

das **Gehör -s** hearing

gehören to belong (to); **dazu gehört Mut** that takes courage

der **Geist -es -er** intellect, spirit, mind

gelangen (ist) to arrive (at), get (to)

gelb yellow; **gelblich** yellowish

die **Gelegenheit -en** opportunity

gelehrt learned

gelingen (ist)† to succeed

gelten† to be valid, be true, be considered; **geltend machen** to assert, bring to the fore; die **Geltung** validity, utility

die **Gemahlin -nen** wife

gemäß according to, in agreement with

gemein common, in common; **gemeinsam** common, in common

das **Gemisch -es -e** mixture

genau exact; die **Genauigkeit** exactness

genießen† to enjoy, take (food or drink)

genug enough; **genügen** to suffice, satisfy

der **Genuß -sses ⸚sse** enjoyment; taking (food or drink)

gerade straight, exact, precise; geradeso just; geradezu actually, downright; geradlinig in straight lines

das Geräusch -es -e noise

gering small, slight

gern(e) gladly, willingly

der Geruch -s ⸚e smell, odor

gesamt total; die Gesamtform -en total form; die Gesamtheit totality

geschehen (ist)† to happen, occur, take place

die Geschichte -n history

das Geschlecht -s -er family

der Geschmack -s ⸚e taste

das Geschrei -s shouting, cry

die Geschwindigkeit -en speed, velocity

die Geschwister (pl.) relatives, brothers and sisters

die Gesellschaft -en society

das Gesetz -es -e law; gesetzlich in conformity with law; die Gesetzmäßigkeit -en regularity, conformity with law

das Gesicht -es -er vision, view; (pl. -e) face; der Gesichtspunkt -s -e point of view

das Gespräch -s -e conversation

die Gestalt -en form, shape; gestalten to form; die Gestaltung -en formation

gestatten to permit

gesternt starry

gesund healthy; die Gesundheit health

das Getränk -s -e drink

das Getreide -s grain

getreu faithful, loyal

die Gewalt -en power, force; mit Gewalt forcibly; gewaltig powerful, mighty; gewaltsam violent

das Gewicht -s -e weight, importance

gewinnen† to obtain, win, gain

gewiß certain, sure

das Gewissen -s conscience; gewissenhaft conscientious

gewissermaßen to a certain extent; die Gewißheit -en certainty

gewöhnlich usual; für gewöhnlich usually: gewohnt accustomed

das Gift -es -e poison

glänzen to shine

glasartig glasslike; gläsern glass

glatt smooth

glauben to believe

gleich same, like, similar, equal; right; at once, immediately; gleichen† to resemble; gleichfalls likewise; gleichförmig uniform; die Gleichförmigkeit -en uniformity; gleichgeformt uniform, of like shape; das Gleichgewicht -s equilibrium; gleichgültig indifferent, immaterial, irrespective; die Gleichheit -en equality, uniformity, identity; gleichmäßig uniform; gleichnamig like, of the same name; gleichzeitig simultaneous; die Gleichzeitigkeit simultaneity

gleiten (ist)† to glide, slide

das Glied -es -er member

das Glück -es -e happiness, luck; zum Glück fortunately; glücken to be successful; es glückt mir I am successful; glücklich happy, safe, fortunate

glühen to glow, be radiant

der Gott -es ⸚er god; die Göttin -nen goddess; göttlich divine

der Graben -s ⸚ ditch

der Grad -es -e degree

grau gray

greifbar noticeable; greifen† to grasp

die Grenze -n limit, boundary

grob coarse, rude

groß large, big, great; im Großen large-scale; im großen ganzen on the whole; großartig magnificent, grand; die Größe -n size, quantity, magnitude

der Grund -es ⸚e ground, reason, background, basis, principle; die Grundannahme -n basic assumption; die **Grundbedingung -en** basic condition; die **Grundeigenschaft -en** basic characteristic; **gründen** to base; die **Grundform -en** basic form; die **Grundlage -n** basis; **gründlich** fundamental; die **Grundmasse -n** basic mass; die **Grundregel -n** basic rule, fundamental rule; der **Grundsatz -es ˮe** principle; **grundsätzlich** on principle, basically; der **Grundtrieb -es -e** basic urge, instinct

die **Gruppe -n** group

gültig valid; die **Gültigkeit** validity

das **Gummi -s** rubber, gum

günstig favorable, favoring

das **Gut -es ˮer** goods, freight

die **Güte** kindness

H

das **Haar -es -e** hair

der **Hahn -es ˮe** faucet, (stop)cock

halb half; die **Halbinsel -n** peninsula; die **Halbkugel -n** hemisphere

die **Hälfte -n** half

halten† to hold; **halten† für** to regard as; **im Auge halten†** to consider, take account of

handeln to act; **sich handeln (um)** to concern, be a question (of); die **Handlung -en** action

hangen† to hang, cling, adhere, be attached to

der **Harn -es** urine; die **Harnsäure** uric acid

hart hard

häßlich ugly

häufen to bunch, heap up; **häufig** frequent

das **Haupt -es ˮer** head, chief; der **Hauptausgangspunkt -es -e** main point of origin; die **Hauptbedingung -en** chief condition; der **Hauptbestandteil -s -e** chief component; der **Hauptbetrag -es ˮe** main quantity; die **Hauptleistung -en** main function, main achievement; die **Hauptquelle -n** main source; die **Hauptsache -n** main thing; **der Hauptsache nach** principally; **hauptsächlich** principal, chief; der **Hauptwert -s -e** chief value

die **Haut ˮe** skin, membrane

heben† to raise, lift

heftig violent

das **Heilmittel -s -** medicine, remedy, medicament; die **Heilung** cure, recovery; **zur Heilung bringen†** to cure

heißen† to be called, call; **das heißt** that is; **es heißt jetzt** now the right thing is

heiter cheerful, clear; die **Heiterkeit** gaiety

heizen to heat; die **Heizfläche** heating surface

helfen† to help

hell bright; die **Helligkeit** brightness, luminosity

die **Herabsetzung** diminution

heran-bringen† to bring to

heran-nahen (ist) to approach

sich **heraus-bilden** to form

heraus-finden† to find out, locate

heraus-nehmen† to extract

heraus-schlagen† to knock out

heraus-stellen to establish, bring out; **sich heraus-stellen** to prove (to be), become clear

heraus-ziehen† to draw out

herbei-führen to bring about

her-kommen (ist)† to approach, come (from)

her-leiten to derive

der **Herr -n -en** gentleman, lord; **herrlich** splendid, magnificent; die **Herrschaft** control; **herrschen** to rule, prevail

her-stellen to prepare, produce, develop; die **Herstellung -en** production, making

hervor-bringen† to bring forth, produce; die **Hervorbringung** production

hervor-gehen (ist)† to result, emerge, spring

hervor-heben† to emphasize
hervor-ragen to project; **hervor-ragend** outstanding
hervor-rufen† to evoke, call forth, obtain, produce
hervor-treten (ist)† to stand out, become apparent
der **Herzog -s ⸚e** duke
heutig present-day, current; **heutzutage** nowadays
hierauf on this, to this, hereupon
hieraus from this
hierdurch by this
hierüber about this
die **Hilfe -n** help, assistance; die **Hilfeleistung -en** help; das **Hilfsmittel -s -** means, material, aid
der **Himmel -s -** sky, heaven; der **Himmelskörper -s -** heavenly body; der **Himmelsraum -es** celestial space; **himmlisch** heavenly, celestial
hinab-fallen (ist)† to fall, descend
hinab-reichen to extend down, reach down
hinaus-gehen (ist)† to go out; **auf etwas hinausgehen**† to aim at something
der **Hinblick -s** reference
hindern to hamper, hinder; das **Hindernis -sses -sse** hindrance
hin-deuten to point to, indicate
hindurch through(out)
sich **hin-geben**† to yield, resign oneself (to)
hingegen on the other hand
hin-reichen to suffice; **hinreichend** sufficient
hin-sehen† to look
hin-setzen to give, set down
die **Hinsicht** respect, regard
hin-stellen to place, set down, set up, represent
hinter behind; back, rear; der **Hintergrund -es** background
hinüber-leiten to lead over
hinweg-führen to lead (take) away
hin-weisen† to refer to, cite
sich **hin-ziehen**† to extend

hinzu in addition
hinzu-fügen to add
hinzu-kommen (ist)† to arrive, be added
hinzu-setzen to add
hoch high; **höchstens** at most; **höchstwahrscheinlich** most probably
hoffen to hope; **hoffentlich** hopefully, it is to be hoped; die **Hoffnung -en** hope
die **Höhe -n** height
der **Hohlspiegel -s -** concave mirror
holen to get, obtain
das **Holz -es ⸚er** wood
hören to hear
das **Horn -es ⸚er** horn
das **Hühnchen -s -** chicken
die **Hülle -n** cover, covering, shell
der **Hund -es -e** dog; das **Hündchen -s -** puppy; die **Hündin -nen** bitch, female dog

I

immer always, ever; **immerhin** after all, still
imstande capable
indem (*conj.*) while, as, in that, since; (*adv.*) meanwhile
indes meanwhile; **indessen** however, meanwhile
infolge as a result; **infolgedessen** consequent, resulting
der **Inhalt -s -e** content(s)
innen inside; **nach innen** inward; **inner** inner, internal; das **Innere -n** interior, inside; **innerhalb** within, inside
innig intimate, intense
insbesondere in particular
die **Insel -n** island
insofern to the extent (that)
insoweit insofar as
interessant interesting; das **Interesse -s -n** interest; **interessieren** to interest; **sich interessieren** (**für**) to be interested (in)
inwiefern how far
inzwischen meanwhile
irgend any; **irgend ein** any

irrig erroneous; der **Irrtum -s ⸚er** error

J

das **Jahr -es -e** year; das **Jahrhundert -s -e** century; **jährlich** annual; das **Jahrzehnt -s -e** decade

je ever, each; **je nach** according to; **je ... desto** the ... the; **je dichter** the thicker (etc.); **je nachdem** according to whether; **je zwei** each pair

jedenfalls in any case

jedoch however

jeher: von jeher always

jemals ever

jenseits on the other side, beyond

jetzt now

die **Jugend** youth

jüngst very recently

K

die **Kälte** cold

kämpfen to struggle, contend

das **Kapitel -s -** chapter

die **Karte -n** card, map

das **Kästchen -s -** little box; der **Kasten -s ⸚** box, chest

die **Katze -n** cat

kaum hardly

keinerlei no kind of

keineswegs by no means

der **Keller -s -** cellar

kennen† to know, be acquainted with; **kennen lernen** to become acquainted with, meet; der **Kenner -s -** expert; **kenntlich** recognizable, discernible; die **Kenntnis -sse** knowledge

der **Kern -es -e** nucleus

die **Kette -n** chain

das **Kind -es -er** child; die **Kindheit** childhood

klar clear; **klären** to clarify, explain, settle; die **Klarheit** clarity

das **Kleid -es -er** dress; (*pl.*) clothes

klein small, little; **im Kleinen** in miniature; die **Kleinheit** smallness

der **Knochen -s -** bone

kochen to boil

die **Kohle -n** coal, carbon; **kohlensauer** carbonic acid; die **Kohlensäure** carbonic acid; der **Kohlenstoff -es** carbon (atom); der **Kohlenvorrat -s ⸚e** coal supply

kommen (ist)† to come; **zu diesen ... kommen†** to these are added; **dazu kommt** in addition there is

königlich royal

können† to be able, can

der **Kopf -es ⸚e** head

der **Körper -s -** body, compound; das **Körperchen -s -** particle; **körperlich** physical, bodily

die **Kraft ⸚e** force, power; **kräftig** powerful, strong

die **Krankheit -en** sickness

der **Kranz -es ⸚e** ring, circle

der **Kreis -es -e** circle; **kreisen** to circle

die **Kreuzung -en** crossing, intersection

der **Krieg -es -e** war

krümmen to bend, curve; die **Krümmung -en** curvature

das **Kügelchen -s -** little ball; **kugelrund** round, spherical

kühl cool; **kühlen** to cool; die **Kühlung** cooling; das **Kühlwasser -s** cooling water

kühn bold

die **Kunde -n** information; die **Kundgebung -en** meeting, demonstration

künftig future; **künftighin** in the future, henceforward

künstlich artificial

das **Kupfer -s** copper

kurz short, in short, brief; **vor kurzem** recently; die **Kürze** brevity; **kürzlich** recent; **kurzsichtig** short-sighted; **kurzwellig** of short wave length

die **Küste -n** coast

L

laden† to load, charge; die **Ladung -en** charge, load

die **Lage -n** situation, position; layer;
    lagern to be located, be stored
    lähmen to paralyze
das **Land -es ⁔er** land, ground; der
    Landwirt -s -e agriculturalist,
    farmer
    lang long; **lange** for a long time,
    by far; **länger** longer, rather
    long; die **Länge -n** length, dis-
    tance, longitude; **längs** along
    langsam slow
    längst long since
    lassen† to permit, allow, give;
    ließ sich auffinden† could be
    found
die **Last -en** load, burden, cargo
der **Lauf -es ⁔e** course; **laufen (ist)†**
    to run, course, move
die **Laune -n** mood
der **Laut -es -e** sound, tone; **lauten**
    to read, be
    lauter nothing but, pure
    leben to live; das **Leben -s -**
    life; **am Leben** alive; das **Lebe-**
    wesen -s - living being
    lebhaft vivid, lively, vigorous
die **Lebzeiten** (*pl.*) lifetime
das **Leder -s** leather
    lediglich solely
    leer empty
    legen to lay, place, put
die **Lehre -n** theory, doctrine; **lehren**
    to teach
der **Leib -es -er** body
    leicht easy; die **Leichtigkeit** ease
    leiden† to suffer
    leider unfortunately
    leisten to accomplish; die **Lei-**
    stung -en achievement, func-
    tion, output
    leiten to lead, govern, conduct;
    der **Leiter -s -** conductor; die
    Leitung -en guidance; supply;
    carrying out; conduction, circuit
    lernen to learn
    lesen† to read; der **Leser -s -**
    reader
    letzt last, most recent; **letzten**
    Endes ultimately; **letzter** lat-
    ter
    leuchten to glow, light up, shine

leugnen to deny
licht light, bright; das **Licht -es**
    -er light; **lichtgrün** light green
lieben to love; **liebenswürdig**
    friendly; der **Liebhaber -s -**
    lover; der **Liebling -s -e** favor-
    ite
liefern to provide, afford
liegen† to lie
lohnen to reward; **sich lohnen**
    to pay
lösen to solve, dissolve; **sich lösen**
    to separate, escape; **löslich** sol-
    uble; die **Lösung -en** solution
die **Luft ⁔e** air; das **Luftgewicht -es**
    -e weight of air

M

machen to make; die **Macht ⁔e**
    force; **mächtig** powerful
der **Magen -s -** stomach
die **Mahlzeit -en** meal
die **Mahnung -en** warning, admoni-
    tion
mal times
malen to paint, picture
der **Mangel -s ⁔** lack, deficiency;
    mangelhaft deficient
    mannigfach manifold; **mannig-**
    faltig various, manifold; die
    Mannigfaltigkeit -en mani-
    foldness, variety
    männlich male
der **Mantel -s ⁔** mantle, sheath, cover,
    coat
die **Maschine -n** machine, motor,
    engine, mechanism
das **Maß -es -e** measure, degree;
    mäßig moderate; der **Maßstab**
    -es ⁔e scale
die **Maus ⁔e** mouse
das **Meer -es -e** sea, ocean
    mehr more; **nicht mehr** no
    longer; **mehrere** several; **mehr-**
    fach several times, repeatedly;
    mehrmals several times; die
    Mehrzahl majority
    meinen to mean, think; die **Mei-**
    nung -en opinion, view

meist most, for the most part; **meistens** for the most part, mainly, usually
melden to announce
die **Menge -n** amount, quantity
der **Mensch -en -en** human being, man; die **Menschheit** mankind; **menschlich** human
merken to note, notice; **merklich** noticeable
das **Merkmal -s -e** characteristic, quality, feature
merkwürdig remarkable
messen† to measure; das **Messer -s -** knife; der **Messer -s -** measurer; das **Meßinstrument -s -e** instrument of measurement; die **Messung -en** measurement; die **Messungsgenauigkeit** accuracy of measurement; die **Messungsmethode -n** method of measurement; das **Meßverfahren -s -** measuring procedure
minder less
mischen to mix; die **Mischung -en** mixture
das **Mißbehagen -s** discomfort
der **Mißerfolg -s -e** failure
die **Mißhandlung -en** mistreatment
mißtrauen to distrust
das **Mißverhältnis -sses -sse** disproportion
mit with, along
miteinander with one another
das **Mitglied -s -er** member
die **Mitte -n** middle
mit-teilen to inform, report; die **Mitteilung -en** communication, report
mittel middle, central; das **Mittel -s -** means, medium, mean; die **Mittelform -en** intermediate form; der **Mittelpunkt -s -e** center
mittels(t) by means of
mitten in the middle
mittler medium, average, mean
die **Mitwirkung** collaboration
der **Mitwisser -s -** confidante
der **Möbelstoff -s -e** furniture fabrics

mögen† may, to care to, like to; **möglich** possible; **möglichst hoch** as high as possible; **möglicherweise** possibly; die **Möglichkeit -en** possibility
der **Monat -s -e** month
der **Mond -es -e** moon
der **Motor -s -en** motor, engine
die **Mühe -n** effort; **sich die Mühe nehmen†** to make the effort
das **Muskelfleisch -es** muscular substance
müssen† to have to, must, be compelled to
das **Muster -s -** example, sample
der **Mut -es** courage
die **Mutter ⸚** mother; **mütterlich** maternal

N

nach after, toward, to, for; according to, along; **nachdem** after
nach-denken† to reflect
nach-folgen (ist) to follow
nachher afterwards
die **Nachricht -en** report
die **Nacht ⸚e** night; **nächtlich** nightly, nocturnal
der **Nachteil -es -e** disadvantage
der **Nachweis -es -e** proof, evidence; **nachweisbar** demonstrable; **nach-weisen†** to prove, establish
die **Nacktheit** nakedness
die **Nadel -n** needle
nah(e) near, close; **näher** nearer, more precise; die **Nähe** vicinity, proximity, nearness
nahe-liegen† to be obvious
sich **nähern** to approach
nahe-rücken (ist) to come close to, approach
nahezu almost
die **Nähmaschine -n** sewing machine
nähren to feed, nourish; die **Nahrung** nourishment; das **Nahrungsmittel -s -** nutriment
namentlich especially
nämlich namely, to wit, that is; same

naturgemäß naturally
natürlich of course, naturally; die **Natürlichkeit** naturalness
neben beside, along with; **nebst** along with
nehmen† to take
neigen to incline; die **Neigung -en** inclination
nennen† to name
neu new, recent; **aufs neue** anew; **von neuem** anew; **neuartig** novel; **neuerdings** recently; **neuerlich** anew, afresh; **neuzeitlich** modern
die **Nichtbeachtung** disregard
nichts nothing
nie never
nieder lower; **nieder-legen** to adduce, lay down; **niedrig** low
niemals never
niemand no one
noch still, yet
nochmals again
nördlich northward
nötig necessary; **nötigen** to oblige, require, compel
notwendig necessary; die **Notwendigkeit** necessity
nun now
nur only
nutzbar useful; der **Nutzen -s** use, advantage, profit; **nützlich** useful, advantageous; **nutzlos** useless

O

ob whether
oben above, at the top; **ober** upper; **oberst** uppermost, highest; die **Oberfläche -n** surface; **oberhalb** above
obgleich although
obig above
obwohl although
der **Ofen -s ⸗** furnace, oven, stove
offen open; **offenbar** evident, apparent; **offenbaren** to reveal; **öffentlich** public; **öffnen** to open; die **Öffnung -en** opening
oft often; **öfter** frequently
ohne without

das **Ohr -es -en** ear
das **Öl -es -e** oil
opfern to sacrifice
ordentlich regular; **ordnen** to arrange; die **Ordnung -en** arrangement, order; **der Ordnung nach** in sequence, in order
der **Ort -es -e** or **⸗er** place, location, position
der **Ost -es** east; **östlich** easterly, eastward

P

passen to suit, be suitable, fit
peinlich painful
das **Pferd -es -e** horse
die **Pflanze -n** plant; das **Pflanzenreich -s -e** vegetable (plant) kingdom; **pflanzlich** vegetable, plant
pflegen to be accustomed (to)
der **Photograph -en -en** photographer
der **Platz -es ⸗e** place, room
plötzlich sudden
prächtig splendid, brilliant
prägen to coin, create
der **Preis -es -e** price
pressen to press, compress
die **Probe -n** test; result(s); **probieren** to try, test
prüfen to test, examine; die **Prüfung -en** test, examination
das **Pulver -s -** powder
der **Punkt -es -e** point; **punktförmig** like a point

Q

das **Quadrat -s -e** square
die **Quelle -n** source
quer diagonally, across, transverse; **quer über** across

R

der **Rand -es ⸗er** edge, border
rasch fast
das **Rätsel -s -** riddle; **rätselhaft** puzzling
das **Raubtier -es -e** beast of prey
der **Rauch -es** smoke
rauh rough, raw

der **Raum -es ⁻e** space; **Raum geben**†
to give place to; **räumlich**
spatial
die **Rechenschaft** account; **rechnen**
to count, calculate; die **Rechnung -en** account, calculation;
unter eine Rechnung gebracht
considered together, brought under one head
   recht right, very; das **Recht -es -e**
justice, right; **mit Recht** justifi-
ably; **rechtfertigen** to justify;
die **Rechtfertigung -en** justification; **rechts** to the right;
rechtwinklig right-angled
die **Rede -n** speech, address; **in Rede
stehen**† to be in question; **von
der die Rede war** which was
discussed; **reden** to speak
die **Regel -n** rule; **in der Regel** as a
rule; **regellos** irregular, without rule; **regelmäßig** regular;
die **Regelmäßigkeit -en** regularity
der **Regen -s -** rain
die **Regung -en** impulse
   reiben† to rub
   reich rich
   reichen to reach, extend, suffice
   reichlich abundant
   reif ripe, mature
die **Reihe -n** series, row
   rein pure
   reißen† to tear, pull
der **Reiz -es -e** charm, fascination,
stimulus; **reizen** to excite,
stimulate; die **Reizung -en** stimulation
der **Rest -es -e** residue, remainder
   retten to save, rescue
   richten to arrange, set
   richtig correct; die **Richtigkeit**
correctness
die **Richtung -en** direction
   riechen† to smell
   riesig gigantic
   ringförmig ring-shaped
das **Rohr -es ⁻e** tube; die **Röhre -n**
tube
   rot red; die **Rotglut** red heat;

rötlich reddish; die **Rötung -en**
reddening
   rücken to move
die **Rückfahrt -en** return trip; die
Rückkehr return; die **Rücksicht -en** consideration, reference
   ruhen to rest; **ruhend** at rest
   rund round; **rundlich** roundish

S

der **Saal -es Säle** room
die **Sache -n** matter, thing, cause;
die **Sachlage -n** situation, state
of affairs
der **Saft -es ⁻e** juice
die **Sage -n** saga, legend
das **Salz -es -e** salt
der **Samen -s -** seed
   sammeln to collect
   sämtlich all, collectively
der **Satz -es ⁻e** sentence, statement,
law, principle
der **Sauerstoff -s** oxygen
das **Säugetier -s -e** mammal
die **Säule -n** column
die **Säure -n** acid
   schade too bad; **wie schade** too
bad, what a shame; **schädlich**
noxious, harmful
der **Schall -es -e** sound
   scharf sharp, clear; die **Schärfe**
sharpness, precision; der **Scharf-
sinn -es** acuteness, sagacity;
scharfsinnig astute, acute
der **Schatten -s -** shadow; das **Schattenbild -es -er** shadow, silhou-
ette
   schätzen to value, esteem, estimate
der **Schauplatz -es ⁻e** scene of action;
das **Schauspiel -s -e** spectacle
   scheinbar apparent; **scheinen**†
to seem, appear
   scheu shy; **scheuen** to shun, fear
die **Schicht -en** layer
   schicklich proper, suitable
das **Schicksal -s -e** fate
   schieben† to shove, push
   schießen† to shoot
das **Schiff -es -e** ship
   schildern to describe, depict; die

Schilderung -en description
der **Schirm -es -e** screen, shade
der **Schlaf -es** sleep
der **Schlag -es ⸚e** blow, stroke; **schlagen†** to strike, hit
die **Schlange -n** snake
der **Schleier -s -** veil
schließen† to close; conclude; **schließlich** finally
schlimm bad
der **Schluß -sses ⸚sse** conclusion
der **Schlüssel -s -** key
schmecken to taste
der **Schmerz -es -en** pain; **schmerzhaft** painful
schmieden to forge
schmücken to adorn
der **Schnitt -es -e** cut, section
schon already
schön fine, beautiful
der **Schornstein -s -e** chimney
schreiben† to write; das **Schreiben -s -** letter, communication
die **Schrift -en** writing, work
der **Schritt -es -e** step
schützen to protect
schwach weak; **schwächen** to weaken; die **Schwächung -en** weakening
schwanken to waver, hesitate, vacillate, vary, be uncertain
der **Schwanz -es ⸚e** tail
schwarz black; die **Schwärzung -en** blackening
schweigen† to be silent
das **Schwein -es -e** pig
schwer difficult, heavy, severe, with difficulty; **schwer fallen (ist)†** to be difficult
die **Schwester -n** sister
schwierig difficult; die **Schwierigkeit -en** difficulty
die **Schwingung -en** vibration
sehen† to see, look
sehr very; very much
sein (ist)† to be
seitdem since; since then
die **Seite -n** side, page; **von Seiten** on the part (of); **seitlich** lateral
selbst oneself, himself, herself, etc.; even

selbständig independent, distinct; die **Selbständigkeit** stability, independence
selbstverständlich of course; self-evident
selten seldom; rare
seltsam strange, curious
senden† to send
senkrecht perpendicular, vertical
die **Senkung -en** sinking, fall, subsidence
setzen to set, place
sicher safe, secure, certain; die **Sicherheit** certainty; **sichern** to assure, safeguard
sichtbar visible
sieden† to boil
der **Sinn -es -e** sense, mind, direction
der **Sitz -es -e** seat; die **Sitzung -en** meeting
so so, thus, as, then
sobald as soon as
soeben just
sofern in so far as
sofort at once
sogar even
sogenannt so-called
sogleich at once
solange as long as
sollen to be to, ought to, should, be said to; **sollte** should, ought, could, might
somit thus
sonderbar strange, remarkable
die **Sonne -n** sun; das **Sonnengebiet -s** solar system; das **Sonnensystem -s** solar system
sonst otherwise; **sonstig** other
sooft as often (as)
sorgen to take care of; **sorgfältig** careful; **sorgsam** careful
soviel as much, equal; **ist soviel wie** is equal to
soweit as far as, to the extent that, to the point where; **soweit . . . auch** however much
sowie just as, as well as
sowohl: sowohl . . . als auch both . . . and
sozusagen so to speak

spalten to split, divide; die **Spalte -n** crack; die **Spaltung -en** division, fission

spannen to hitch; to stretch; die **Spannung -en** pressure, tension

spät late

die **Speise -n** food

der **Spiegel -s -** mirror, das **Spiegelei -s -er** fried egg

das **Spiel -es -e** play, game; **spielen** to play

die **Spitze -n** point, head, tip

die **Sprache -n** language; **sprachlich** linguistic; **sprechen**† to speak

der **Sprung -es ⁔e** leap

die **Spur -en** trace, mark

der **Stab -es ⁔e** staff, rod

die **Stadt ⁔e** town, city

stammen to originate, derive (from)

der **Stand -es ⁔e** condition, level, position, reading, state

stark strong, thick; die **Stärke** strength; starch; **stärken** to strengthen

starr rigid

statt instead of

statt-finden† to take place, occur

stehen† to stand, be; **stehend** stationary; **stehen bleiben**† to stop

steigen (ist)† to climb, rise, increase; **steigern** to increase, intensify; die **Steigerung -en** increase

steil steep; die **Steilheit** steepness

die **Stelle -n** place, point; **stellen** to place, pose; **in Frage stellen** to question; die **Stellung -en** position

sterben (ist)† to die

der **Stern -es -e** star; **sternförmig** star-shaped

stetig constant; **stets** always

der **Stickstoff -es** nitrogen; **stickstoffhaltig** nitrogenous

stillschweigend tacitly

der **Stillstand -es** cessation, stopping; **stillstehend** stationary

stimmen to agree

der **Stoff -es -e** material, substance, matter

stolz proud

stören to disturb; die **Störung -en** disturbance

der **Stoß -es ⁔e** blow, impact; **stoßen**† to hit; **stoßen**† **auf** to encounter

der **Strahl -es -en** ray, beam; **strahlen** to radiate; **strahlend** radiant; die **Strahlung -en** radiation

die **Straßenbahn -en** street railway, streetcar

die **Strecke -n** distance, stretch

der **Streich -es -e** trick

streichen (ist)† to pass

streng strict

die **Streuung** spreading, scattering

der **Strich -es -e** dash, line

der **Strom -es ⁔e** stream, current

das **Stück -es -e** piece, bit, part, matter, fragment

die **Stufe -n** step, stage

die **Stunde -n** hour

stürzen (ist) to plunge

suchen to search, seek

der **Süd** or **Süden -s** south; **südlich** southward, to the south; **südwärts** to the south

süß sweet

T

die **Tafel -n** table, plate

der **Tag -es -e** day; **täglich** daily

das **Tannenholz -es** pine wood

die **Tat -en** deed, action; **in der Tat** indeed, in fact; **tätig** active; die **Tätigkeit -en** activity; **in Tätigkeit treten (ist)**† to be activated; die **Tatsache -n** fact; **tatsächlich** actual

tauchen (ist) to dive, sink, slope

taufen to christen, name

tauglich suitable, useful

die **Täuschung -en** deception, erroneous conclusion

der **Teich -es -e** pond

der **Teil -es -e** part; **teilbar** divisible; das **Teilchen -s -** particle; **teilen** to divide; **teil-nehmen**† to participate, partake; **teils** partly; die **Teilung -en** division, separation; **teilweise** in part

tief deep; die **Tiefe -n** depth(s)

das **Tier -es -e** animal; **tierisch** animal

das **Titelblatt -es ⁔er** title page

die **Tochter ⁔** daughter

der **Ton -es ⁔e** tone, sound; **tönen** to sound, ring

der **Topf -es ⁔e** pot

das **Tor -es -e** gate(way)

tot dead; **töten** to kill; **tödlich** fatal

tragen† to bear, carry; der **Träger -s -** bearer, subject, object; die **Tragfähigkeit** carrying capacity, tonnage

die **Traube -n** grape

der **Traum -es ⁔e** dream; **träumen** to dream; der **Träumer -s -** dreamer

treffen† to meet, strike, make; **treffend** appropriate, accurate, apt; **trefflich** excellent

treiben† to drive, force

trennen to separate; die **Trennung -en** separation

treten (ist)† to step, appear, go; **vor die Augen treten (ist)†** to become apparent

der **Trieb -es -e** instinct, drive; die **Triebregung -en** instinctual impulse

trocken dry; **trocknen** to dry

der **Tropfen -s -** drop

trotz despite; **trotzdem** although, in spite of the fact that; nevertheless

trüb dull, clouded, opaque

tun† to do

die **Tür -en** door

U

übel bad

über about, regarding, in, on, beyond

überall everywhere

überblicken to survey

überdecken to cover

überdies furthermore

überein-stimmen to agree (with), correspond, be uniform; die **Übereinstimmung -en** agreement, accord, common feature

überfallen† to fall upon suddenly, surprise

der **Überfluß -sses** surplus, excess, superabundance; **überflüssig** superfluous

überfluten to submerge; die **Überflutung -en** submersion

über-führen to convert

der **Übergang -s ⁔e** transition, passing; **über-gehen (ist)†** to pass over (to), be transmitted

überhaupt at all, in general, in every case, entirely

überlassen† to make available, leave

überleben to survive

überlegen to consider, reflect; (*as adj.*) superior; die **Überlegung -en** reflection, consideration

überraschen to surprise

übersehbar comprehensible, visible at a glance; **übersehen†** to survey, comprehend

übersetzen to translate; der **Übersetzer -s -** translator

übersichtlich comprehensive

überstark excessive

über-strömen (ist) to overflow

übertragen† to transfer, transmit

übertreffen† to surpass

überwältigen to overwhelm

überzeugen to convince; die **Überzeugung -en** conviction

überziehen† to cover, coat

üblich customary

übrig other, left; **übrig-bleiben (ist)†** to remain; **übrigens** by the way, incidentally

das **Ufer -s -** bank, shore

die **Uhr -en** clock, watch; das **Uhrwerk -s -e** clockwork

um around, by; **um . . . zu** in order to

die **Umbildung -en** modification

die **Umdrehung -en** revolution, turning

der **Umfang -s** extent

umfassen to enclose, include, encompass; **umfassend** comprehensive

umgeben† to surround; **die Umgebung -en** vicinity, surroundings

umgekehrt reverse, inversely

um-kehren (ist) to turn around, reverse

umkreisen to revolve around

der **Umlauf -s ⸗e** rotation, orbit; die **Umlaufszeit -en** period of revolution

der **Umriß -sses -sse** outline, relief

umschließen† to surround, enclose

der **Umstand -s ⸗e** circumstance; **umständlich** elaborate

um-wandeln to change, transform; die **Umwandlung -en** transformation

der **Umweg -es -e** indirect way

unabhängig independent; die **Unabhängigkeit** independence

unangenehm unpleasant, disagreeable

unaufgelöst undissolved

unaufhörlich ceaselessly

unbedeutend insignificant, unimportant

unbedingt absolute, certain

unbegründet unfounded

unbehaglich uncomfortable

unbekannt unknown, unfamiliar; der **Unbekannte -n -n** stranger

unbequem uncomfortable

unbeschränkt unlimited

unbestimmbar indefinable, indeterminate; **unbestimmt** uncertain, indefinite; die **Unbestimmtheit** uncertainty

unbewohnbar uninhabitable

unbewußt unconscious

undeutlich indistinct

die **Undurchdringlichkeit** impenetrability

undurchlässig opaque

undurchsichtig opaque

unempfindlich insensitive

unendlich endless, infinite

unentbehrlich indispensable

unentwickelt undeveloped

unerfreulich unhappy

unerfüllt unfulfilled

unerhört unprecedented, unheard of

unerwartet unexpected

ungeändert unchanged

die **Ungeduld** impatience

ungefähr about, approximate, accidental

ungefärbt uncolored, unstained

ungeheuer enormous

ungehindert unhindered

ungeladen uncharged

ungemein unusual, extraordinary

ungenannt unnamed, anonymous

ungenau inexact; die **Ungenauigkeit -en** inexactitude

ungenügend insufficient

ungern unwillingly

der **Unglaube -ns -** disbelief; **unglaublich** incredible

ungleichmäßig unlike

unglücklich unhappy, unfortunate; der **Unglücksfall -es ⸗e** accident

ungünstig unfavorable

die **Unkenntnis** lack of knowledge

unleugbar undeniable

unmittelbar direct, immediate

unmöglich impossible

unnötig unnecessary

unregelmäßig irregular

unreif unripe, immature

unrichtig wrong, incorrect

unschädlich harmless

die **Unschärfe** imprecision, unclarity

unschicklich improper

unsicher uncertain; die **Unsicherheit -en** uncertainty

unsinnig senseless

unteilbar indivisible

unten below

unter under, among, in association with; lower

die **Unterbrechung -en** interruption

unterdessen meanwhile

unterdrücken to suppress

untereinander among one another

der **Untergrund -s** bottom (of the sea)

unterhalb beneath
die **Unterlage -n** base
unterliegen† to be subject to, be lost, be overcome
unternehmen† to undertake; die **Unternehmung -en** undertaking
unter-ordnen to subordinate
unterschätzen to undervalue, underestimate
unterscheiden† to distinguish; **sich unterscheiden†** to differ; die **Unterscheidung -en** differentiation, discrimination; der **Unterschied -s -e** difference
untersuchen to investigate, examine; die **Untersuchung -en** investigation
unterwegs on the way, under way; in the process
unterwerfen† to subject
unterziehen† to subject (to)
untrüglich infallible
unverändert unchanged
unvereinbar incompatible, irreconcilable; die **Unvereinbarkeit** incompatibility
unverhältnismäßig disproportionate
unverkennbar unmistakable
unverstanden not understood; **unverständlich** incomprehensible, unintelligible
unvollkommen imperfect
unvollständig incomplete
unwahrscheinlich improbable, unlikely
unwichtig unimportant
das **Unwissen -s** ignorance, lack of knowledge
unzertrennlich inseparable
unzugänglich inaccessible
unzweifelhaft certain, unmistakable
uralt ancient
die **Ursache -n** cause; **ursächlich** causal
der **Ursprung -s ⁼e** origin; **ursprünglich** original
das **Urteil -s -e** judgment, conclusion; **urteilen** to judge

V

der **Vater -s ⁼** father
verachten to despise; **verächtlich** contemptuous
veränderlich variable; **verändern** to change; die **Veränderung -en** change, variation, modification
veranlassen to cause, impel; die **Veranlassung -en** occasion
verantwortlich responsible
verbergen† to conceal, hide
verbessern to improve; die **Verbesserung -en** improvement
die **Verbiegung -en** twist, bend
die **Verbilligung** cheapening, reduction in cost
verbinden† to connect, be crossed, correlate, associate; die **Verbindung -en** connection, association; compound, combination
verbrauchen to use, use up
verbreiten to spread; **verbreitet** wide-spread
verbrennen† to burn (up), consume; die **Verbrennung** combustion; die **Verbrennungsluft** air used for combustion
verdanken to owe
verdienen to earn, deserve; der **Verdienst -es -e** merit
verdunkeln to darken
verdünnen to dilute, rarefy; die **Verdünnung** rarefaction
verehren to esteem; der **Verehrer -s -** admirer
der **Verein -s -e** association; **vereinbar** conformable; **vereinigen** to unite, combine; die **Vereinigung -en** union
vereinzelt isolated, sporadic, solitary
sich **verengen** to narrow
verfahren (ist)† to proceed; das **Verfahren -s -** method, procedure
verfallen (ist)† to fall, deteriorate
die **Verfeinerung -en** refinement
verflachen to flatten
verfolgen to pursue, follow up

die **Vergangenheit** past
vergeblich (in) vain
vergessen† to forget
der **Vergleich -s -e** comparison; **vergleichbar** comparable; **vergleichen**† to compare
das **Vergnügen -s -** pleasure
vergrößern to magnify, increase; die **Vergrößerung -en** increase, magnification
sich **verhalten**† to be the case, behave, be related; das **Verhalten -s** behavior
das **Verhältnis -ses -se** relation(ship), proportion, ratio, condition; **verhältnismäßig** relative, proportionate
verhelfen† to help
verhindern to prevent
verhüllen to conceal
verkaufen to sell
der **Verkehr -s** traffic; **verkehren** to travel
verkleinert miniature
die **Verknüpfung -en** connection
verlangen to desire
die **Verlängerung -en** extension
verlassen† to leave
der **Verlauf -s** course, direction; **verlaufen** (ist)† to pass, take its course
die **Verlegenheit** embarrassment
die **Verletzung -en** injury
die **Verliebtheit** infatuation, being in love
verlieren† to lose; der **Verlust -s -e** loss
vermehren to increase; die **Vermehrung -en** increase
vermeiden† to avoid
vermindern to reduce, diminish; die **Verminderung -en** diminution, reduction
vermissen to miss; **vermißt werden**† to be absent
vermitteln to transmit, mediate; der **Vermittler -s -** mediator
vermögen† to be able; das **Vermögen -s -** ability
vermuten to presume, suspect; **vermutlich** presumably; die

Vermutung -en supposition, conjecture
verneinen to deny; **verneinend** negative
vernichten to destroy
veröffentlichen to publish
verpflanzen to transplant
verpflichten to obligate
verraten† to reveal
die **Versammlung -en** convention, assembly
versäumen to neglect
verschieben† to shift, postpone; sich **verschieben**† to drift; die **Verschiebung -en** shift, displacement
verschieden various, diverse, different, distinct; **verschiedenartig** various; die **Verschiedenheit -en** difference, version, variation
verschließen† to seal; sich **verschließen**† to keep aloof from, escape
verschwinden (ist)† to disappear; **verschwindend klein** minute
versehen† to supply, provide
versilbert silvered
versinken (ist)† to sink
versöhnen to reconcile
verspeisen to consume
versprechen† to promise
der **Verstand -es** understanding, reason; **verständlich** comprehensible, intelligible; das **Verständnis -sses** understanding
verstärken to reinforce, increase; die **Verstärkung -en** reinforcement
verstecken to conceal
der **Versuch -s -e** experiment, attempt; **versuchen** to attempt, try; das **Versuchstier -s -e** experimental animal
die **Versuchung -en** temptation
verteilen to distribute; **fein verteilt** pulverized; die **Verteilung** distribution
der **Vertrag -s ⁔e** treaty; **einen Vertrag schließen**† to conclude a treaty

vertraut familiar; **mit dem Ge-danken vertraut** favorably inclined to the plan

vertreten† to represent; **vertritt die Stelle** corresponds (to); der **Vertreter -s -** representative

verursachen to cause

vervollkommnen to perfect

die **Verwaltung -en** administration, management

verwandeln to transform, change; die **Verwandlung -en** transformation

die **Verwandtschaft -en** relationship; die **Verwandtschaftsbeziehung -en** relationship

verwendbar usable; **verwenden†** to use, make use of; die **Verwendung -en** use

verwerfen† to reject

die **Verwertung -en** utilization

verwirklichen to realize

verwirren to confuse; die **Verwirrung -en** confusion

verzichten (auf) to renounce, forego

verzögern to delay, put off

sich **verzweigen** to branch

vielfach numerous, manifold, frequent

vielleicht perhaps

vielmehr rather

viereckig rectangular

das **Viertel -s -** quarter

der **Vogel -s ″** bird

voll full, complete; **völlig** entire, complete; **vollkommen** entire, perfect, complete, ideal; die **Vollkommenheit** perfection; **vollständig** complete, entire; **vollziehen†** to complete, carry out

von of, from, by

vor before, in front of, from, ago; **vor allem** above all

voran-gehen (ist)† to precede

voraus in advance; **im voraus** in advance

voraus-bestimmen to predetermine

voraus-eilen (ist) to hasten ahead

voraus-sehen† to foresee

voraus-setzen to assume; die **Voraussetzung -en** assumption, supposition

vor-behalten† to reserve

vor-bereiten to prepare; die **Vorbereitung -en** preparation

das **Vorbild -es -er** model

vorder front; **vorderst** foremost der **Vorderrand -s ″er** front edge

der **Vorgang -s ″e** process, event; **vor-gehen (ist)†** to happen, take place

die **Vorgeschichte -n** prehistory

vorhanden present

vorher previously; **vorherig** previous

vorher-gehen (ist)† to precede

vorher-sagen to predict

vorhin before; **von vorhin** previous(ly)

vorig previous

vor-kommen (ist)† to occur; das **Vorkommnis -sses -sse** occurrence

vor-lagern to be located in front of

vor-legen to put before, propose, present

die **Vorlesung -en** lecture

die **Vorliebe** preference; **mit Vorliebe** preferably, by preference

vor-liegen† to exist, be at hand

vor-nehmen† to undertake

das **Vorrecht -s -e** privilege, prerogative

der **Vorschein: zum Vorschein kommen (ist)†** to appear; **zum Vorschein bringen†** to bring to light

der **Vorschlag -s ″e** proposal, suggestion; **in Vorschlag kommen (ist)†** to be suggested; **vor-schlagen†** to propose

vor-schreiben† to prescribe; die **Vorschrift -en** prescription, specification, requirement, condition

die **Vorsicht** care, caution; **vorsichtig** careful

vor-stellen to represent; **sich vor-**

stellen to imagine, conceive, present; die **Vorstellung -en** concept; der **Vorstellungskreis -es -e** complex of ideas

der **Vorteil -s -e** advantage; **im Vorteil** advantageous, superior (to); **vorteilhaft** advantageous

der **Vortrag -s ⁻e** address; **vor-tragen†** to lecture, present

vorüber-gehen (ist)† to pass by; **vorübergehend** temporary

das **Vorurteil -s -e** prejudice

vorwärts forward

der **Vorwurf -s ⁻e** reproach, charge

vor-zeichnen to draw, sketch, prescribe

vorzeitig premature

vor-ziehen† to prefer, prepare; der **Vorzug -s ⁻e** advantage; **vorzüglich** excellent; particularly

W

wach awake, waking; **im Wachen** when awake; das **Wachleben -s** waking life, waking existence

wachsen (ist)† to grow; das **Wachstum -s** growth

die **Waffe -n** weapon

wagen to dare, venture

der **Wagen -s -** carriage, car

die **Wahl -en** choice; **wählen** to select, choose

wahr true

während during; while

die **Wahrheit -en** truth

wahr-nehmen† to perceive; die **Wahrnehmung -en** perception

wahrscheinlich probable; die **Wahrscheinlichkeit** probability; **aller Wahrscheinlichkeit nach** in all probability

der **Wald -es ⁻er** woods, forest

die **Wand ⁻e** wall

wandeln to change

die **Wärme** heat, warmth

warum why

das **Wasser -s -** water; **wässerig** watery, aqueous; der **Wasserspiegel -s -** surface (of the water); der **Wasserstoff -s** hydrogen

der **Wechsel -s -** change, interchange; die **Wechselbeziehung -en** correlation, correspondence; **wechseln** to change; die **Wechselwirkung -en** interaction

weder neither; **weder . . . noch** neither . . . nor

der **Weg -es -e** way; **weg** away

wegen because of, on account of, for the purpose of

der **Wegfall -s** diminution, absence

das **Weib -es -er** female

weich soft; **weichen (ist)†** to yield, move (from), recede

weil because

die **Weintraube -n** grape

weise wise

die **Weise -n** manner; **auf diese Weise** in this way

weiß white; **weißlich** whitish

weit far, wide; **ohne weiteres** without further ado; **weitaus** by far; die **Weite -n** distance; **weiterhin** from that point on; **weittragend** far-reaching, very important

welch which; some

die **Welle -n** wave; der **Wellenvorgang -es ⁻e** wave process

die **Welt -en** world; der **Weltenraum -es** outer space; die **Weltkugel** globe, sphere; **weltlich** secular

die **Wende -n** turn, turning; **wenden†** to turn

wenig little, few; **wenigstens** at least

wenn whenever, when, if; **wenn . . . auch** even if, even though

werden (ist)† to become, be (*passive*), develop

werfen† to throw, cast

der **Wert -es -e** value; **wertvoll** valuable

das **Wesen -s -** nature, being, essence, system; **wesentlich** basic, fundamental, substantial; **im wesentlichen** essentially

weshalb why, for which reason

westlich westerly, westward

wichtig important; die **Wichtig-keit** importance
widerlegen to refute, disprove
widersprechen† to contradict; der **Widerspruch -s ⸗e** contradiction
der **Widerstand -es ⸗e** opposition, resistance
widerstreben to resist
wie how, like, as; such as; **wie . . . auch** no matter how
wieder again
die **Wiederaufsuchung -en** relocating
wieder-geben† to reproduce, render
wiederholen to repeat
wieder-kehren (ist) to return, reappear
wiederum again, in turn
wiegen† to weigh
die **Wiese -n** meadow
wieso how
willkommen welcome
willkürlich voluntary, arbitrary, at will
wirken to be effective, act; **wirklich** real; die **Wirklichkeit -en** reality; **wirksam** effective; die **Wirkung -en** effect; **wirkungslos** without effect
wirtschaftlich economic
wissen† to know; das **Wissen -s** knowledge; die **Wissenschaft -en** science
die **Witterung** weather conditions
wobei whereby, in which case, in connection with which
die **Wochenschrift -en** weekly
wodurch by which, so that
wofür for which
woher whence, from where
wohl well; probably, undoubtedly
das **Wohlbehagen -s** sense of well-being
wohlschmeckend tasty
wohl-wollen to be well disposed toward; **wohlwollend** friendly, benevolent
wollen to want, claim to, be on the point of

womit with which, whereby
worauf on which, after which
woraus from what, how; from which
das **Wort -es -e** or **⸗er** word; **mit einem Wort** in a word; **wörtlich** literal
wovon of which
wozu for what reason
wuchern to proliferate, increase rapidly
der **Wuchs -es ⸗e** growth
wunderbar marvelous; **wunderlich** strange; **sich wundern** to be surprised
der **Wunsch -es ⸗e** wish; **wünschen** to wish, desire; **wünschenswert** desirable
würdigen to appreciate
die **Wurzel -n** root; **Wurzel fassen** to take root

Z

die **Zahl -en** number; **zahlen** to pay; **zählen** to count, number; die **Zahlentafel -n** table of numbers; **zahllos** innumerable, countless; **zahlreich** numerous; die **Zahlwissenschaft** science of numbers
zart delicate
das **Zeichen -s -** sign, symbol, token; **zeichnen** to draw, mark; die **Zeichnung -en** drawing, sketch
zeigen to show, exhibit; **sich zeigen** to appear
die **Zeit -en** time; das **Zeitalter -s -** age, era; die **Zeitschrift -en** journal; die **Zeitung -en** newspaper, journal; **zeitweile** temporarily; **zeitweise** at times, occasionally
der **Zerfall -s ⸗e** disintegration, decomposition; **zerfallen** (ist)† to divide, disintegrate
zerreißen† to tear apart, split
zerschneiden† to cut (up), cut to pieces
zersetzen to decompose; die **Zersetzung** decomposition

die **Zerspaltung -en** splitting apart
zerstören to destroy; die **Zerstö-rung -en** destruction
zerstreuen to scatter
der **Zeugungsstoff -s** semen
ziehen† to draw, extract, grow; **ihre Bahnen ziehen**† move in their orbits
das **Ziel -es -e** goal
ziemlich rather
das **Zimmer -s -** room
zögern to hesitate
der **Zoll -es -e** inch
der **Zorn -es** anger
zu to, at, for, as, among; too; **zueinander** to(ward) one another
der **Zucker -s** sugar; **zuckerartig** sugarlike, sugary
zuerst at first
der **Zufall -s ⁔e** chance, accident; **zufällig** chance; by chance, accidentally
zufrieden satisfied; **sich zufrieden geben**† to be satisfied
zu-führen to bring to, lead to
der **Zug -es ⁔e** train; feature
zu-geben† to concede
zugehörig pertinent, proper
zugleich at the same time
zugrunde: zugrunde gehen (ist)† to disintegrate, perish; **zugrunde-legen** to take as a basis; **zugrunde-liegen**† to be the basis (of)
zugunsten in favor of
der **Zuhörer -s -** listener; (*pl.*) audience
die **Zukunft** future; **zukünftig** future
zu-lassen† to permit, admit; **zulässig** permissible
zuletzt last, at last
zunächst first of all, at first, next
die **Zündung -en** ignition
zu-nehmen† to increase
zurück back
zurück-bleiben (ist)† to remain (behind)
zurück-fahren (ist)† to return, go back, recoil
zurück-führen to lead back, attribute; die **Zurückführung** leading back, attribution
zurück-gehen (ist)† to go back, retrogress
zurück-halten† to hold back, retain
zurück-kehren (ist) to return
zurück-legen to put back; **einen Weg zurücklegen** to pass
zurück-treten (ist)† to withdraw, recede, return, become less important
zurück-werfen† to reflect, throw back; die **Zurückwerfung** reflection, throwing back
zurück-ziehen (ist)† to draw back, withdraw
zusammen together
zusammen-fallen (ist) † to coincide
zusammen-falten to fold together
zusammen-fassen to summarize, collect, include
zusammen-halten† to hold together, cohere
der **Zusammenhang -es ⁔e** connection, continuity; **zusammen-hangen,**† **zusammen-hängen**† to be connected (with)
sich **zusammen-lagern** to combine
zusammen-nähen to sew together
zusammen-nehmen† to take together, combine
zusammen-reiben† to rub (grind) together
zusammen-setzen to put together, compose; die **Zusammensetzung -en** composition
zusammen-stellen to compile, bring together; die **Zusammenstellung -en** compilation
zusammen-treten (ist)† to come together, be combined
zu-schicken to send to
zu-schreiben† to attribute, ascribe
zu-setzen to add
zu-sichern to assure
sich **zu-spitzen** to come to a point, taper off
zu-sprechen† to attribute to
der **Zustand -es ⁔e** condition, state

zustande bringen† to accomplish, achieve

zustande kommen (ist)† to occur, form

zustatten kommen (ist)† to be of advantage

zu-stimmen to agree (with); die **Zustimmung -en** consent, assent, agreement

zu-treffen† to agree, take place

der **Zutritt -es -e** entrance, admission

zuvor previously, before

der **Zuwachs -es** increase

zuweilen occasionally

zu-wenden† to devote, turn to, face

zu-werfen† to cast toward

zwar to be sure, in fact

der **Zweck -es -e** purpose; **zweck-mäßig** practical, suitable

zweierlei two kinds of (things)

der **Zweifel -s -** doubt; **in Zweifel ziehen**† to doubt; **zweifelhaft** doubtful; **zweifellos** doubtless; **zweifeln** to doubt

der **Zweig -es -e** branch, twig

zwingen† to compel

zwischen between, among

Translations of Picture Captions

p. preceding p. 1 *Left:* Eighteenth century engraving. *Below:* Title page of the 1802 edition. p. 3 Page from Euler's *Anleitung zur Algebra*, published in 1802 at St. Petersburg. pp. 14-15 Leibniz's calculating machine. p. 14 The calculating machine after removal from the container. The machine after removal of the cover from the drive system frame. p. 15 The drive system after removal of the drive wheels. The graduated gears of the multiplication system. p. 16 IBM 7090 Data Processing System, latest development of the binary calculating machine. p. 18 Normal or Gaussian curve, also called bell curve. p. 19 Eighteenth century engraving. p. 20 Plate from Bode's *Von dem neu entdeckten Planeten*, Berlin, 1784. p. 22 Title page of the first edition, Berlin, 1784. pp. 26-27 Illustration from Bode's *Uranographia sive astrorum descriptio*, 1801. Region of Taurus and the Pleiades. pp. 30-31 From Bode's *Uranographia:* Southern celestial hemisphere. p. 35 Original Schmidt reflector in the Hamburg Observatory at Bergedorf. p. 36 *Right:* 48-inch Schmidt reflector at Mount Palomar, California. *Below:* 200-inch Hale telescope at Mount Palomar, California. p. 38 Great galaxy in Andromeda (Mercier 31): Photograph by the Schmidt reflector at Mount Palomar (see p. 36). Detail of the Andromeda galaxy: Photograph by Hale telescope. Compare the fields of vision. p. 39 Seventeenth century engraving. p. 40 Kepler's model of the universe. The five bodies represent the magnitudes of the planetary orbits and their distances from the sun. pp. 42-43 Detail from Fraunhofer's drawing of the solar spectrum. p. 45 Justus Liebig in Giessen in 1839. p. 46 Example of Liebig's handwriting. p. 52 Chemical Institute of the University of Giessen. Drawing, 1841. p. 53 Liebig's analytic laboratory at Giessen. Drawing, 1842. p. 57 Liebig in his laboratory. p. 59 *On next pages (60-61)*: Illustration from Guericke's *Experimenta nova*, 1672 (cf. text). p. 62 Title page from Guericke's *Experimenta nova*, 1672. p. 64 Hermann von Helmholtz. Portrait. p. 66 Ophthalmoscope. Illustration from Helmholtz's *Handbuch der physiologischen Optik*, 1867. p. 69 From the *Handbuch der physiologischen Optik*, 1867. p. 73 Title page of Müller's *Handbuch*, third edition, 1838. p. 74 First volume of the *Archiv für Physiologie*. Title page. p. 75 First volume of the *Archiv für Anatomie, Physiologie und wissenschaftliche Medizin*, edited by Johannes Müller. Title page. p. 78 Gregor Mendel. Photograph. p. 81 Blossom. p. 82 Cross-section of a blossom. p. 85 Cyme. p. 89 Pea seeds. Illustration of hybrid forms in different generations. p. 90 Gregor Mendel. Relief. p. 91 Karl Ernst von Baer. Portrait. p. 94 Title page of Baer's *De ovi mammalium et hominis genesi*, 1827. p. 98 Diagram from

Baer's *Über die Bildung des Eies der Säugetiere* (translation from Latin). p. 102 Plate from Schwann's *Mikroskopische Untersuchungen* about the correspondence between structure and growth in animals and plants. p. 104 Robert Koch in his laboratory in Kimberley, South Africa, 1896. p. 106 Beginning of the article on the microorganisms in infectious traumatic diseases in the *Deutsche Medicinische Wochenschrift*, Oct. 26, 1878. p. 108 Illustration from Koch's "The Etiology of Anthrax Disease" in *Beiträge zur Biologie der Pflanzen*, 1877. p. 109 Anthrax bacilli from the blood of a guinea pig. Photograph by Koch. Anthrax bacilli from the pancreas of a mouse. Photograph by Koch. p. 111 Draft of a lecture on tuberculosis. First page. p. 115 Western hemisphere. Illustration from *Das Antlitz der Erde*. p. 122 Title page of the *Berichte der deutschen chemischen Gesellschaft*, July-Dec., 1886. p. 123 Title page of the parody. p. 130 Kekulé's benzine hexagon. Modern benzine ring. Röntgen caricature from the humor magazine *Fliegende Blätter*, May 26, 1896. p. 132 Plate 1. p. 135 Plate 2. p. 137 *Right:* Experimental diesel motor, 1893. State of the motor in 1895. p. 138 Model of the diesel motor in the M.A.N. Rudolf Diesel in the center. p. 142 First page of the original manuscript of the *Theorie und Konstruktion eines rationellen Wärmemotors* by Rudolf Diesel. p. 145 Diesel stamp of the Deutsche Bundespost. p. 148 Tubes with which Röntgen discovered X-rays. *Left:* Lenard tubes. p. 149 Original manuscript of Röntgen's "Über eine neue Art von Strahlen." p. 150 Hittorf-Crookes tubes. p. 151 Ruhmkorff induction coil. p. 152 Röntgen's first paper on X-rays. p. 153 Lead sheet with windows of various metals to test the absorption of rays, used by Röntgen. p. 154 Lead sheets with two slits for scattering a pencil of rays. p. 156 Prisms of hard rubber and aluminum and a hollow prism of mica sheets. These were placed on the lead plate (see ill. p. 154). Any resulting deflection of the rays could have been detected in this way. p. 159 Electromagnet with which Röntgen attempted to deflect the rays. p. 161 Röntgen photograph of Mrs. Röntgen's hand. pp. 164-165 Apparatus with which Hertz studied the characteristics of electromagnetic waves. p. 165 Hertz's experimental apparatus. It can also be seen in the photograph above. p. 167 Space lattice of a sodium chloride crystal. p. 168 Interference phenomena of Röntgen rays passing through a sodium chloride crystal. Laue diagram. p. 170 Emil Fischer in his laboratory. Photograph. p. 184 The 26-year-old Einstein delivering the first lecture on relativity. p. 187 Dr. G. Van Biesbroek, Yerkes Observatory, and F. O. Westfall, National Bureau of Standards, in Bocayuva, Brazil, May 20, 1947. Their photographs of the solar eclipse confirmed Einstein's theory that star light is deflected by the sun's field of gravity. p. 188 Astrophysical observatory near Potsdam. Einstein tower. p. 190 Title page of the *Annalen der Physik*, 1905, in which Einstein's first paper on relativity appeared. p. 191 First page of Einstein's paper "On the Electrodynamics of Moving Bodies," in the *Annalen der Physik*, 1905. p. 200 Quantum conception of the atomic structure of an ionic crystal. p. 202 Quantum conception of a hydrogen atom. p. 210 Otto Hahn and Lise Meitner, discoverers of nuclear fission, in the laboratory, 1913. p. 211 Sigmund Freud with the manuscript of his *Abriss der Psychoanalyse*, 1938. p. 214 Freud's consultation room in London. p. 223 Sigmund Freud with other psychoanalysts at Clark University. p. 237 Diagram to illustrate the transformation of energy in the sun.

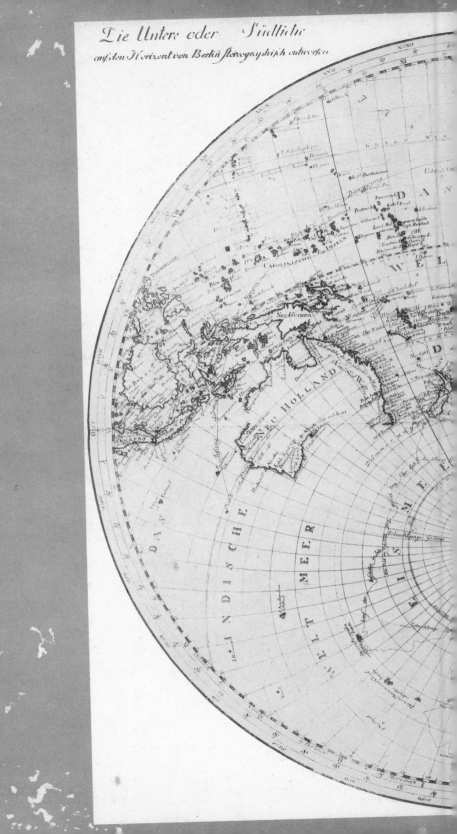

Die Untere oder Südliche
auf den Horizont von Berlin stereographisch entworfen